Roman Fantastique

幻想と怪奇

12

イギリス女性作家怪談集

メアリー・シェリーにはじまる

新紀元社

A Map of Nowhere

Illustrated by 藤原ヨウコウ

11 メアリー・シェリー「変化」のジェノヴァ

＊『新編 怪奇幻想の文学１ 怪物』より

イギリス怪奇小説・女性作家名鑑

『幻想と怪奇』編集室

イギリスの小説家の多くが怪奇小説を手がけています。もちろん、そこに男女の差はありません。むしろ女性作家のほうが怪奇幻想の物語を熱心に書いていたのではないか、とさえ思えてくるほど。が、本国で有名でも日本ではほとんど知られていない、という作家も思いのほか多いのが現状です。

　ここに、十八世紀ゴシックの巨匠アン・ラドクリフから、メアリー・シェリーら十九世紀の作家を経て、二十世紀半ばのダフネ・デュ・モーリアに至るまでの十人と、その邦訳書（怪奇小説とその周辺）を紹介します。『幻想と怪奇10』巻頭の「英国怪談・十五人の紳士」とあわせてお楽しみいただけますよう。

メアリー・シェリー

Mary Shelley (1797-1823)

シェリーの作品には、幻想怪奇の要素をもつものは実は少ないのだが、『フランケンシュタイン』が後世に及ぼした影響はきわめて大きい。そのため、本書も副題を「メアリー・シェリーにはじまる」とした次第。

R・ロズウェル画（1840）

小林章夫訳　光文社

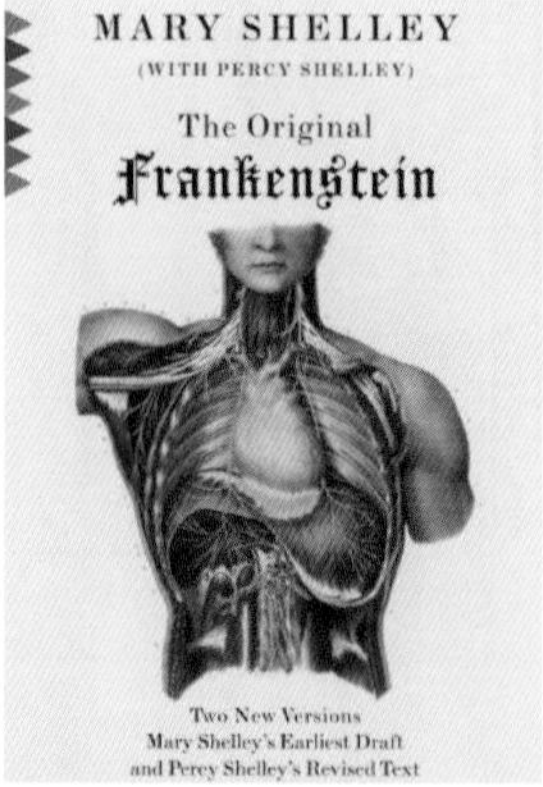

初稿版（Vintage,2009）

アン・ラドクリフ

Ann Radcliffe (1764-1823)

十八世紀末ゴシック小説を代表する作家。ロンドンの貿易商の家に生まれる。ホラー＝生理的恐怖よりもテラー＝心理的恐怖に重きを置いた。畢生の大作『ユドルフォ城の怪奇』が昨二〇二一年に訳された。

三馬志伸訳　作品社

エリザベス・ギャスケル

Elizabeth Gaskell (1810-1865)

チェルシーの牧師の家に生まれる。長編『メアリー・バートン』で社会派小説家として注目され、ディケンズやC・ブロンテに称賛された。怪奇小説の代表作に「老いたる子守の回想」。全作品が邦訳されている。

日本ギャスケル協会監修　大阪教育図書

G・リッチモンド画（1851）

メアリー・E・ブラッドン

Mary E. Braddon (1835-1915)

ソーホーに生まれる。長編『レイディ・オードリーの秘密』はじめセンセーション小説（広義のミステリ）や、歴史小説などで人気を博す。怪奇短編は「冷たい抱擁」をはじめ、三十編近くを手がけている。

三馬志伸訳　近代文芸社

W・パウエル画（1865）

マリー・コレリ

Marie Corelli (1855-1924)

ロンドンに生まれる。冒険と波瀾に富んだ物語でライダー・ハガードと並び称された。独自の神秘思想を含むＳＦ『二つの世界のロマンス』や、黒岩涙香『白髪鬼』の原案『復讐　ヴェンデッタ』の邦訳がある。

平井呈一訳　東京創元社

ヴァーノン・リー

Vernon Lee (1856-1935)

本名ヴァイオレット・パジェット。フランスに生まれる。イタリアに長く暮らし、イタリア文化の研究者としても知られる。幻想小説の代表的な作品は『教皇ヒュアキントス』にまとめられている。

中野善夫訳　国書刊行会

メイ・シンクレア

May Sinclair (1863-1946)

チェシャーの船主の家に生まれる。フェミニズムの活動と著述のかたわら詩作・創作を手がける。心霊主義に深く関心を持ち、怪奇小説の作品集を二冊上梓。日本では傑作選『胸の火は消えず』が刊行されている。

南条竹則編訳　東京創元社

シンシア・アスキス

Cynthia Asquith（1887-1960）

ウィルトシャーの伯爵家に生まれる。怪奇小説のアンソロジストとして著名。D・H・ロレンスと親交を持ち、J・M・バリの秘書を勤めた。邦訳書に短編集『願わくは彼女の眠り続けんことを』（自主出版）がある。

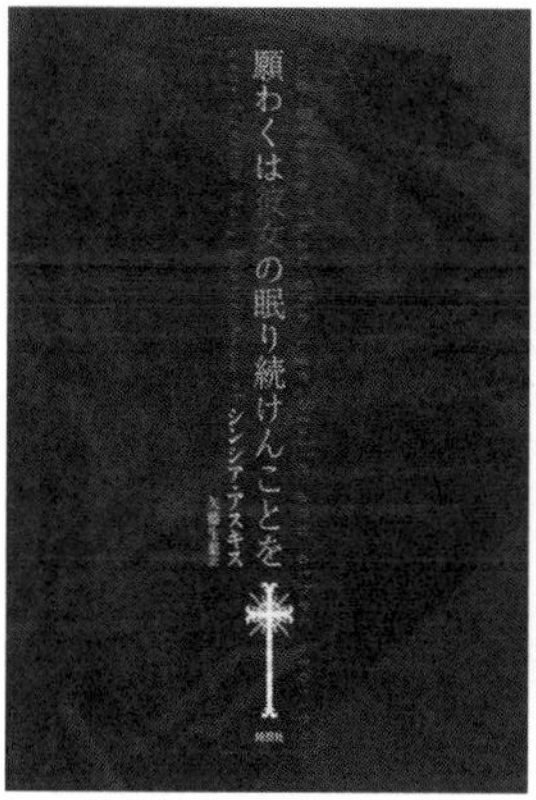

矢藤生葉訳　綺想社

アガサ・クリスティー

Agatha Christie（1890-1976）

かの「ミステリの女王」も、イギリスの小説家の例に漏れず、怪奇小説を手がけている。それらはほぼ作品集『死の猟犬』に収録されているが、『教会で死んだ男』収録の「洋裁店の人形」もお忘れなく。

ドイツで出版された伝記

小倉多加志訳　早川書房

ダフネ・デュ・モーリア

Daphne du Maurier（1907-89）

ロンドンで俳優の両親の元に生まれる。長編『レベッカ』で有名だが、怪奇・恐怖を主眼とした短編も巧み。幽霊譚の「林檎の木」や恐怖小説の佳品「恋人」などを収録した短編集『鳥』は怪奇愛好者必読の一冊。

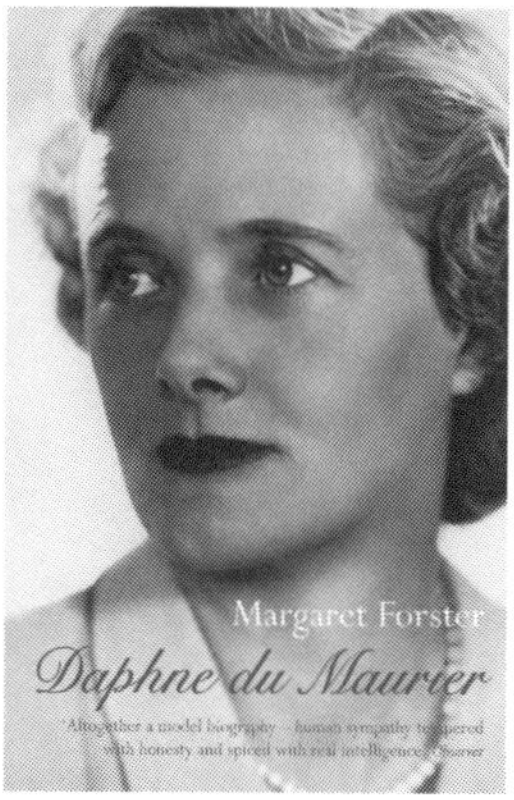

イギリスで出版された伝記

務台夏子訳　東京創元社

幻想と怪奇12

イギリス女性作家怪談集　メアリー・シェリーにはじまる

●幻の女たち

●Le forum du Roman Fantastique

表紙：ひらいたかこ（Pen Studio）

装丁：YOUCHAN（トゴルアートワークス）

『幻想と怪奇』題字：原田治

メアリー・シェリーにはじまる

死すべき運命《さだめ》の不死の者

The Mortal Immortal

メアリー・シェリー　Mary Shelley

金井真弓 訳

「メアリー・シェリー」にはじまる——と題した以上、本書はやはり彼女から始めなくては。ここに御紹介するのは、『新編　怪奇幻想の文学1　怪物』所収の「変化《へんげ》」と共に、しばしば『フランケンシュタイン』との関連で言及される一作。一八三三年の年末に刊行された雑誌 *Keepsake for 1834* に発表された、魔術師の秘薬をめぐる悲喜劇を描いた短編である。なお本作には、「寿限有の寿限無」の題で既訳（臼田昭訳『フランケンシュタイン』国書刊行会所収　一九七九）がある。

一八三三年七月十六日——わたしにとって忘れがたい記念日である。この日、わたしは生まれてから三百二十三年を迎えたのだ！

「さまよえるユダヤ人」（磔刑のときにキリストを侮辱した罰として、世の終わりまで放浪することを運命づけられたユダヤ人アハスエルス）ではないかと言うのか？　いや、断じて違う。彼なら、もう千八百歳にはなっているだろう。この男と比べたら、わたしなど不死の人間と言えども、相当な若輩者だ。

では、不死身の肉体を持つ者なのか？　これは昼となく夜となく自らに問いかけ、今では三百三年にわたって抱き続けている疑問だが、いまだに答えを出せずにいる。まさしく今日、我が茶色の髪の中に一本の白髪を発見した——それは衰えを意味するものに相違ない。しかし、三百年の間、目に留まらずにいた白髪かもしれないのだ

——二十歳に達する前に、髪が一本残らず真っ白になる者もいるのだから。

　読者諸君には、これから語る身の上話をわたしのために判断していただきたい。自分の話をしていれば、たまらなく長い永遠のうちの何時間かをやり過ごせるだろう。飽き飽きするものとなっている時間を。永遠！　永遠に生きる可能性などあり得るのだろうか？　魔法の話についてはいろいろと耳にしたことがあるが、呪文をかけられた犠牲者は突如として深い眠りに陥《おちい》り、百年ほど経ってから若さを保ったまま目を覚ますという。「七人の眠り聖人」（キリスト教やイスラム教の伝承で宗教迫害を逃れるためにトルコのエフェソス郊外の洞窟に隠れ、三百年後に姿を現した若者たち）の話も聞いたことがある——かような次第で、不死の存在となるのはさほど難儀なことではないのだろう。けれども、ああ！　決して終わらない時間の重みときたら——変化なく続いていく、退屈な時間の推移よ！　伝説的なヌールジャハド（アイルランドの作家フランセス・シェリダンによる物語の主人公。彼は守護神から不死の力を授かったと思ったが、間違いだったと最後に判明する）はなんと幸福だったことか！——それはさておき、わたしの話に戻ろう。

　世界中の誰もがコルネリウス・アグリッパ（一四八六—一五三五　ケルン出身の魔術師、神学者、医師）の名は耳にしたことがあるはずだ。コルネリウスの名声は、彼の技がわたしに及ぼした影響と同様に不滅のものである。さらに、師匠の不在時に無謀にも悪魔を呼び出し、殺害されてしまったコルネリウスの弟子についても知れ渡っているだろう。真偽のほどはともかく、件《くだん》の事故に関する風評のせいで、この著名なる賢人は多大な不便を強いられる始末となった。コルネリウスの弟子は一人残らず、一斉に師匠のもとを去ったのだ——使用人たちも姿を消した。コルネリウスが眠っている間も火を絶やしてはならない炉に石炭をくべてくれる者も、彼が研究に打ち込んでいる間も常に色が変化する種々の薬を見守ってくれる者も、そばにいなくなった。実験を成功させるには、一組の手だけでは到底足りなかったから、失敗に失敗を重ねる結果となってしまった。邪悪な霊たちは、仕えてくれる者をただの一人も手元に置けなかったコルネリウスを笑い者にした。

　当時、わたしはとても若く——非常に貧しくて——ある恋に身も心も捧げていた。一年ほどの間、コルネリウスの教えを受けていたのだが、例の事件が起きたときは師匠のもとにいなかった。戻ってきたところ、かような錬金術師の住まいへは二度と行ってくれるなと、わたしは友人たちから懇願された。彼らが語った悲惨な物語を聞き、震えあがった。ひとたび警告されただけで充分だった。だからコルネリウスが訪ねてきて、住み込みの弟子としてとどまってくれるなら財布いっぱいの金貨をあげようと申し出たとき、わたしは悪魔そのものが誘惑しに現れたように感じた。歯の根が合わなくなり――髪の毛は逆立ち――がくがくと震える膝が許すかぎりの速さで逃げた。

覚束《おぼつか》ない足取りで向かったのは、この二年間、毎晩のように引き寄せられた場所だった――澄んだ水が静かに湧き出ている泉で、その傍《かたわ》らには黒髪の女性がたたずんでおり、わたしが夜毎《よごと》に足を運ぶ習慣だった小道を輝く瞳で一心に見つめていた。記憶にある限り、わたしは常にベルタへの愛を抱いていた。彼女とは幼いころからの隣人同士で、一緒に遊んでいたものだ――わたしの親と同様に、ベルタの両親も身分は低いけれども実直な暮らしを送っていた――わたしと娘との仲睦まじさが彼らの喜びの源だった。だが不幸なことに、悪性の熱病によって父親も母親も命を奪われ、ベルタは寄る辺のない子どもとなった。わたしの実家に引き取られるはずだったが、不運にも、近くの城で暮らす、裕福で子どものいない孤独で年老いた貴婦人が彼女を養女にすると言い張った。それからというもの、ベルタは絹の衣装に包まれ――大理石の城を住処とし――運命によって多大な恩恵を受けた者と見なされるようになった。しかし、新たな人々と交流する新しい環境でも、ベルタは質素な暮らしをしていたころの友に忠実であり続けた。ベルタは父の住まいである小さな家によく訪ねてきてくれた。そこへ行くことを禁じられると、ベルタは近隣にある森を散策し、木陰の泉でわたしと会った。

新しい庇護者に対しては、わたしたちを結びつけている絆の高潔さに匹敵するほどの義務を負ってはおりません、とベルタは折りに触れてはっきりと言った。とはいえ、わたしは相変わらず結婚など望めないほど貧しかったし、わたしのせいで辛い目に遭うことにベルタはうんざりするようになっていった。彼女は高慢で忍耐心に欠ける性質で、二人の結びつきを阻む障害に怒りを感じ始めていたのだ。こうして今、久しぶりに会ってみると、留守をしていた間にベルタの悩みは強くなっていた。彼女は辛辣な口調で不平を言い、わたしの貧しさを非難せんばかりだった。わたしは慌てて反論した。

「貧しいとはいえ、わたしは正直だ！　さもなければ、たちまち金持ちになれるかもしれないが！」

こう叫ぶと、ベルタは雨あられと質問を浴びせてきた。嘘偽りなく話してベルタに衝撃を与えたくなかったのだが、彼女はわたしから本音を引き出し、見下したような視線を投げて言った。

「愛しているふりをしているだけなのでしょう。わたしのために悪魔と向き合うことなんて、恐ろしくてできないのね！」

　彼女の気分を害することを恐れていただけだと、わたしは反論した――ベルタはわたしが当然受けるべき報酬がいかに多大なものかについて、くどくどと話し続けていた。かくして、わたしはベルタに励まされ――辱しめられ――、愛と希望にけしかけられ、最前までの自分の恐怖を笑いながら、さっそうとした足どりかつ軽い心で、申し出を承諾するために錬金術師の家に戻り、たちまち職務に就いたのだった。

　それから一年が過ぎた。わたしは少なからぬ額の金を蓄えていた。仕事に慣れて、怖れの気持ちは消え去った。細心そのものの注意を払っても、悪魔の蹄の跡に気づくことなど一度もなかったし、悪魔のうなり声によって、我々の住まいの学問的な静謐《せいひつ》がかき乱されることもなかった。わたしは依然としてひそかにベルタとの逢瀬《おうせ》を続けており、希望が生まれ始めていた。希望――確かに希望はあったのだが、完全な喜びではなかった。ベルタは愛と安心感とが敵同士であると想像し、この二つをわたしの胸の中で引き裂くことに喜びを覚えていたからだ。真心に偽りはなかったとはいえ、ベルタの態度にはいくらか男に媚《こび》を売るようなところがあり、わたしは激しく嫉妬した。ベルタは千通りもの方法で冷たい態度をとったが、悪い行いをしたと自ら認めたことは決してなかった。彼女はわたしを怒りで気が狂わんばかりにさせておきながら、自分に許しを乞わせようとするのだった。わたしに従順さが足りないと考えると、彼女の庇護者に気に入られている恋の競合者の話を持ち出すときもあった。ベルタは絹服に身を包んだ若者――裕福で陽気な者たち――に囲まれているのに、コルネリウスのもとで働くみすぼらしい身なりの学者が、そうした輩《やから》と比較された場合に勝ち目などあるだろうか？

　あるとき、師匠から非常に時間を要する仕事を任され、普段のようにはベルタと会えなくなった。コルネリウスは大がかりな研究に取り組んでおり、わたしは昼夜を問わず彼のもとにとどまることを強制され、炉に燃料をくべ、化学的な調合液の見守りを命じられたのだ。ベルタは泉で待っていたが、徒労に終わった。こんなふうに顧みられなかったがゆえに、彼女の高慢な心は燃え上がった。うたた寝するためのわずかな時間を使ってようやく家を抜け出したわたしが、ベルタの慰めを期待して待ち合わせ場所に行くと、軽蔑のこもった態度で迎えられた。ベルタは冷笑してわたしを拒絶し、自分のために同時に二箇所にいてくれないような男よりは、どんな人であれ、ほかの男と結婚したほうがましだと明言した。この仕返しはしますからね、と！　ベルタの言葉に嘘はなかった。ベルタがアルベルト・ホーファーに付き添われて狩りをしているという噂が、薄汚れた住まいにいるわたしの耳に入った。アルベルト・ホーファーはベルタの庇護者に目をかけられていて、彼らは三人で馬に乗り、煤で黒くなったわたしの窓の前を通り過ぎた。自分の名前が聞こえたような気がした――そのあと、愚弄するような笑い声が続き、ベルタの黒い瞳が蔑むようにわたしの住まいをちらっと見た。

　あらゆる悪意とみじめさを伴った嫉妬の思いが胸に入り込んできた。わたしはとめどなく涙を流し、二度とベルタを自分のものとは呼べないだろうと考えたとたん、今度は彼女の移り気に対して呪いの言葉を千度もかけていた。とはいえ、わたしは相変わらず錬金術師のために火をかき立てなければならなかったし、正体不明の薬の変化をそばで観察しなければならなかった。

　コルネリウスは三日三晩、目を閉じることなく薬を見守っていた。蒸留器の働きは予想したよりも遅れていた。不安を抱えていても、眠気はコルネリウスの瞼にのしかかった。彼は何度も何度も、人間として出せる以上の力で眠りの訪れを追い払ったが、睡魔は幾度となく彼の五感を奪い去った。コルネリウスは物思わしげな視線を坩堝に注いだ。「まだ仕上がってはいない」彼はつぶやいた。「あと一晩経てば、完成するのか？　ヴィンツィー、おまえは慎重だ――しかも信頼できる――睡眠もとっているだろう。昨夜眠ったはずだ。そのガラス容器を見守っていてくれ。そこに入っている液体は淡い薔薇色をしておる。色合いが変わり始めたら、起こしてほしい――それまで、わたしは眠ることにする。はじめのうち、液体は白くなり、やがて金色の光を発するはずだ。だが、そこまで待っていてはならない。薔薇色が薄くなり始めたら、わたしを起こすのだ」コルネリウスの最後の数語、眠りに陥りながら口にされたつぶやきのような言葉はほとんど聞き取れなかった。そのときですら、コルネリウスは完全には自然の欲求に屈していなかった。「ヴィンツィー、いいか」彼はまたしても言った。「容器に触れてはならない――唇をつけてはいけないのだ。一種の霊薬だからな――惚れ心を治すための霊薬なのだよ。おまえはベルタへの愛情を失いたくあるまい――その液体を飲んではならぬぞ！」

　そう言ってコルネリウスは眠った。年老いた頭を垂れて胸につけた彼からは規則正しい息遣いがかすかに聞こえるだけだった。しばらくの間、わたしは容器を見守っていた――薔薇色の液体に変化はなかった。そのうち、思考があらぬほうへさまよっていった――思いは泉へ飛んでいき、絶対に新たな場面を迎えるはずがない、数々の魅惑的な光景をくよくよと考えた――絶対に！「絶対に！」という言葉を半ば声に出していたわたしの心には蛇や毒蛇が棲みついていた。不誠実な女め！　不実で残酷な女だ！　あの夜、アルベルトに見せていたような微笑を、彼女がわたしに向けることはもはやないだろう。価値などない、忌まわしい女め！　復讐せずにはおくものか――ベルタの足元で息絶えるアルベルトを見せてやるのだ――わたしの復讐によって彼女も死に追いやられるだろう。軽蔑の念と勝利感を込めて微笑んでいたベルタ――あの女はわたしの惨めさもおのれの力も知っていたのだ。しかし、ベルタにどんな力があるというのか？憎しみをかき立てる力――完全なる軽蔑の念を――わたしの――ああ、とにかく、関心のなさ以外なら何でもかき立てる力があるのだ！　もしも、無関心になれたら――事もなげにベルタを見やり、拒絶された愛を、もっと美しくてもっと真心のある女へ向け直せたら、それはまさしく勝利であろう！

　まぶしい光が目の前でさっとひらめいた。わたしは師匠の薬のことを忘れていたのだ。驚嘆の思いでその薬を見つめた。見事なほど美しい閃光が、陽光を浴びたダイヤモンドが放つきらめきよりも明るく液体の表面から輝いていた。得も言われぬほどかぐわしい芳香が嗅覚に忍び寄ってきた。薬の入った容器は生命を持って輝きを帯びた球体のようで、目には心地よいものであり、味わってくれとばかりに招いていた。低俗な感覚に本能が刺激されて最初に思い浮かんだのは、これを飲むこと――いや、飲まねばならないということだった。唇まで容器を持ち上げた。「これで恋が、恋の責め苦が癒されるだろう！」人の唇が味わったことがないほど美味な液体の半分ほどをすでに飲んでしまったとき、師匠が身じろぎした。わたしは驚いて――容器を取り落とした――液体は床にこぼれて炎のようにきらめいた。コルネリウスはわたしの喉をつかみ、大声でわめきたてた。「このろくでなしめ！　生涯の労作をめちゃくちゃにしおって！」

　コルネリウスは彼の薬をわたしがいくらか飲んだことに、まるで気づいていなかった。好奇心から容器を持ち上げたわたしがその明るさと強烈な発光に驚愕して取り落としたと考えていたので、それに暗黙の同意をしておいた。彼の誤解を正そうとはしなかったのだ。薬が発していた炎の輝きは消えてしまった――香りも失せた――いかなる困難な試練に直面しても賢人ならそうであるように、コルネリウスは平静になり、休むがいいとわたしを追い払った。

　その忘れがたい夜の残りの時間、魂が天国を味わい、栄光や至福の思いに包まれていた眠りを、わたしは描写しようと思わない。どのような喜びを感じたかについて、あるいは目覚めたときに胸を占有していた歓喜の思いについて書き表したなら、言葉は色褪せ、薄っぺらになってしまうだろう。わたしは宙を歩いていた——思考は天上にあった。この世は楽園に思われ、自分の存在しているところは歓喜の恍惚状態だった。「これが、恋の病が癒えるということなのだ」と思った。「今日、ベルタに会おう。恋人が冷淡になり、気にもかけてくれなくなったことがわかるだろう。幸福すぎるから、彼女に軽蔑など示しはしないが、わたしの心が完全に離れたと悟るはずだ！」

　数時間が踊るように過ぎ去った。コルネリウスは一度の成功に確信を得て、またうまくいくに違いないという信念を持ち、再度同じ薬作りに取り掛かった。彼は本と薬と共に部屋にこもったので、わたしはその日、暇になった。念を入れて服装を整えた。鏡代わりにしていた、古びてはいるがよく磨かれた盾に映った自分を覗き込んだ。心なしか、目覚ましいほど男前が上がったように思われた。胸に喜びを感じ、天と地の美を称えながら町の境界の外へ急いだ。城へと足を向けた——聳え立つ小塔を眺めても、気持ちは軽やかだった。なぜなら、恋の病はわたしから消えていたからだ。通りを歩いて近づいていくわたしを、ベルタは遠くから目に留めた。どんな突然の衝動によって胸が活気づけられたのかはわからないが、ベルタは小鹿さながらの跳ねるような足取りで大理石の階段を駆け降り、こちらへ向かってきた。だが、ほかにもわたしに気づいた者がいた。庇護者を名乗る、ベルタの暴君である高貴な生まれの老婦人もわたしの姿を目にしたのだ。老婦人は息を切らしながら足を引きずって露台に現れた。老婦人と同様に醜い小姓《こしょう》が裳裾《もすそ》を持ち上げ、急いで進む彼女を扇で煽《あお》いでいた。老婦人は我が麗《うるわ》しき女性の行く手をさえぎって言った。「おやおや、どうしたのかしらね、わたくしの大胆な娘さん？　そんなに急いでどこへ行くのですか？　籠《かご》に戻りなさい——外には鷹が飛んでいますからね！」

　ベルタは手を握り締めた——近づいていくわたしに、依然としてじっと視線を向けている。ベルタと老婦人との間に闘いが起きているのが見て取れた。優しくなりかけたベルタの心に起こったさまざまな衝動を阻止しようとする老婦人を、わたしはどれほど嫌悪したことだろう。

これまでは老婦人の身分に敬意を払い、彼女のいる城を避けていたが、今はそのように些細なことを考慮するつもりはなかった。恋の病が癒えたわたしは人間が持つあらゆる恐怖を超越していた。速足で進み、間もなく露台に着いた。ベルタがどんなに愛らしかったことか！　瞳が炎のごとく輝き、頬が苛立ちと怒りで紅潮している彼女はそれまでの千倍も優美で魅力的だった――もはや彼女を愛していないというのに――ああ！　そうではない。彼女を崇拝していた――敬愛し――傾倒していたのだ！

　その朝、ベルタはいつにもまして執拗に、わたしの競合者との結婚を早く承諾するようにと迫られた。ベルタは彼に見せた色よい態度を責められ――承諾せねば、侮辱されて辱めを受けて城を追い出されることになると脅されたのだ。脅しに対して、彼女の誇り高い精神が頭をもたげた。しかし、自分がどれほどの冷笑をわたしに浴びせたかを思い出し、おそらくそのせいで今では唯一の友であるはずの相手を失ったと考えたとき、ベルタは自責の念に苛まれ、激怒の涙に暮れた。まさしくその瞬間、わたしが現れたのだった。「おお、ヴィンツィー！」ベルタは叫んだ。「お母さまの小さな家へ連れていって。この高貴な館の忌まわしいほど贅沢なのに惨めな暮らしから早くわたしを連れ出してちょうだい――貧しいけれども幸せな場所へ連れていってほしいの」

　わたしは夢中でベルタを腕に抱いた。老婦人は怒りで口もきけず、ようやく罵倒の言葉が奔流となって出てきたころには、わたしたちははるか離れた道にいて、わたしの生家へと向かっていた。自然と自由を求めて金めっきの鳥籠から逃れてきた美しい逃亡者を、母は優しく、うれしそうに迎え入れた。ベルタをかわいがっていた父は心から彼女を歓迎した。歓喜のその日、錬金術師の霊薬など飲まなくても、わたしは喜びに浸ったのだった。

　この波乱に富んだ日から間もなく、わたしはベルタの夫となった。弟子でいることはやめたが、コルネリウスとは友人であり続けた。コルネリウスは知らなかったのだが、あの天からの授かり物のような美味なる液体を飲めたことを、わたしは常に彼に感謝していた。恋の病を治す（治癒されたら悲しかったであろう！　今では天の恵みと思われる病を治したなら、孤独になって喜びも失われたはずだ）どころか、あの液体のおかげでわたしは勇気を獲得して意志が強固になり、その結果、ベルタという計り知れないほど貴重な宝を手に入れたのだ。

　あの忘我の境地にあった酩酊状態の時期については、しばしば戸惑いながら思い起こした。コルネリウスの薬は彼が確信していた効果が現れるほどの完成を見ていなかったが、効き目は言葉に言い表せないくらいに強力で、幸福感を味わわせるものだった。

　薬の効果は次第に薄れていったが、すぐさま消えはしなかった――そして人生に華麗な色彩を与えた。わたしの快活な気分やかつてはなかった陽気さを、ベルタはよく不思議がっていた。というのも、以前のわたしはかなりまじめで、陰気と言っていいほどの性質だったからだ。明るい気性になったがゆえに、わたしへのベルタの愛はさらに強くなり、二人の日々は喜びのうちに飛ぶように過ぎていった。

　五年後、わたしは突然、死の床にあるコルネリウスのもとへ呼び出された。彼は急いで使いを寄こし、時を移さず自分のところへ来るようにと懇願したのだ。行ってみると、コルネリウスは寝床に横たわり、死にかけていた。まだ残っているすべての生気が彼の鋭い目に宿り、その視線は薔薇色の液体で満たされたガラス容器にぴたりと向けられている。

「見るがいい」コルネリウスはかすれて不明瞭な声で言った。「人間の望みの虚しさを！　わたしの希望がまたかなえられようとしているのに、またもや失望することになるらしい。あの液体を見ろ――覚えているであろう。五年前、わたしがこれと同じ液体の準備を整え、今と同様の成功が約束されていたときのことを――それから、今と同じように我が乾ききった唇が不死の薬を味わおうとしていたら、おまえに台なしにされたのだ！　今ではもう間に合わない」

　コルネリウスは苦労しながら言葉を発すると、枕に頭を沈めた。わたしは言わずにはいられなかった。

「尊敬する先生、恋の病を癒す薬が、なぜ、先生を回復させることができるのですか？」

　コルネリウスの顔はかすかな笑みを浮かべて輝き、わたしはほとんど聞こえない答えに一心に耳を傾けた。「恋の病やあらゆるものの治療薬なのだ――不死の霊薬なのだよ。ああ！　もしも今、その薬を飲めたら、永遠に生きられるものを！」

　コルネリウスがそう言ったとき、金色の光が液体から輝いた。記憶にたっぷりと残っている香りが空中に広がった。衰えきっていたが、コルネリウスは身を起こした――奇跡的にも、ふたたび体に力が湧き上がったようだった――彼は片手を前に伸ばした――大きな爆発音が聞こえ、わたしはぎょっとした――液体から一筋の炎がひらめき、ガラス容器は激しく揺れて粉々になった！　師のほうへ視線を向けると、倒れていた――目はガラスさながらだった――体はこわばっている――コルネリウスは死んでしまったのだ！

　しかし、わたしは生きており、永遠の生を運命づけられているという！　不運な錬金術師がそう言ったのだし、それから数日間、わたしは彼の言葉を信じていた。こっそり飲んだあとに経験した、夢のような酩酊状態を思い出した。自分の体に感じた変化をじっくりと考えた――心に起きた変化についても。体は活力に満ちて弾んでいた――心は陽気で軽やかだった。鏡に映った我が姿をじっくりと観察し、過ぎ去ったこの五年の間、目につく変化が外見に現れていないことを悟った。あの美味な飲み物の光輝く色彩と妙なる香り――その効能にふさわしい贈り物だった――を思い出した。となると、わたしは不死の存在なのだ！

　何日か経って、そんな話を信じた自分を笑った。昔からの諺《ことわざ》である「予言者は祖国で最も軽視される」は、わたしと今は亡き師に関して真実だった。わたしはコルネリウスを人として愛していた――賢者として尊敬してもいた――が、彼が闇の力を自由に操れるという考えをばかにしていたし、世間が彼に抱いていた迷信深い恐怖心を笑い飛ばしていた。コルネリウスは聡明な学者だったが、血肉を備えていない霊魂とは一切関わりがなかった。彼の科学は単に人間的なものだった。そして、間もなくわたしはこう考えて自分を納得させた。人間的な科学は、この世にある肉体の中に魂を永久に閉じ込めておくことに関する限り、自然の法則にいまだかつて打ち勝ったためしはない、と。コルネリウスはどんな果実よりも甘くて芳しい香りを持つ、心を元気にさせるような飲み物――ワインよりも酔わせるものだ――を醸造した。おそらくそれには強烈な薬効作用があって、心には喜びを授け、四肢には活力を与えたのだろう。しかし、その効力は薄れていくはずだ。すでに体の中で、あの液体の効果は弱まっていた。幸運にも師匠のおかげで、健康と歓喜を与えてくれ、おそらく長寿をも約束しそうな飲み物を飲めたのだろう。とはいえ、運の良さもそこまでだ。長寿と不死とは根本的に異なるものなのだから。

　わたしは長年の間、この信念を抱き続けた。ある考えが頭をよぎるときもあった――あの錬金術師は本当に真偽のほどを知らなかったのだろうか、と。とにかく、定められた時期が来たら、あらゆるアダムの子孫と同じ運命に自分も直面するだろうと、わたしは相変わらず信じていた――多少は人より遅いだろうが、不自然ではない年にお迎えが来るはずだと。だが、目を見張るほどの若さをわたしが保ち続けていたことは確かだった。実にたびたび鏡を覗き込むので、自惚《うぬぼ》れ屋だねと人から笑われたが、観察した結果は徒労に終わった――額には皺が刻まれていなかったのだ――頬にも――目にも――体のどこをとっても、二十歳のころと何も変わらないままだった。

わたしは思い悩んだ。ベルタの美貌が色褪せていくさまを見守った――わたしはベルタの夫というよりは息子に見えた。隣人たちも次第に同じような見解を抱き始め、ついにわたしは魔法をかけられた弟子という名で呼ばれることになってしまった。ベルタは気が休まらなくなった。嫉妬深くて不機嫌になり、やがて、わたしを質問攻めにしだした。夫婦の間には子どもがなかった。互いに相手が全存在だったのだ。年を取るにつれてベルタの快活な気性は短気さと結びつくようになり、容色は悲しいほど衰えていったが、かつて崇拝した女性、完璧な愛を持って追い求め、獲得した妻として、わたしは心から彼女を慈しんでいた。

そのうちとうとう、耐えがたいほどの状況になった。ベルタは五十歳で――わたしは二十歳にしか見えなかった。恥ずかしさのあまり、わたしはもっと年長の者らしい服をいくらか身に着けることにした。もはや陽気な若い人たちに混じって踊りはしなかったが、脚を抑えつけてはいても、心の中では彼らとともに躍動していた。村の老人たちと交流しているときのわたしは無様な姿だった。しかし、こんな話よりも前に、状況は変わってしまった――わたしたちは村中から爪弾きにされたのだ。二人は――少なくともわたしは――元師匠の友人と言われる数名と不道徳なつき合いを続けていると噂された。哀れなベルタは気の毒がられたが、誰も彼女に近寄ろうとはしなかった。わたしは恐怖と嫌悪のまなざしで見られた。

いったい、どうしたものだろう？　わたしとベルタは冬の暖炉のそばに座っていた――貧困をひしひしと身に染みて感じた。うちの畑で採れた作物を誰も買おうとしなかったからだ。だから、わたしはたびたび二十マイルもの道を歩いては、顔が知られていない土地へ行って作物を売ってこなければならなかった。確かに、苦境に見舞われたときのためにある程度の蓄えをしてはいた――そんな苦難の日がやってきたのだ。

わたしたちはわびしい炉端に腰を下ろしていた――老人の心を持つ若者と、その年老いた妻は。ベルタはまたしても真実を知りたがった。ベルタはわたしに関して耳にした噂話を一つ残らず繰り返して語り、彼女なりの見解をつけ加えた。かけられた魔法を解いてほしいと頼み、わたしの栗色の髪よりも白髪のほうがどれほど魅力的かを描写してみせた。ベルタは老人が受ける崇拝の念や敬意について滔々と語った――子どもが払ってもらえるわずかな関心に比べて、それがどれほど好ましいものかを。若さや見目麗しさといった卑劣な恵みに、不名誉や憎悪や軽蔑の対象になってもかまわないほどの価値があると、あなたは思っていらっしゃるの？　いいえ、それだけではありません。ゆくゆくは、あなたは黒魔術の遣い手として火あぶりにされるでしょう、と。そして、あなたの幸運のお裾分けを何一ついただけなかったのに、わたしは共犯者として村人から石を投げられるでしょう、と。しまいにベルタは、秘密を打ち明けてくれて、あなたが享受しているのと同じ恵みを与えてくれなければ、訴えてやるとほのめかした――そして、わっと泣き出したのだった。

　かくして、困り果てたわたしは真実を告げるのが最善だろうと考えた。できる限り当たり障りがないように事の次第を打ち明け、自分は長寿になるらしいと話すだけにとどめ、不死については述べなかった――実際、その説明はわたしが考えていることに最も適合したのだ。話し終えると、立ち上がって言った。

「さて、どうかな、ベルタ。若かったころに恋人だった相手を訴えるつもりかね？　おまえにそんな意図がないことはわかっているよ。だが、おまえがわたしの不運のせいで苦労し、コルネリウスの忌まわしい術の犠牲になるのはあまりにもかわいそうだ。わたしは出ていくよ――金なら充分にあるし、わたしがいなくなれば友人たちも戻ってくるだろう。わたしはどこかへ行くよ。見た目は若いし、体力もあるから、知らない人たちの中でも怪しまれることなく、またどういう人間なのかも気づかれずに働いて糊口をしのぐくらいはできるだろう。若いころ、わたしはおまえを愛していた。年老いたからといっておまえを見捨てたくない気持ちは、神様もご存じだろう。だが、おまえが無事で幸せに暮らすためには出ていくしかないのだ」

　わたしは帽子を取って戸口へ向かった。そのとたん、ベルタの両腕が首に回され、唇に彼女の唇が押し当てられた。「いいえ、我が夫、我がヴィンツィー」彼女は言った。「二人で出ていくなんていけないわ――わたしも連れていってください。この土地から離れるの。そしてあなたがおっしゃるように、知らない人たちの中で、正体を疑われることなく安全に暮らしましょう。わたしはあなたの恥になるほど老けてはいないわ、ヴィンツィー。それに、かけられた魔法は間もなく消えるでしょう。そして神様のお恵みで、あなたも年齢にふさわしくもっと老けて見えるようになるはずです。どうか置いていかないで」

　わたしはこの優しき伴侶に心からの抱擁を返した。

「置いてなどいくものか、わたしのベルタ。おまえのことを考えるのでなければ、一人で出ていこうなどと思わなかっただろう。一緒にいるかぎり、わたしはおまえの真に忠実な夫であり、最後までおまえへの務めを果たすとも」

　翌日、わたしたちは村を出ていく準備をひそかに整えた。金銭的な犠牲を相当受けることは避けられなかった――それはやむを得なかったのだ。少なくとも、ベルタが生きている間は暮らしを維持できるほどの額が手元にあると見て取ると、わたしたちは誰にも別れを告げず、生まれ故郷を捨ててフランス西部の辺境の地に隠れ家を求めた。

　生まれた村から、そして若い時分の友人たちから引き離して、哀れなベルタを新たな国や新たな言語、新たな習慣の地に移住させるのは残酷なことだった。運命の奇妙な秘密のなせる業なのか、住む土地がこのように変わっても、わたしにとってはたいした問題ではなかった。だが、ベルタに心底から同情していたから、環境の変化における小さくて滑稽《こっけい》なあれこれに、彼女が自らの不運の埋め合わせとなるものを見出していることに気づいて喜んだ。おしゃべりで口さがなく批判する人々から離れたので、ベルタは女性が用いる数限りない技を使って、彼女とわたしとの明らかな年齢の差を少なく見せようとした――口紅や若い娘向けの衣装、また、子どもっぽく思われそうな仕草によって。わたしは怒るわけにもいかなかった――わたし自身、仮面をつけているのではないか？　ベルタのやり方があまり成功していなかったからと言って、文句をつけるわけにもいくまい？　これがわたしのベルタだったのだと思い出すと、深い悲しみに沈んだ。わたしが心の底から愛し、強い愛情で手に入れたベルタ――漆黒の瞳を持つ黒髪の娘。相手を魅了する狡《こう》猾《かつ》さを備えた微笑を見せ、小鹿さながらの足取りだった娘――が、こんな気取って、作り笑いをする嫉妬深い老婆になったとは。わたしは白髪やしなびた頬を、崇めるべきだったのだが、この状態では！　こうなったのも自分が蒔いた種だとはわかっていた。しかし、こんな気持ちを抱く自分の人間的な弱さを遺憾に思わずにはいられなかったのだ。

　ベルタの嫉妬心は決して安らぐことがなかった。彼女が何よりも力を注いだのは、姿かたちはどうであれ、夫も年を取りつつあるという証拠を見つけることだった。

哀れなベルタが心の中でわたしを愛していたのは間違いないが、愛情を表現する方法にこれほど苦しんだ女もいなかっただろう。あなたは顔に皺があるだの、歩き方が年寄り臭いだのとベルタは決めつけたが、わたしは若々しい活力に満ちた弾む足取りで歩き、二十歳の若者の中では最も若く見えた。わたしはベルタ以外の女に話しかけたことなど一度もなかった。あるとき、村の美しい娘が好意的な視線を向けていたと想像し、ベルタはわたしのために白髪の鬘《かつら》を買った。ベルタが知人たちに絶えず話していたのは、若く見えてはいても、夫の体には衰えがあるということだった。そして、いかにも健康そうなことこそ最大の症状だと断言した。若く見えるという状態は一種の病気なのです、とベルタは話した。前触れもなく恐ろしい死に見舞われるとまではいかなくても、主人は常に心しておかなければいけないのですよ、とベルタは言った。少なくとも、ある朝目覚めたら髪が真っ白になっていて、高齢である証拠をそこかしこに見つけて状況を受け入れる羽目になることに備えなければ、と。ベルタには好きに言わせておいた――彼女と一緒にさまざまな推測をすることもよくあった。絶えず考えを巡らしていた、自分の状態に関する予測と、ベルタの警告には調和するものがあったため、夫が老けて見えないという問題について彼女が示すあらゆる機転や、興奮を湛えたすべての想像に、胸の痛みを覚えながらもわたしは熱心に関心を示して聞き入ったのだ。

　こんな些細な出来事をくどくどと話す必要もないだろう。わたしたちは非常に長い歳月を共に暮らした。ベルタは体が麻痺して寝たきりになった。母親が子どもにしてやるようにわたしはベルタの世話をした。彼女は気難しくなっていったが、同じ話だけは相変わらずしつこく繰り返した――あなたはわたしよりもどれくらい長く生きるのかしら、と。ベルタに対する義務を忠実に果たしたことは、その後のわたしにとって慰めの源となった。若いころのベルタも年老いた彼女も、わたしのものだった。そして、ついにベルタのむくろの上に芝土を積むときが来ると、人間らしさと真に結びついたものをすべて失ってしまったと感じ、わたしは嘆き悲しんだ。

　それ以来、わたしが経験した心痛や悲哀はどれほど多く、喜びはどれほど少なくて虚しかったことか！　ここで立ち止まって、自分の来し方を振り返る――これ以上、話を先に進めずにおこう。舵も羅針盤もなしで嵐の海に放り出された船乗り――どこまでも広がる荒れ地で、目印になるものもなく、星も見えない状態で迷った旅人――に等しいのがわたしだった。ただ、そんな船乗りや旅人よりもさらに迷いは深く、さらに希望もなかった。近づいてくる船や、遠くの小屋が発するかすかな光があれば、船乗りや旅人は救われるかもしれない。しかし、わたしには死という希望以外、なんの標識もないのだ。

　死！　神秘的で、か弱い人間の邪悪な容貌の友よ！　おまえはなにゆえ、あらゆる死すべき運命《さだめ》の者の中でわたしをその避難場所から追い出したのか？　ああ、墓の平和や、鉄柵を巡らした墓所の深い沈黙こそが望ましいのに！　そんな状態になれば、思考も脳裏に浮かばなくなり、新たな悲しみという形でしか変化しない感情のせいで、心臓が鼓動を打つことももはやなくなるだろう！

　わたしは不死身の人間なのか？　最初に浮かんだ問いに思いは戻る。そもそも、あの錬金術師の飲み物は永遠の生命を約束するというより、長寿の効き目を持ったものだったと考えるべきではないのか？　それがわたしにとっての希望だった。そして、コルネリウスが調合した霊薬の半分しか飲まなかったことを思い出すがいい。魔力を完璧にするには、全部飲み干す必要があったのではないか？　不老不死だか不滅だかの薬を半分しか飲まなかったのでは、不死の効果も半分ということだろう――だから、わたしが永遠に生きる可能性は切り詰められ、やがては無に帰すはずだ。

　しかし、またしても考えるのだが、永遠の半分という歳月など数えられるだろうか？　どんな規則によって、無限というものを分割できるのかと、折あるごとに想像しようとする。自分に押し寄せてくる老化を想像することもある。白髪が一本見つかったのだ。ばかばかしい！　わたしは悲嘆に暮れているのか？　そう、老いや死への恐怖が、冷ややかに心の中に忍び寄ることはよくある。生きれば生きるほど、死がいっそう恐ろしくなる。生を忌み嫌っているというのに。人間とはかくのごとく謎の存在である――死すべき運命を持って生まれながら――わたしのように、既存の自然の法則と闘うときには。

　このような尋常ならざる気持ちさえなければ、死ねるに違いない。錬金術師の作った薬が火や――剣や――人を窒息させる水に抵抗するすべがあるかどうかは証明されていないのだ。わたしは深みのある青い水を湛えた穏やかな数々の湖も、また、力強い川が騒々しい音をたてて勢いよく流れるさまもさんざん見てきたし、こういう水の中に平和が存在しているのだと口にも出してきた。しかし、湖や川に足を踏み入れることなく、またもう一日を生き延びる。あの世への入口が開かれる方法がそれしかない人間にとって、自殺は罪になるのかどうかと自分に問いかける。兵士になるとか、決闘をするといった、我が身を破滅の対象として差し出す行為を除けば、あらゆることを試した。相手は死を逃れられない運命にあるのだから、兵士になるという類いの行動は避けた。彼らはわたしと同類ではないのだ。わたしの体にある抑え切れない生命力と、彼らのつかの間の存在とでは、天と地ほどの差もある。わたしは彼らの中で最も卑劣な者に対しても、または最も力のある者に対しても手を上げることができなかった。

　かくして、わたしは何年も生きてきた――一人きりで、そして自分に飽き飽きしながら――死を望みながらも、決して死ぬことなく――死すべき運命《さだめ》の不死の者として生きてきたのだ。野心も意欲も心に入り込むことはできず、心を悩ませる燃えるような愛は報われるはずもなく――思いを捧げるのに釣り合うほどの相手は見つからない――胸の中に存在してわたしを苦しめるだけだ。

　まさしく今日、ある計画を思いついたのだが、それですべてが終わるかもしれない――自らを残酷な方法で殺すこともなければ、誰かを殺人者に仕立てることもなしに。死すべき運命《さだめ》の者なら生き延びるのが不可能で、わたしの中にある若さや力を持ってしても生き残れないような探検に行くのだ。それならば、自分が不死身かどうかを試せるし、やがては永遠の休息を得ることになるだろう――あるいは、驚異的な出来事や人類にとって恩恵となるものを携えて生還するかもしれない。

　出発する前に、みじめな虚栄心にそそのかされて、このように書き綴ることとなった。わたしは死後に忘れ去られたくないからだ。命運を決する液体を飲み干してから三世紀が経った。次の一年を過ごすことはないかもしれない。途方もなく大きな危険に次々と遭遇し――凍りつくほど寒い国で厳寒と闘い――飢餓や苦役や嵐に悩まされ――自由を渇望する人にとっては強固すぎる檻であるこの体を差し出し、空気や水の破滅的な力に任せるのだ――あるいは、もしも生き延びたとしたら、人類の中で最も有名な一人として名が記録されるだろう。そして任務が達成されたら、わたしはもっと断固たる手段を選ぶに違いない。自分の体を構成している原子をまき散らし、全滅させ、その中に閉じ込められている生命を、残酷にも拘束されているこの暗い地上から不死の本質にもっとふさわしい領域へと解き放つだろう。

メアリー・シェリーにはじまる

隅の影

The Shadow in the Corner

メアリー・E・ブラッドン

Mary E. Braddon

夏来健次 訳

メアリー・E・ブラッドンは舞台俳優から文筆業に転身、『レイディ・オードリーの秘密』で名を馳せた。雑誌編集者と結婚後は、自らも雑誌編集者として活躍しつつ小説も書き続け、その数は長編小説だけで八十作にのぼる。怪奇小説の巧手としても知られ、「冷たい抱擁」などの邦訳があるが、短編だけでも三十編近く、紹介はまだ始まったばかりと言えるだろう。本作はチャールズ・ディケンズが創刊した雑誌 *All the Year Round* の一八七九年夏号に発表された。幽霊が出るという噂の屋敷に住む奇矯な学者と、身寄りのない少女をめぐる物語である。

野ノ花屋敷《ワイルドヒース・グレンジ》は道からわずかに奥まったところにある。背後にはエリカの茂る原野が広がり、あるいは幾本かの丈高い樅《もみ》が梢《こずえ》を風に揺らしてまばらに立ち、この地所の数少ない木陰をなす。ぽつんと淋しく建つ屋敷で、前の道も人けがなく、小径《こみち》と呼ぶには多少幅広い程度にすぎず、荒涼たる砂地の原野を抜けて海岸へといたる。いちばん近い村ホルクロフトの住民たちのあいだでは、屋敷は悪名を馳せていた。

とはいえ建物自体は古雅な造りで、ほとんどの部分が石材も木材も惜しみなく使えた時代に建てられた——灰色の石壁からなる古くも堅牢な建築で、多くの破風《はふ》が具《そな》わり、窓辺には座部の深い椅子が造り付けられ、広い階段と長く暗い廊下がのび、人目につかない隅々には隠し扉が秘められ、衣裳室は現代風の居室のように広く、地下室は戦時に兵士たちが隠れ処《が》にしてもよさそうだ。

この古く広壮な屋敷には野鼠《のねずみ》や家鼠《いえねずみ》が巣食い、寂寥《せきりょう》と虚ろな谺《こだま》とがひそむのみならず、三人の年配の人間の住み処《か》でもある。所有者バスコム家はかつて地主として代々近郷に重きをなしてきた一族で、その当代であるマイケル・バスコムは学生としての五年と自然科学の教授としての十年の都合十五年間を大学に寄宿してすごしたのち、この古く陰鬱な実家に移り、二人の使用人ダニエル・スケッグとその妻はそれ以降ずっと彼に仕えてきた。

マイケルは屋敷に住みはじめた三十三歳のときすでに中年のように見え、五十六歳の現在は見た目も挙動も話しぶりも老人のようだ。その二十三年のあいだずっと独り身で暮らしている彼のことを、地域の人々はこの屋敷がそのような風貌にしたのだと噂しあっている。空想を羽搏《はばた》かせすぎる迷信深い人々らしいことだが、しかしこの昏《くら》い灰色の建物とそこに住む者とのあいだにある種の近縁性を感じとることは、だれにとってもさほどむずかしくはないだろう。双方とも通常の人間が持つ関心や興味から縁遠いところがあり、またともに積年の孤絶から生じた憂鬱の気配が強くまとわりついてもいる。どちらも似たような色褪せた様相を帯び、同種類のゆるやかな腐朽をあらわにしている。

このように野ノ花屋敷でのマイケルの生活は孤独なものではあるが、彼自身は自分の人生のそうした性向を変える気はなかった。大学の研究室にいたころも比較的他人と疎遠でいられたが、この屋敷に来てからは決して破られることのない孤独に浸《ひた》れるようになったわけで、その変化を彼は喜んでいた。自然科学の研究を熱狂的なまでに愛好する身にとっては、この屋敷での静かな生活のおかげで毎日を学問の労のみに費やせるのは幸いであり、探究心を満足させられなかった例《ため》しはめったになかった。もちろんときには失意に陥ることもあり、疑問が昂じるときもあり、如何《いか》に努力してもめざす目標にたどりつけないで苛立つこともないではない。だが運よくそういうことはきわめて稀《ま》れだった。彼には執拗に継続する力があり、それによっていつかは達成の高みへ昇りつめ、ついには世界的な名声と名誉を勝ちとれるという希望を持てていたのだった。だがやがてある悲劇が起こり、無難に老いていくだけだったはずの残りの人生に、覆《くつがえ》しえない悔いとなってのしかかることになる。

ある秋の日の朝——野ノ花屋敷に住みはじめてからその日でちょうど三十二年めとなるマイケル・バスコムは、雇いはじめたときにはまだ中年だった忠実な執事にして従僕であるダニエル・スケッグが、近ごろはめっきり年老いたとようやく思うようになっていた――マイケルは朝食をとりながら、いちばん最近著《もの》した原子物理学の論文について思索を巡らせていたが、ほかでもないそのスケッグが突然立ち入ってきて沈思を妨げた。いつもなら控えめに黙して主人を待っているところなのだが、その日にかぎっての唐突な口出しは、さながら書架の上に立つソクラテスの胸像がいきなり人間の言葉を喋《しゃべ》りはじめたかのような驚きをもたらした。

「まったく困ったことです」とダニエルは口火を切った。「家内にも小間使いが必要な事態となりました！」

「なんだって？」マイケルは読んでいた論文の文節から目を離さないまま訊き返した。

「小間使いです――年とったわしの家内を手伝って、洗い物をしたりなど働きまわってくれる年若い娘が必要なのです。可哀相に、家内は脚も弱くなるばかりです。人間はこの年になると、もう二十年前の若さはとり戻せないものですな」

「たった二十年か！」マイケルは叱り気味に言い放った。「大地の地層がたった二十年でどのくらい変わる？　楢《なら》の木が二十年でどれだけ成長できる？　火山が二十年でどれほど冷えると思うのだ？」

「さほどではないのでしょうな、おそらく。ですが今は人の骨の衰えのことを申しておるのです」

「人の頭蓋骨にはマンガンによる染みが見られることがあるが、それが意味するところは――」科学者は夢のなかにいるかのように語りはじめた。

「わしはただ、二十年前のように骨にリウマチがなくなってくれればいいのにと思うだけですがね」スケッグが苛立つようにさえぎった。「たしかに、二十年などはまだ短い歳月かもしれません。ですが歳月の長い短いにかかわりなく、とにかくうちの家内には小間使いが必要なのです。お屋敷の長い廊下を行き来することもままならず、若いころのように石敷きの食器洗い室にずっと立ちつづけることすら、年々むずかしくなっているありさまですから。手伝いをする小間使いの娘がどうしても要るのはそういうわけなのです」

「小間使いなら二十人でも雇えばよかろう」とマイケルは言い捨て、論文読みを再開した。

「それはまた、なんという仰《おっしゃ》りようでしょう。二十人でも、とは！　一人探すのもたいへんなことだと思っていますのに」

「このあたりはあまりに住人が少ないから、か？」マイケルは論文を読みながら問い返した。

「そういうことではございません。ここが幽霊に憑かれているお屋敷として知られているからなのです」

　マイケルは論文を置き、けわしい叱責の表情を執事へ向けた。

「ダニエル」ときびしい声で言う。「おまえもわたしの許《もと》でこれだけ長く仕えてきたのだから、そういう莫迦《ばか》げた噂話にかかずらったりはしないと思っていたがね」

「わたしはなにも、自分が幽霊を信じているなどと申したいわけではございません」スケッグは少し言いわけがましく言い返した。「でもこの地域の人々は信じているのです。そのせいで、夜の帳《とばり》がおりてからこのお屋敷に立ち入ろうとする者はだれもおりません」

「それは単に、アンソニー・バスコムのせいというだけだろう。ロンドンで荒れた暮らしを送り、財《かね》も土地も失って、失意のうちにこの屋敷に帰り、ここで自らの命を絶ったらしいな――かつては広大だった所有地のなかで唯一残されたこの屋敷で」

「自ら命を絶ったらしいですと！」スケッグは声を荒らげた。「エリザベス女王（英国女王エリザベス一世。一五三三～一六〇三）がとうの昔に崩御されていることほどにも、ロンドンが大火に見舞われたこと（一六六六年ロンドンの大部分が焼失した大火災）ほどにも、たしかな事実ですぞ。だからこそかのアンソニーさまは、このお屋敷とホルクロフト村とのあいだにある四ツ辻に葬られた（自殺者を交差点に埋葬する西洋古来の風習）のだと存じますが？」

「いい加減な慣《なら》わしだ、たしかな根拠があってのことではないからな」とマイケルは言い返した。

「根拠などはわしも存じません。しかしこの地域の人々は、神の教えを信じるのと同じほどにも、そうした慣わしを強く信じています」

「人々がもう少しだけ強く神の教えを信じていたなら、アンソニー・バスコムを巡って思い悩まずに済んだだろうものを」

「とにかく」とスケッグは唸《うな》り、テーブルの上の食器を片付けはじめた。「小間使いにふさわしい娘を探さねばなりません。但し、地元民ではない娘が望ましいでしょう。あるいは、ひとつの働き口からたやすく去らないような娘が」

　地元民ではない娘とスケッグが言ったのは、どこか遠い土地の出身者にかぎるということではなく、ホルクロフト村で生まれ育った者ではない娘がよいという意味だ。スケッグ自身、とるに足りぬほど小さなこの村で育ち、長じてきた男であり、その狭く鈍重な環境以外を知らぬゆえに、村の外側の世界は単にその周辺にすぎないという程度の認識でいるのだった。

マイケルは原子物理学の理論を深く考察しているため、老いた執事の切羽《せっぱ》詰まった要望についてあらためて考えたりはしなかった。スケッグの妻は自ら主人の前に姿を現わすことがめったにない。屋敷の北側の奥の薄暗い一画でほとんどの時間をすごし、伽藍《がらん》のように広い厨房を独りで切りまわし、食器洗い室や食料貯蔵室や配膳室など多くの部屋べやで蜘蛛や甲虫たちと際限なき闘争をつづけ、掃き掃除や拭き掃除の労苦によって老いた命を削ってきた。冷厳な考え方を持ち、教条的なまでに敬虔《けいけん》で、遠慮のない物言いをする夫人だった。一方で調理の腕前はたしかで、食事における主人の要求には忠実に応えた。マイケルは美食家ではないが、生活を安逸に且《か》つ容易に送りたいと望む男であり、晩餐に美味ならぬものが供されるだけで、心の平衡を保つ力を阻害されるのだった。

　それからしばらくのあいだは執事からのさらなる訴えを聞くことなくすごせたが、十日めにふたたびスケッグがやってきて、学問上の黙想を深めているさなかのマイケルにこのように宣告して驚かせた。

「ふさわしい娘を見つけましたぞ！」

「ほう」とマイケルは返した。「そうか」それきりまた論文を読みつづけた。

　そのとき読んでいたのは、人間の脳における燐《りん》の役割に関しての論文だった。

「見つけましたとも」スケッグはいつもの唸るような調子でつづけた。「じつのところ孤児《みなしご》でしてな。だからこそ採用しました。もし地元の娘だったら、このお屋敷には決して入ろうとしないはずですから」

「賢い娘だといいがね」とマイケルは言った。

「賢いですとも！　むしろそこが唯一の欠点と言えるほどです。賢すぎると、お屋敷の秘密に気づかないともかぎりませんからな。これまで奉公の経験はありませんが、是非働きたいと本人が申していますし、家内が充分に仕込んでやれると思います。父親はヤーマスで小商《こあきな》いをしていましたが、ひと月前に亡くなり、残された娘は住むところも失いました。ホルクロフト村に住む伯母のミッジ夫人が声をかけ、新たな住み処が見つかるまで自分のところに身を寄せるよう勧めたそうです。それで娘はミッジ夫人宅に今まで三週ほど仮寓し、働き口を探しはじめました。そんな折にミッジ夫人は、わしの家内が小間使いを探していることを聞きつけ、それこそ姪のマリアが求めている話だと思ったそうです。幸いにと申しますか、哀れな孤児マリアはこのお屋敷を巡る噂についてはなにも知らず、わしの前で礼儀正しく会釈し、務めを果たせるよう一生懸命勉強するので、是非とも奉公させてほしいと言いました。なにかを学ぶことにかけては、父親のおかげで身についているのですな。父親がまるでどうかしたかのように、分不相応なほど娘の教育に励んだようですから」スケッグは唸るようにそう締めくくった。

「ひとつおまえのために心配なのは、よからぬ買い物をしたのでなければいいが、ということだね」とマイケルが評した。「そんな令嬢みたいな娘なら、薬缶《やかん》や鍋を洗わせてはおけないなどと思ってしまうんじゃないか」

「彼女がもし公爵令嬢だとしても、わが老妻は台所仕事をさせることを厭《いと》わんでしょう」とスケッグが言い返した。

「で、その娘をどこに寝泊まりさせるつもりだ?」マイケルはやや苛立ち気味に問いを重ねた。「不案内な若い娘に、寝室のすぐ外の廊下をドタバタと行ったり来たりされるのは困るぞ。知ってのとおり、わたしはことのほか寝付きが悪いのだ。壁の羽目板の裏側に鼠が一匹いるだけでも目が覚めてしまうほどだからな」

「その点は考えましたとも」執事は格別な知恵があると言いたげな表情で答えた。「ご主人さまと同じ階には住まわせません。屋根裏部屋で寝かせます」

「屋根裏のどの部屋だ?」

「北側の奥の広い部屋です。屋根裏で雨漏りしないのは、あの部屋の天井だけですので。ほかの部屋では、シャワー付きの浴室で寝るも同然になってしまいますから」

「北側の奥の部屋、か」マイケルは考えながら鸚鵡《おうむ》返しにした。「そこはたしか――?」

「もちろん、そこでございます」とスケッグがさえぎった。「でもそれについては彼女はなにも知りませんので」

　マイケルは論文読みを再開し、ヤーマス出身の孤児のことはそれきり忘れ去った。そのため、のちのある朝に書斎に入ったとき、見知らぬ若い娘がいるのを見て驚くことになった。娘はきちんとした白と黒の木綿織りの衣裳を着て、広い書き物机の上にいくつかの山に分けて平積みされている書物の埃を払っていた――その作業をしている娘の手つきは注意深いうえに器用で、そんな珍しいほどに気の利くところを見ては、とても叱ったりする気にはなれない。その点執事スケッグの老妻はといえば、屋敷の主《あるじ》のやり方を妨《さまた》げたくないためか、そうした埃払いなどは決してしようとしない。マイケルのやり方とはつまり、研究中にはむしろ相当量の埃を吸いこみたいと思っていることだ。

　痩せた小柄な娘で、色白の顔にはどこか古風な面差しがあり、三つ編みにした亜麻色の髪を小ぶりな毛編みの帽子の下に収め、色白の顔には薄青色の双眸《そうぼう》が具《そな》わる。

その青色はマイケルがこれまで見たことがないほどに淡いが、娘の表情が湛《たた》える愛らしさと優しさが、瞳の色の儚《はかな》さを補って余りある。

「埃を払っておりましたけれど、お邪魔になりましたでしょうか、ご主人さま」娘はそう言って頭をさげた。

話し方にも昔風な趣《おもむき》があり、それがまた美質としてマイケルの心を打った。

「いや、綺麗にしてもらうのが邪魔になることはないよ。わたしの書物や書類が乱されさえしなければね。もし机の上から本を持ちあげねばならなかった場合には、あとでまた同じところに置いてくれたまえ。頼みたいことはそれだけだ」

「注意するようにいたします、ご主人さま」

「いつごろこの部屋に入ってきた？」

「今朝参ったばかりでございます」

学者が机の席に腰をおろすと、小間使いは書斎から退出していった。その際にも物音ひとつ立てず、風に吹かれた花が敷居を越えて漂っていくかのようだった。その後ろ姿をマイケルは興味深げに見送った。まさに埃のように味気ない彼の人生では、こんな若い娘を間近で目にするのは初めてのことで、自分にとってまったく未知の生き物として驚かされるほどだった。なんと愛らしく繊細な立ち居振る舞いの娘か。肌は透き通るように白く、薔薇色の唇から響く声は優しく喜ばしい。台所仕事の小間使いにはすぎるほどに上等な娘だ！　そんな彼女が、鍋や釜を磨くことよりもましな仕事を見つけられずにいるとは、慌《あわただ》しいばかりのこの世の中は、げにせせこましいところだ。

乾燥骨についての学説の熟考に没頭し、それ以上はもうあの白い顔をした小間使いのことを考えなかった。それ以来自分の使う部屋べやで彼女を見かけることもなくなった。マイケルが朝食をはじめる前の早朝には、部屋に来てなにかしら仕事をしていくのにちがいないが。

娘が屋敷に来てから一週間ほどしたある日、マイケルは廊下で彼女と出遭った。彼女のようすが変わっていることに驚かされた。

若い娘らしい薔薇の蕾《つぼみ》のようだった唇の色合いが失せ、薄青色の目にもどこか怯《おび》えるような気配があり、しかもその目のまわりには黒い隈《くま》ができて、夜中によく眠れていないか、あるいは悪夢にでも悩まされているかのような表情を呈していた。

理由のわからない彼女のそんな相貌に驚いたマイケルは、慣習でも気質でも平素は人と打ち解けない癖がありながら、このときばかりはいたわり深い態度となり、なにごとがあったのかを問いかけた。

「どこか具合が悪いんじゃないか？　なにがあった？」

「いいえ、なにもございません」小間使いの娘はそう問われることにさえ怯えるかのように、弱々しく答えた。「本当になにも。ご主人さまにご心配いただくようなことは」

「つまらんことを言うな。わたしが本に埋もれて暮らしているから、他人の心配などしたくない男だとでも思っているのか？　なにか困ったことがあるのなら言いなさい。そう遠くないころに亡くなったという父君《ふくん》のことを悲しんでいるんじゃないのか？」

「いいえ、そうではございません。その悲しみは永久に去らないと諦めていますので。一生ついてまわることだと覚悟しております」

「それじゃ、ほかになにかあるというのか？」マイケルはせわしなく問い糺《ただ》した。「まあいい。とにかくこの屋敷であまり巧くはいっていないようだな。たいへんな家事仕事が合わないのかもしれん。そうじゃないかとは思っていたが」

「ああ、ご主人さま、どうかそんなふうにはお考えにならないでくださいまし」小間使いの娘はとても真剣な調子でそう泣き声をあげた。「お仕事ができることはとても嬉しく思っています――ご奉公させていただけることに感謝しております。わたくしはただ――」

娘はそこで言いよどみ、悲しみに曇る目から涙を溢れさせた。

「ただ、なんだ？」マイケルは苛立ちを覚えて声を荒らげた。「若い娘はなんでも秘密めかし謎めかすからな。いったいなんなのだ、言ってみろ」

「と――とても莫迦《ばか》げたことだとは承知していますけれど、わたくし、いつも寝泊まりさせていただいているお部屋が怖いのです」

「怖いだと？　どうしてだ？」

「本当のことを申しあげねばならないでしょうか？　お怒りにならないと、お約束していただけますか？」

「ひたすら正直に話すなら怒りはしない。むしろその気兼ねとためらいが、わたしを苛立たせるだけだぞ」

「それから、ご主人さま、わたくしがこうして打ち明けましたことを、どうかスケッグ夫人にはお洩らしにならないでくださいませ。あの方に知られたらきっとひどく叱られ、お暇を出されてしまうかもしれませんので」

「ダニエルの細君に叱られることはない。心配せず話してみろ」

「わたくしが寝泊まりしているお部屋をご主人さまはご

存じではないかもしれませんが、そこはお屋敷の奥の広いお部屋で、海を見晴るかせるところです。窓から暗い水平線を眺めておりますと、ヤーマスにいた子供のころよく見ていた大海と同じ海なのだわ、などと、ときどき思いを馳せるのでございます。お屋敷の最上階ですので、ひどく寂しく感じられます。ご存じのとおり、スケッグさまご夫妻は下階のお台所の近くの小さなお部屋でお寝《やす》みですので、お屋敷のてっぺんにいるわたくしは本当に独りきりなのです」

「ダニエルから聞いたところでは、おまえは年ごろに相応以上の教育を受けてきたそうだな、マリア。そうしたことの効果がまずどこに出てくるかといえば、人が住まなくなって久しい部屋にまつわる莫迦げた空想を乗り超えられるところにこそ表われるだろうと思うがね」

「ああ、ご主人さま、どうかわたくしの教育がまちがっていたせいだとはお考えくださいませんように。父はそのためにたいへんな苦労をしてくれました。大商人の令嬢にも劣らない勉学を受けさせようと、惜しまずお財《かね》をかけたのです。それに、父は信仰に篤《あつ》い人でした。ですから決して――」そこで口ごもり、身震いを抑えた。

「――生者の前に死者の霊が顕《あら》われるなどということを、父は決して信じませんでした。預言者サムエルの霊が初代ユダヤ王サウルの前に顕われた（旧約聖書『サムエル記』より）奇蹟の時代以後は、そういうことはないと申しました。父は愚かな考えをわたくしの頭に吹きこむことがありませんでした。ですから、このお屋敷の最上階の広く寂しいお部屋で初めて牀《とこ》に就きましたときも、恐れなどほんのわずかでも覚えはしなかったのです」

「ふむ、それで？」

「でも、まさにその最初の夜に」マリアは息せき切ってつづけた。「眠っているさなかに、胸の上に重いものがのしかかってくるような、なにかに圧《お》される感じに襲われたのです。それは悪夢ではなくて、寝ているあいだずっとつづく苦しさとでも言うべきものでした。そして夜明けどき――朝六時をわずかにすぎて、明るくなりはじめたころ――不意に目覚めると、顔から冷たい汗が噴きだすとともに、部屋のなかになにか恐ろしいものがいるのを感じたのです」

「なにか恐ろしいものとは、どういう意味だ？　なにかを見たのか？」

「はっきりと見えたわけではありませんけれど、体じゅうの血を凍えさせるほどのもので、それこそがわたしにまとわりつき、眠っているあいだずっと体にのしかかっていたものにほかならないとわかりました。部屋の隅の、暖炉と衣裳箪笥のあいだに、ひとつの影が——形のないぼんやりとした影があるのが見え——」

「おそらく、衣裳箪笥の角度のせいでできた影だろう」

「いいえ、衣裳箪笥の影はそれとは別に見えていました、壁に描いてあるかのようにはっきりと。部屋の隅に見た影というのは——形のさだかならぬ奇妙な塊《かたまり》のようなものでした。あるいは、強《し》いてなにかしら形らしきものがあるとすれば、それはまるで——」

「まるで、なんだ?」マイケルがせわしなく問い糺す。

「壁ぎわに吊るされた人の骸《むくろ》のような形でした」

　マイケルの顔が異常なほど青褪めてきたが、それでもなお彼はまったく信じる気にはなっていなかった。

「気の毒にな」と優しく言った。「父君のせいで、神経が参るほど悩ませられてきたんだろう。それに、空想に囚われすぎのようだな。夜明けどきは屋敷じゅうの隅という隅に影ができるものだ。椅子に掛けた古い外套でも、そのように見たければ充分幽霊に見えるさ」

「いいえ、わたくし自身、自分の空想のせいだと思うように努めました。でも毎晩同じなにかが体にのしかかってくるのです。毎朝見える影も、いつも同じなのです」

「しかし明るい昼日中《ひるひなか》になれば、それがなんの影かわかるんじゃないか?」

「いいえ、明るい昼日中になる前に、影は消えてしまいます」

「それはそうだな、どんな影も明るければ見えなくなるから。だがとにかく、そういう莫迦げた悩みを頭から追い払うのが肝心だ。そうしなければ毎日の仕事にさしつかえるだろう。おまえを別の部屋に寝泊まりさせるよう、わたしからダニエルの細君に言うのはたやすいことではある。それでおまえがそんな悩みから解放されるならばな。だが本当にはおまえのためにならん。それに彼女が言うには、ほかの屋根裏部屋は湿気がひどすぎるそうだ。しかも、仮にほかの部屋に移っても、こんどはその部屋の隅に別の影を見つけることになって、リウマチにでも罹《かか》ってしまったら却《かえ》ってたいへんだ。それよりも、おまえがよい教育を受けてきたことを、自分で証明できるよう努めるほうがいいんじゃないかな」

「そのように一生懸命努めてみます」マリアはおずおずと応え、頭をさげた。

　深く意気消沈しつつ、マリアは台所に退《ひ》きあげた。野ノ花屋敷での彼女の生活は、それは侘《わび》しいものだ——昼は物寂しく、夜は怖い。体にのしかかってくる朧《おぼろ》ななにか、そして形のさだかならぬ影。それらは年配の学者にとっては些細なことにすぎないだろうが、彼女にとっては言い表わせないほど恐ろしいものだ。この屋敷が幽霊に憑かれているなどとはだれも教えてくれなかったが、しかし声の谺するような廊下を歩くときでも、恐怖が雲のように押し包んでくるのはたしかだ。なのにスケッグ執事とその夫人からは同情など期待できない。あの偽善的な夫婦は、彼女の前ではこの屋敷を立派なところだと言い張るよう決めているのにちがいない。だが新参者である彼女にとってのこの屋敷は、死の世界からの忌まわしい瘴気に穢《けが》されているところとしか思えず、清浄な住み処に変えなければとても住めそうにない。一方スケッグ夫人にしてみれば、健気《けなげ》で従順な若い娘がどうしても欲しかったわけなので、まさにそんな娘が見つかったからには、ずっと屋敷にいさせねばならない。だとすれば、なんであれこの世ならぬものを空想して怯えるようなことは、断じて許してはおかないだろう。

「幽霊とはな！」スケッグ執事が陽気そうに言い放った。「聖書を読むがいい、マリア。そして幽霊の話などはもう二度としないことだな」

「幽霊は聖書にも出てきますわ」マリアはそう言い返し、聖書のなかのよく知るいくつかの恐ろしい逸話を思いだして身震いした。

「いいえ、それは出てくるべきところだから出ているだけよ。そうでなければ幽霊のことなど聖書に書きはしないでしょう」とスケッグ夫人が反論した。「聖書の粗《あら》探しなどしてはいけないわよ、マリア。これからもずっとね」

　マリアは台所の隅で火のそばに静かに腰をおろし、父が遺した聖書をめくり、よく父と一緒に読んだ好みの章を開いた。ヤーマスの家具商人だった父は、裏表のない真っ正直な人で、生来純粋で善良で、信仰心も篤かった。母は早くに亡くなり、小ぢんまりとした家で父と二人きりで暮らし、その家を大切にして綺麗に保つことを子供のころから習い憶えてきた。父と彼女はほとんど恋人同士かと思われるほどたがいに慈しみあった。好みも同じで考え方も同じだった。とくになにもしなくても幸せだった。だが容赦ない死が父と娘を分かち、その突然の悲しい別れが地震のごとき衝撃となって——瞬時にマリアの心を荒《すさ》ませ、途方にくれさせた。

　か弱いマリアは嵐に吹かれたように屈みこまねばならなかった。もっと強い者でさえ圧し潰されそうな困難のただなかを生きねばならなかった。深い信仰心をささえとして、この非情な別れの悲しみも永遠につづくわけではないと信じた。人生と向きあい、この世の慈悲を受けつつ責務に励み、高貴とも言えるほどの勇気を以《もっ》て辛抱強く生きるべく努めてきた。

　一方主人のマイケル・バスコムはといえば、そんな小間使いの娘を寝泊まりさせてやっている部屋を巡る彼女の愚かな空想については、到底真剣に考慮すべきことではないと自分に言い聞かせていた。にもかかわらずそのことが不穏な念となって心にわだかまるのを否めず、研究の仕事に差し障《さわ》りが出るほどだった。正しい科学は人間の脳がその力と関心を完璧に発揮することを要求するものであるのに、ほかならぬこの夜にかぎっては、持てる集中力の一部しか研究に傾注できていない。あの娘の青白い顔、震えがちな声、それらが思考力の深いところに干渉しているようだった。

　マイケルは苛立ちの溜め息とともに書物を閉じ、車輪付きの肘掛椅子を暖炉の前へと移動させて、そこで黙想に耽りはじめた。これほど心を乱されては、研究をつづけようとしても無理だ。今は十一月初旬の、灰色に翳《かげ》る物憂《ものう》い夕刻。読書用の灯火を点《とも》してはいるが、窓は鎧戸《よろいど》を閉めておらずカーテンも引いていない。窓の外には鉛色の空が見え、樅《もみ》木立は逆巻く風に梢を激しく揺すぶられている。屋敷の破風の狭間では冬めいた突風が口笛を鳴らし、それが海のほうへと吹きすぎていくときには、戦いの鬨《とき》の声のような荒々しい咆哮に変わる。

　マイケルは身震いし、火のそばへさらに近寄った。

「子供じみた、莫迦げたたわごとだ」と自分に言い聞かせる。「だがそれにしても、アンソニー・バスコムが自ら命を絶った場所と言われるあの部屋で、影を見ただけで彼女がそんな妄想に悩まされるというのも妙な話だ。わたしは子供のころ、ある老いた使用人からその話を聞いたが、アンソニーが当主だった時代に、その使用人の母親がこの大きな屋敷の家政婦をしていたとのことだった。アンソニーがどうやって自殺したのかは――毒を服《の》んだのか、それとも拳銃を使ったのか、あるいは喉を掻き切ったのかといったことについては――聞いておらず、ただ現場があの部屋だったと聞かされたのみではあるが。その話は執事のスケッグも当然聞いているはずだ。マリアをあの部屋に寝泊まりさせるつもりだと言ったときのダニエルの口ぶりからして、そうとわかる」

　マイケルが長く座すうちに、書斎の窓の外は灰色の黄昏から黒々とした夜へと変わり、鬨の声のようだった風の叫びも弱まって、不平を洩らしているような低いつぶやきへと変じた。座したまま暖炉の火に見入るうちに、沈思は過去へ遡《さかのぼ》り、子供のころ聞いた言い伝えに思いを馳せた。

　それはマイケルの大伯父にあたる人物アンソニー・バ

スコムにまつわる悲しくも愚かしい逸話だ。荒れた生活を送って財産を潰《つい》えさせた男の哀れな物語だった。ケンブリッジ大学での奔放な学生生活、ニューマーケット競馬場での浪費癖、無分別な結婚、ロンドンでの放蕩、妻の出奔、ユダヤ人金貸しによる不動産没収、そして悲惨な最期。

その暗鬱な逸話をマイケルはしばしば聞かされたものだった。アンソニーの経済的信用が潰えたとき、美しいながらも浮気な妻が如何にして夫を捨てて逃げたか、のみならず友人たちまでが如何に呆《あき》れ果てて彼を見捨てたか、そして野ノ花屋敷以外のすべての資産が失われたとき、誇りのみ高くも心の挫《くじ》けた男アンソニーは、ある夜この寂しい屋敷に突然帰ってきたと思うと、若いころ野《の》鴨《がも》猟のときのみ訪れては宿泊に使っていた部屋にベッドの仕度《したく》をするよう使用人に言いつけた。愛用だった喇叭《らっぱ》銃は依然としてかつてのままに暖炉の上の壁に掛かっており、新品の鳥撃ち銃として買ってもいいほどの状態を保っていた。屋敷に戻ってきたのは十五年ぶりで、長きに及ぶその歳月のあいだ、自分のものである古く陰鬱なこの別邸のことをほとんど忘れていたのだった。

そのとき野ノ花屋敷でただ一人の住人となっていたのは、バスコム家の本邸がユダヤ人金貸しに没収されるまでそちらで家政婦を務めていた老夫人だった。この家政婦が主人のために夕食を用意し、長らく人が入ったことのなかった食堂室でできるかぎり安逸にくつろげるようにと気を配った。しかし主人が上階の寝室に退《ひ》きあげていったあと、食堂室のテーブルの上を片付けるときになって、夕食がまったくと言っていいほど手をつけられていないことを知り、老家政婦は気落ちさせられることになった。

翌朝同じテーブルに朝食を用意する際には、食堂室を前夜よりも明るく華やかな場所にすべく努めた。履き掃除拭き掃除を念入りにしたうえに、暖炉の火も室内のものをよく照らしだすよう勢いよく焚《た》いた。だが朝がすぎて昼になっても、主人が階段をおりてくる足音が聞こえることはなかった。きっと馬上での長旅による疲労のせいで寝入ったままなのだろうと思い、無理に起こすことはしなかった。しかし十一月の短い日盛りがすぎて夕刻の翳りが差しはじめるころになると、老家政婦はさすがに心配になり、主人の寝室へと階段をあがっていった。そしてくりかえしドアを叩き呼びかけたが、返事が聞こえることはなかった。

ドアは内側から施錠されており、老家政婦にはそれを打ち破れる力がなかった。うろたえて階段を駆けおり、人けのない外の道へと帽子もかぶらずに飛びだしていった。しかし馬車道沿いにある通行料徴取所の近くまでは民家がない。屋敷の前の道はその馬車道から枝岐《えだわか》れしているのだった。通行人に出遭えることさえ稀れだ。老家政婦は自分がどこへ行こうとしているのか、なにをしようとしているのかもさだかならぬまま道を走っていったが、人に助けを求められる望みは持てそうになかった。

そこへ幸運が巡ってきた。陸が海へと紛れこんでいくあたりのなだらかな砂地のほうから、海草を積んだ荷馬車がガタゴトと揺れながらゆっくりとやってきた。荷馬車のわきで馬を牽《ひ》いているのは、体格のいい武骨な農夫だった。

「お願いです、わたしのご主人さまのお部屋のドアを打ち破ってくださいまし！」老家政婦は農夫の腕を摑んで懇願した。「ご病気で倒れているか、ひょっとしたら亡くなっているかもしれません。わたし独りでは助けてさしあげられないのです」

「よし、わかった」農夫はまるでよくある頼まれごとに応じるように答えた。「ドビン、おまえはおとなしく待ってろ。さもないとあとでぶっ叩くぞ」

馬のドビンは野ノ花屋敷の前の草地でおとなしくつながれた。農夫は老家政婦に導かれて屋敷の上階へあがると、たくましい握り拳で古式の箱錠を叩きはずした。

老家政婦の懸念が最悪の形で現実となった。アンソニー・バスコムは死んでいた。だがその死の様相がどんなものだったか、マイケルは今にいたるまで聞き知っていない。彼が子供のころその話をしてくれた家政婦はかつての老家政婦の娘だったが、その人自身すでに年老いていた。彼がひどく聞きたがるものだから、家政婦は話しがたいことを敢《あ》えて口にするかのように、かぶりを振りながら打ち明けてくれた。かつての当主の死因が自殺だったのかどうかについては家政婦ははっきりとは言わなかったが、しかしホルクロフト村の人々には、その死が当主自らによるものとして心に刻まれていた。そしてある季節のある時期になると野ノ花屋敷にアンソニーの幽霊が顕われるという話が、言い伝えとしてこの地に根付いたのだった。

しかし現当主マイケル・バスコムは冷徹な現実主義者だ。彼にとってこの宇宙はそこに住むすべての生き物ともども、不変の法則に支配された巨大な機械にすぎない。そう信じる者には幽霊など莫迦げた妄想でしかない——二足す二が五だと言ってみたり、直線で円が描けると主張したりするのと同じほど莫迦げたことだ。ただ、幽霊を信じてしまう者の心のあり方については、学者としての関心がないわけではない。その問題は心理学における興味深い研究対象になろう。あの青白い顔をした哀れな娘についても、なにかしらこの世ならぬものへの恐怖が頭のなかに巣食っているのはたしかであり、それは理性的な療法によってのみ克服できるというものだろう。

「なにをすべきかわかったぞ」マイケルは不意に独り言を口にした。「今夜わたしが自分であの部屋に泊まってみればいいのだ。そして、影とやらにまつわるあの愚かな娘の怯えは、内気すぎる弱い心が生みだした妄想以外のものではないと証明してやろう。十の議論よりひとつの証拠のほうが有効というものだ。わたしがあの部屋で一夜を明かして、そんな怪しい影は見えなかったということになれば、迷信深い心情などくだらないものだと彼女も理解するはずだ」

そのときスケッグ執事が窓の鎧戸を閉めに入ってきた。

「ダニエル、今夜はマリアがいつも寝ている部屋にわたしが泊まるから、そのための準備をするよう細君に言ってくれないか。マリアは二階のどれかの部屋に移すようにな」マイケルはそう指示した。

「なんと仰いました？」

そう問い返されたマイケルは指示をくりかえした。

「あの愚か者は、ご主人さまにまで自分の部屋への不満を訴えたのですか！」スケッグは憤慨してわめいた。「心地よいお屋敷でたらふく食わせたり大事にしてやったりするに値《あたい》しない娘ですな。救貧院にでも送るのが似合いでしょう」

「哀れな娘にそう腹を立てるな。頭のなかにくだらない妄想が巣食っているだけだから、それが如何に莫迦げたことかをわたしが証明してやろうというのだ」とマイケルが言い聞かせた。

「それでご主人さまがご自分で泊まってみると仰るのですか——かの人物のお部屋に？」と執事が問いを重ねた。

「そういうことだ」

「ふうむ」とスケッグは考えるふうを見せた。「仮にかの人物が歩きまわることがあるとしても——もちろんわしはそんなことを信じてはいませんが——ご主人さまは血肉を分けたお方ですからな。害をなすようなことはありますまい」

スケッグは台所に赴くと、哀れなマリアを容赦なく叱りつけた。マリアはいつも居場所としている炉のわきの隅で青白い顔をして黙然と座し、人の足が履くものにしてはあまりにひどく擦り切れすぎたスケッグ老夫人の古い灰色の靴下を縫い繕《つくろ》っているところだった。「まったく、こんな気まぐれでお上品なご令嬢がいるものだろうか？」とスケッグは皮肉った。「紳士のお屋敷に奉公に入っていながら、自分の突飛な考えとたわごとのせいで、ご主人さまをご自分の寝室から追いだし、屋根裏部屋でお寝みになるように仕向けてしまうとはな」身分以上の教育を受けた結果がこんなことだとしたなら、自分は文字を書くことも習わず、言葉ふたつばかりを読める程度の教育しか受けてこなくて幸いだったと、スケッグは皮肉をつづけた。こんな結果になるくらいなら教育など受けないほうがましだとまで言った。

「本当にすみませんでした」マリアは縫い物仕事をつづけながら、か細く泣いて詫びた。「でもスケッグさま、わたくしは不満を訴えたわけではございません。ご主人さまがお尋ねになったので、本当のことをお答えしたのです。それだけなのでございます」

「それだけ、とは！」スケッグが怒り声をあげた。「たしかにな！　それでさぞ充分だったろうさ」

　マリアは沈黙を余儀なくされた。スケッグの容赦ない剣幕に圧され、彼女の心はこの陰鬱な広い台所から離れて、過去のなかの自身の生家へと漂っていった。小ぢんまりした居間の心地よい暖炉の前で、ちょうど今日のような夜を父と一緒にくつろぎすごしたときへと。彼女は愛らしい裁縫箱で縫い物をし、父は愛読する新聞に専心する。絨毯の上では飼い猫が喉を鳴らし、磨かれた真鍮製の五徳《ごとく》の上では薬缶が湯気の歌を唄い、茶器を載せた盆が一日のうちでいちばん楽しい軽食のときを告げる。

　おお、毎夜がどんなに幸せで、どんなに大切な親子の時間だったことか！　今現在のこの非情と苦役ばかりの毎日のなかで、あの時間は本当に永久に失せてしまったのだろうか？

　その夜マイケルはいつもより早く仕事を切りあげた。平素は自分がこもる書斎以外の灯火がすべて消えたあとも、書物を前にして長く座しているのが習慣なのだが。スケッグ夫妻はとうに一階の薄暗い部屋に退きあげ、静かに寝んでいた。マイケルのその夜の研究項目はことさら興味深いたぐいのもので、どんなに書物を読みつづけてもおもしろいばかりで決して苦行には思えなかった。このとき読み耽っていたものは、スイスの湖水地方に居住していた謎の多い部族の歴史で、そうした太古の人々についての学説を熟考し堪能していた。

　階段の壁に掛かる古い八日巻き式時計が午前二時を打つと、マイケルは燭台を手にしてゆっくりと階段を昇りはじめ、自分にとってはこれまで未知だった屋根裏部屋の領域へと向かっていった。階段を昇りきると、暗く狭い廊下が北の方角へのびており、その廊下の黒々とした不穏さだけでも、迷信深い者なら恐怖に打たれるに充分だと思えた。

「哀れな娘よ」マイケルはマリアのことを考えながら独りつぶやいた。「この屋根裏の階の物侘《ものわび》しさは、たしかに若い娘の心に妄想を呼びそうな――」

そのとき北の奥の部屋の前にたどりついたので、そこのドアを開け、しばし立ちつくして室内を眺めわたした。

広い部屋で、天井が片側へ傾斜しているため、一方の端は他方に比べてかなり高い。部屋自体古いが、家具類も古式のものばかりで――どれも大きくて武骨な造りだ――とうにこの世にいない人々の時代を偲ばせる。正面にある胡桃《くるみ》材の衣裳簞笥には真鍮の把手が具わり、暗がりのなかで不吉にぎらつく目のように見える。ベッドは丈高い四柱式だが、片側の二本の柱が天井の傾斜に合わせて切り詰められ、いくぶん不格好に見える。マホガニー製の古い抽斗付き鏡台はなにやら秘密めいた雰囲気を漂わせる。藺草《いぐさ》編み座部の重い椅子がいくつかあり、使い古され擦り減っているうえに黴《かび》も目立つ。一方の隅に洗面台があり、大きな洗面器と小さな水差しが置かれている――どれもすぎし時代の遺物というふうだ。広い絨毯は敷かれておらず、ベッドのわきに幅の狭い敷物があるのみ。

「陰々とした部屋だ」そうつぶやいたのは、先ほどこの屋根裏の階まであがってきたときに思いを及ばせたマリアへの気持ちと同種の哀れみのようなものを、この部屋に対して感じたからだった。

マイケル自身はどこで寝ようが気にはならない。それでも今夜の読書でスイス湖水地方の古代部族に関心が湧き、その読書経験の楽しさによって感情が静まったためか、今は愚かな娘の心の弱さについて、同情に似た気持ちすら覚えはじめていた。

ベッドに横たわり、ぐっすり寝てやろうと心を固めた。ベッドは心地よく、上掛けの厚みも充分で、どちらかと言えば贅沢なほどだ。それなりに疲れてもいたので、穏やかに熟睡できそうだった。

たちまち眠りに落ちた。が、わずか十分ほどでビクッとして目が覚めた。なにかがのしかかってくるようなこの感じはなんだ?――目覚めを余儀なくされるほどの、心と魂を圧迫されているような苦悶の感覚は?――まるで命の危険を通過することすら避けられないかのような、この冷えびえとした恐怖感はなんなのだ？　その心的苦痛はかつてない体験だった。平素のマイケルにとっては、自分の命は途切れることなく脈々と流れる大波のようなものであり、多少の苦痛の漣《さざなみ》で乱されたりすることはなかった。だが今夜にかぎっては、癒しがたい悔いのような強い痛みを感じている。人生を無駄に費やした記憶にも似た苦痛だ。恥辱、屈辱、不面目、没落、そういったものを経たような痛みだ。自らの手で自らの命を葬る悲惨な死の感覚さえある。それほどの恐怖が体の上からあるいはまわりから圧し包んでくるのを、このアンソニー・バスコムの部屋に横たわりながら感じていた。

そうなのだ、いつものマイケルならば、意識もなく変化もせずただ物理法則のみに支配される機械を超える存在を自然界は持ちえないと――いや、自然界を統べる神すら持ちえないと――思っているのだが、それが今はある種の心理上の不可思議ななにかに直面してしまっている。眠りのなかで襲ってきたこの困惑は、かのアンソニー・バスコムを最期の夜に追い詰めた困窮にほかならないのではないか。アンソニーはこの侘しい部屋で横たわるうちに、自ら命を絶つことを覚悟し、せめて疲れた脳を休ませるため、この世で最後の眠りを貪ろうとしたのにちがいない。すべてが暗黒と無意識に満ちた未知の世界に落ちゆく前に。そしてそれ以後ずっと、困窮し果てたアンソニーの霊魂がこの部屋にとり憑いた。傷つき果てたすえに身罷ったこの場所にあの世から舞い戻ってとり憑いているのは、しかしアンソニーの肉体の幽霊ではなくて、まさに精神の幽体――すなわちアンソニーの霊魂そのものにほかならない。故人が着ていた衣裳などの無意味な似姿《にすがた》ではなく、その衣裳を着ていた身体ですらないのだ。

だがマイケルはそうした現象に対しては高度に懐疑的な考え方を持っているのであり、その精神的基盤を安易に捨て去るような男ではない。それゆえに、心と感覚にのしかかってくる圧迫に打ち克《か》とうと必死に努めた。ふたたび眠りを得ようとくりかえし試みた。だがいつも苦悶を伴う同じ恐怖感が――同じ屈辱感が、同じ絶望感が――ぶり返し、何度も目覚めを強いられねばならなかった。そのため、言いがたい疲労のうちに夜がすぎていった。この困窮は自分のものではないといくら心に言い聞かせても、この圧迫感は現実ではないといくら思おうと努めても、この屈辱感には理由がないと思おうとしても、それらすべての妄想が現実そのもののようにありありとした苦痛を伴っているのを否めず、絶えずマイケルを強く押さえつけてやまなかった。

窓に最初の曙光が射すころ――冷たく仄暗い灰色に薄明かりが忍び入るころ――衣裳簞笥と部屋の戸口とのあいだをなす一隅へふと目をやった。

そこにはたしかに影があった。衣裳簞笥だけの影というわけではないようだ――その点ははっきりしている。だが壁面の鈍い茶色を黒ずませる不定形のその影自体はあまりに茫漠として、あまりに黒々として、如何なるたぐいのものの影なのか予想が及ばない。如何なる形の投影かまるで判然としない。やむなく、明るい朝日が射しこむまでその影を凝視してやろうと決めた。だが夜通しの疲れがここに来て急激に強まり、夜明けどきの薄暗さが去りやらないうちにたちまち眠りに落ちてしまい、乱されることのない熟睡の芳香を味わうまでにいたった。ようやく目覚めたときには、冬の朝日が窓格子の影をカーテンに投じ、室内からは薄暗さが完全に払われていた。灰色と茶色が目立つ古風で物侘しい屋根裏部屋だが、少なくとも夜の闇と影が持っていた深い陰鬱さはすっかり失せていた。

　三時間近く熟睡できたあとの爽快さとともに、マイケルはベッドから起きた。疲れを癒す眠りのおかげで失せたあの厭な感覚を思いだしたが、しかし今となってはあの奇妙な興奮を自嘲するばかりだった。そんな感覚を重要であるかのように考えてしまったことを悔いるのみだ。「消化不良のせいか」と自らにつぶやいた。「それよりもやはり、あの愚かな娘の話に影響されたための妄想だろう。だれも口にしたくはないが、どんなに賢い者でも空想には支配されざるをえないものだ。いずれにせよ、これからはマリアをこの部屋に寝かせないようにすればいいだけのことだ。彼女がここで寝なければならん格別な理由があるわけじゃないんだからな。ダニエル夫婦の言いなりになって厭な思いをする必要もなかろう」

　マイケルは平素と同じ安逸な気分で着替えを済ませたあと、前夜に例の影を見た――あるいは見たように思った――隅のほうへ足を進め、その一角をつぶさに検分した。

　初めのうちは不審なものはなにも見いだせなかった。壁紙の貼られた壁面に隠し扉があるわけでもなく、過去にそういうものがあった形跡もない。虫に食われた床板にも落とし戸などはなく、人の死を示す消し去れない黒い痕跡も残っていない。秘密や謎の存在を仄めかすどんなかすかな手がかりも見つからない。

　天井板を見あげたが、そこにも異状はなく、雨漏りのせいで傷《いた》んだ箇所が汚い色を呈しているだけだ。

　ただ、ひとつ気になるものがあった――大したことではないかもしれないが、少し厭な気分にさせるものであることはたしかだ。

　天井から一フィートほど下の壁面に、大きな鉄釘の頭が突きだしていた。あのぼんやりした不定形の影を見たところのちょうど真上だ。その釘をもっとよく見るため、椅子の上にあがった。できればそれを壁に打ちこんだ目的を知るためにも。

錆びついた古い釘で、長い歳月が経っているのが見てとれる。だれがなんのために打ちこんだのか？　絵を飾ったり衣裳を掛けたりする種類の釘ではない。目につきにくい隅っこに打ちこまれているのだから。アンソニー・バスコムは自分が死ぬ夜にこれを打ちこんだのか？　それともすでにそこにあったので、死ぬのに利用したのか？

「もしわたしが幽霊などを信じやすい男なら」とマイケルは考えた。「大伯父アンソニーはこの錆びた古釘で首を吊ったのにちがいないと思うだろう」

「よくお寝みになれましたかな、ご主人さま？」そう問いかけたのは、主《あるじ》が朝食におりてくるのを待っていたスケッグ執事だった。

「じつによく眠れたよ」執事の好奇心を満足させまいとして、マイケルはそう答えるにとどめた。野ノ花屋敷が幽霊にとり憑かれているという噂をずっと忌み嫌ってきたスケッグなのだから。

「それはようございました。おりていらっしゃるのが遅いので、まさかと――」

「そうか、たしかにな！　熟睡しすぎて、いつもの起床時間に間に合わなかったな。しかしそれはそうとしてもだ、ダニエル、あの哀れな娘はこの部屋を嫌っているわけだから、どこかほかの部屋で寝させることにしようじゃないか。そうしたからといってわたしたちは困りはしないし、彼女にとっては大いに嬉しいことになるはずだからな」

「ううむ！」スケッグは気むずかしそうにつぶやいた。「ご主人さまは、おかしなものなどはなにもご覧にならなかったわけですな？」

「おかしなもの？　もちろんなにも見ていない」

「そうでしょうな。ならば、どうしてマリアには見えるのでしょうか？　つまりは、あの娘のたわごとにすぎないということです」

「その話はもうよかろう。とにかく別の部屋で寝させるんだ」

「屋根裏には雨漏りのしない部屋がございませんので」

「ではもっと下の階で寝させればいい。いつもこそこそと歩きまわるおとなしい娘だ。わたしの邪魔になることもあるまい」

スケッグが唸り声を洩らした。素直に従うという返事だとマイケルは理解した。だが不幸にしてそれは誤りだった。頑固者を称して豚の頭のごとしと諺《ことわざ》に言うが、つむじ曲がりの老人の頑固さは豚どころではない。そういう年寄りの心の狭さはどんな教育によっても啓蒙できない。屋敷の主が孤児の娘に対して同情的な関心を示していることに、スケッグは嫉妬心すら覚えはじめていた。年長の独身男の心にいつの間にかつけ入ってぬくぬくと巣食ってしまう、そういうたぐいの甘え上手な娘なのだと思えた。

「このままではあの娘がご主人さまとべったりになり、われら老いた夫婦は住む場所を失うかもしれん。そんな莫迦げたことは、踵《かかと》で思いきり踏み潰してでも避けねばならん」朝食の盆を配膳室へと運びながら、スケッグはそう独り言をつぶやいた。

　廊下でマリアとばったり出遭った。

「スケッグさま、ご主人さまはなんと仰いましたでしょう？」マリアは息せき切って尋ねた。「あのお部屋でなにか奇妙なものをご覧になったでしょうか？」

「なにも見なかったそうだ。見るはずもなかろう？　おまえが愚かなだけだと仰っていたよ」

「眠りを妨げるものは顕われなかったと？　穏やかにお寝みになれたということでしょうか？」マリアの声が震えた。

「かつてないほどよく眠れたそうだぞ。どうだ、自分の言ったことが恥ずかしくなってきたんじゃないか？」

「仰るとおりですわ」マリアは弱く答えた。「全部わたくしの空想だったとしたら、とてもお恥ずかしいことです。今夜はまたあのお部屋に戻ります。そしてこれからはもう不満など決して申しません」

「そう願いたいね」とスケッグは言い捨てた。「おまえのおかげでわたしたちは大いに困らせられたんだからな」

　マリアは溜め息をつき、悲しげな沈黙のうちに仕事へ戻っていった。そのあとの一日は、生気のないこの古い屋敷のこれまでの毎日と同様にゆっくりとすぎていった。主人マイケルは書斎の席で研究にいそしんでいる。マリアは部屋から部屋へと静かに巡り歩き、楽しみもない孤独のうちに拭き掃除や掃き掃除に励んだ。日の照る真昼から灰色の午後へと移り、やがて陰鬱な古い屋敷に暗影がおりる夕刻が訪れた。

　その日マリアは主人マイケルと顔を合わせることがなかった。もし気になって彼女の姿を覗き見る者がいたとしたら、いつも以上の青白い顔色に気づいたにちがいない。目には悲壮な覚悟をした者特有の決然とした表情が窺えた。一日じゅうまったく食事を摂らなかった。そのあまりの物静かさは異常なほどだった。彼女のそんな状態を、スケッグ夫妻は不満な気持ちの表われだと解釈した。

「あの娘、なにも食わず、人と話そうともせんな」スケッグは妻との世間話のついでにそう言った。「あれは不機嫌さの表われだ。若いころのわしは、不機嫌さを表に出してはいかんと自分を戒《いまし》めたものだった。おまえもそうだったはずだな。年とった今でも、不機嫌な気持ちに負けてはいかんと心がけているほどだ」

牀に就く時間が来ると、マリアはスケッグ夫妻に丁重な就寝の挨拶を告げ、あとはひと言も口にすることなく、自分の侘しい寝室へとあがっていった。

翌朝、スケッグ夫人は朝食の仕度をさせるために勤勉な小間使いの娘を探したが、まだ階下に姿を見せていないとわかった。

「あの娘、今朝はぐっすり眠れているみたいね」と老夫人は言った。「ダニエル、あなた行って呼んできてちょうだいよ。わたしは脚が悪くて階段をあがれないから」

「おまえの脚ときたら、尋常じゃないほど使い物にならなくなってきたな」スケッグ執事は気短そうにつぶやき、妻の指示を果たしに赴いた。

屋根裏部屋のドアを叩き、マリアの名を呼んだ——一度、二度、三度、さらに数度。だがいっこうに返事がない。ドアを開けてみようとしたところ、施錠されているとわかった。不安になり、ドアを激しく揺すぶってみた。

そのあと、マリアが悪戯《いたずら》をしているのだと自分に言い聞かせた。きっと夜明け前にこっそり屋敷を抜けだし、わざと心配させるためにドアに鍵をかけていったのだろうと。だがそうではないとわかった。ドアの前にひざまずいて鍵穴から覗こうとしたところ、内側から鍵が挿《さ》しこんだままになっていた。そのせいで室内が見えない。

階段に重い鉄棒《かなぼう》があるのを思いだした。階段の採光窓の鎧戸を閉めるための棒で、実際に使われることはめったになく、いつも窓のそばの隅に立てかけてあり、つながれていないので持ちだしできる。スケッグは急いで踊り場まで駆けおり、その太い鉄棒を掴みとると、ふたたび屋根裏にとって返した。

重い鉄棒の一撃で、古びた錠が壊された。それこそ七十年前に荷馬車牽きの農夫がたくましい握り拳で叩きはずした箱錠にほかならない。ドアが開け放たれ、スケッグは雇ってまだ間もない小間使いの娘の寝室として自らが選んだ屋根裏部屋のなかに跳びこんだ。

マリアは壁の釘で首を吊っていた。自ら顔をハンカチで慎ましく隠しての行為だった。縊死を遂げたのはスケッグに見つけられる一時間ほど前、灰色の早朝のことと推察された。ホルクロフト村から呼ばれて駆けつけた医師は、およその死亡時間こそなんとか診《み》立《た》てられたが、マリアが絶望的な行動に走った原因は果たしてなんだったのか、なにかしら突然の激しい恐怖のせいか、あるいはゆっくりとした拷問のごとき苦悩のゆえか、その点は推測のしようもなかった。死因陪審はやむなく〈突発的錯乱〉という無難な評決をくだすにとどまざるをえなかった。

　小間使いの娘マリアの痛ましすぎる命運は、マイケル・バスコムのそれ以後の人生を暗澹たるものに変えた。呪われた場所から逃げるかのように、あるいは罪もない若い娘を死に追いやったスケッグ夫妻のそばにはいられないと言うかのように、野ノ花屋敷から去っていった。気心の知れた学者たちの社会であり、愛する書物の宝庫でもあるオックスフォード大学で、残りの人生を送った。だがマリアの哀しい表情と、もっと悲しい彼女の死の記憶は、不変の嘆きをマイケルにもたらした。その昏い影を彼の魂から払い除けることは決してできなかった。

メアリー・シェリーにはじまる

あれは錯覚だったのか？

Was It an Illusion?

アメリア・B・エドワーズ　Amelia B. Edwards

伊東晶子 訳

アメリア・B・エドワーズ（一八三一―九二）は、若い頃から声楽や絵画に才能を現し、小説や詩、英国史など著書も数多い。エジプト学者としても知られ、一八八二年にはエジプト探査基金を設立して学術調査を支えた。怪奇短編は二十作ほど手がけており、邦訳された作品は少ないが、平井呈一訳の「幽霊駅馬車」を記憶に留めている読者も多いことだろう。寒村で起きた奇妙な事件の顛末を物語った本作は、一八八一年の *Arrowsmith Christmas Annual* に掲載されたもので、エドワーズの怪奇小説としては最後の作といわれている。

　これから語る話は、十六年から十八年前、私自身にふりかかった出来事である。そのころ私は勅命視学官の職についていた。地方担当の視学官というものは移動が絶えないものだ。当時の私はまだ若く、旅から旅へという暮らしを楽しんでいた。そもそも、聖職禄を持たない神学者がありつける仕事など、楽しみが少なく苦労ばかりというものが多いのだ。新顔に出会うことがめったにない辺鄙《へんぴ》な土地では、年に一度の視学官訪問は一大行事だ。長い一日の終わりには鄙《ひな》びた宿での静かな夜が好ましいと感じることもときにあるが、視学官は地元の主任牧師や領主の滞在客となることがほぼ運命づけられていた。こうした機会をどうとらえるかは視学官次第だ。如才なく振る舞えば有力者の知遇を得ることができるうえに、英国における家庭生活の最良の面を見ることができる。

そのうえ、どこを見ても変わり映えのしない今の世の中では珍しい体験に出遭う機会に恵まれるかもしれない。

最初の任地はイングランド西部の、友人や知己が多い地域だった。これ以上望めないほど快適に二年間働いたあとだっただけに、北部の、交番巡査が言うところの「新しい見廻り地域」を告げられたときには困惑した。運の悪いことに、前の担当より三倍広い、千八百マイル四方にわずかな住人がまとまりなく散らばった土地で、一人の視学官の手に負える範囲を超えていた。二つ並んだ禿げ山で中央を垂直に二分されており、そのために地域の大部分が鉄道の主要線路から切り離されている。巡回に不都合な悪条件が重なっていた。村と村の間は大きく隔たり、たいていはどこまでも広がる湿地で分断されていた。こうして私は、それまでしばしば身を置いていた暖房の効いた客車や荘園屋敷の代わりに、日々の時間の半ばを貸し馬車と侘《わび》しい田舎の宿で過ごすこととなった。

この地域を任されてから三か月ばかりが過ぎ、冬がすぐそこに迫ったころ、ピット・エンドへ初めての査察に行くことになった。地域の中でも最北部にある寒村で、最寄り駅からは二十二マイルの距離にある。ドラムリーという町に一晩泊まり、翌日の午前中はドラムリーの学校を査察した。それからピット・エンドに向かった。目的地までは鉄道で十四マイル、起伏のある間道で二十二マイルだ。もちろん、考えつく限りのことはすべて出発前に問い合わせたが、ドラムリーの校長も、泊まった〈羽毛亭〉の主人も、ピット・エンドという名前よりほかには何も知らなかった。前任者は、別の方角からピット・エンドに行っていたようだ。そのほうが距離は長くなるが、道の起伏がそれほど険しくない。宿屋らしきものが一軒あることは確かだが、評判は定かでなく、羽毛亭の主人も聞いたことがなかった。評判が良かろうが悪かろうが、そこに泊まるしかない。

こんなわずかな情報を頼りに、私は出発した。十四マイルの鉄道の旅はあっという間にブラムスフォード・ロード駅で終わり、そこから乗合馬車がブラムスフォード・マーケットという、ぱっとしない小さな町まで乗客を運んだ。ここで目的地まで乗る軽馬車と馬を雇った。痩せこけた葦毛《あしげ》馬はラクダのような横顔をしている。座席の高いガタピシした軽馬車は、かつては旅回りの商人に使われたものだろう。ブラムスフォード・マーケットから先は長い丘陵地帯を越え、荒涼とした高地へと登る道だった。十一月中旬のどんよりと寒い午後で、日が西に傾くにつれ東風が切りつけるように鋭くなり、ますます暗く寒々としてきた。

「あとどのくらいだね」と御者に尋ねたのは、これまで通り抜けてきたものより長く険しい登り坂の手前でいったん馬車を降りたときだ。

口にくわえた藁を反対側に動かすと、御者は「四マイルか五マイルってとこだあな」というようなことを唸るように言った。

御者の言う「むかし関所だったとこ」で道を外れ、原野を通り抜ける小径《フットパス》（私有地の中でも通行を認められている小径）を行くと、けっこうな近道になるらしい。そこで私は、残りの行程を歩いていくことにした。かなりの速足で歩きだし、すぐに御者と馬車を後方に引き離した。丘の頂上まで来たときには馬車も御者も見えなくなり、やがて道端の小さな廃屋に着いた。これが古い料金所だろう。フットパスもすぐに見つかった。石垣で区切られた不毛の斜面を横切っていく。そこここに崩れ落ちた小屋や高い煙突、黒ずんだボタ山があり、廃坑の跡であることを物語っている。そうこうするうちに、東のほうから薄い霧が這い上がり、夕闇が迫ってきた。

こんなところで、こんな時間に道に迷うのは願い下げだし、ほぼ消えかけている踏み分け道は、あと十分もすれば見分けられなくなるだろう。そこで私は、人家の気配がないかと周囲に気を配りながら急いだ。石の踏み越し段を登っては降り、登っては降りを繰り返しているうちに、自分が荘園の領地を囲む柵に沿って歩いていたことに気がついた。頭上には裸の枝が伸び、足元では枯葉がかさかさと音を立てる道をそのまま進んでいくと、やがて分かれ道に出た。片方は囲い地に沿ってそのまま続き、もうひとつは開けた牧草地を横切っていく。

どちらの道を行くべきか。

柵に沿って歩いていけば、いずれは番小屋にたどり着くはずで、そこでピット・エンドへの道を訊くことができる。とはいえ、領地がどれほど大きいのかわからない。いちばん近い番小屋にたどり着くまでに延々と歩かなくてはならないかもしれない。一方、牧草地を通る小径は、ピット・エンドにではなく正反対の方向に通じているかもしれない。だが、迷っている時間はない。私は牧草地を選んだ。霧が羊毛を積み上げた土手のようになっているため、牧草地のはるか先は見えなくなっていた。

このときまで、道を尋ねられるような相手には出会っていなかった。だから、霧の中から一人の男が現れ、こちらに歩いてくるのを見たときには、少なからぬ安堵を覚えた。私は急ぎ足で、相手はゆっくりと進み、お互いが近づくにつれて、男が左足を引きずっているのが見えた。だが、とても暗く、霧が濃かったので、五、六ヤードの距離に近づくまでは、その男が暗い色のスーツに国教会牧師のフェルト帽という、非国教派の聖職者のような姿をしていることまでは見ることができなかった。話ができる距離になるとすぐに、私は声をかけた。

「すみませんが、ピット・エンドに向かうにはこの道でいいのでしょうか。あとどのくらいですか」

　男は近づいてきたが、まっすぐ前を見たままで私の質問には何の反応もない。どうやら聞こえなかったようだ。

「おそれいりますが」私は声を張り上げた。「この道を行けばピット・エンドに着けるでしょうか。そうだとしたら……」

　男は立ち止まることなく、こちらを見ることもなく通り過ぎた。私が見えていないんじゃないかとすら思えた。

　言いかけた言葉を宙に浮かせたまま口を閉じ、男の後ろ姿を見ようと、もしくはあとを追おうと、振り返った。だが、あとを追うどころか、呆然と立ちすくんでしまった。

　男に何が起きたのだ。そして、あの少年は何だ。釣り竿を肩にかけた背の高い少年が、私が来たばかりの道を向こうに歩いていく。半ば走り、半ば歩くように歩を運んでいる。誓ってもいいが、あの少年とは行き会ってもいないし通り過ぎてもいない。どこから現れたのだ。それに、あの男はどこだ。私が話しかけてから三秒もたっていないのだ。あんなふうに足を引きずった歩き方で、二メートル以上進めたはずはない。

　私は根が生えたように立ちすくみ、釣り竿を持った少年が柵の下の暗がりに消えるまで後ろ姿を追っていた。

　夢を見ていたのだろうか。

　そうしている間に夕闇がどんどん迫ってきた。夢だろうがそうでなかろうが、前に進まなければならない。さもないと行き暮れてしまう。急いで前進した。名残りの陽光に背を向け、一足ごとにより深く霧の中へ歩を進めた。だが、あせることはなかった。旅の終わりは近づいていたのだ。小径の突き当たりに回転式の木戸があり、その先は急な下り坂になっていた。小石や轍《わだち》につまずきながら降りていくと、坂のいちばん下で、鍛冶屋の炉が私を歓迎するかのように赤々と燃えているのが見えた。

　ここが、つまるところ、ピット・エンドだった。村の宿屋の前にはあの軽馬車が停めてあった。痩せこけた葦毛馬は夜を過ごす厩《うまや》に入れられ、宿の主人が私の到着を待っていた。

〈猟犬亭〉は気取りのない宿で、小さな談話室には私のほかに農夫が二、三人と、ソーリー社の牛用飼料を「行商」しているという若い男がいた。この部屋で夕食をとり、手紙を書き、しばらく主人とお喋りをして地元の情報を拾い集めた。

どうやらピット・エンドには常駐の牧師がおらず、現在その任に当たっている者は三つの小さな村を掛け持ちで回っているという。巡回副牧師の手を借りて、少々手間を省いたやり方でこなしているらしい。ピット・エンドは三つの村の中でいちばん小さく、いちばん遠隔地であるため、礼拝は毎週日曜日の一度きりで、たいていの場合は副牧師に任されている。領主は牧師よりもっと不在がちで、たいていはパリで暮らし、ピット・エンドの炭鉱から得た富を国外で費やしていた。たまたま今は領地にお戻りです、と宿の主人は言った。五年間お留守だったんですがね。でも、来週にはまたお発ちになり、次にブラックウォーター・チェイスでお見かけするまでにまた五年というわけです。

ブラックウォーター・チェイス？　初めて聞く名前ではなかったが、どこで聞いたのか思い出せない。だが、主人がさらに言葉を続け、留守がちではあるもののウォルステンホルムさんは「感じのいい紳士で、いい領主様です」と言い、さらに「ブラックウォーター・チェイスはこの世の果てみたいに寂しい土地ですから、お若い方が暮らすとこじゃありません」と言ったとたんに思い出した。ベイリオル学寮（オックスフォード大学の学寮のひとつ。十三世紀設立）のフィル・ウォルステンホルムが、その昔、彼らしい鷹揚さで、ブラックウォーター・チェイスに鳥撃ちに来いよと皆を誘ったことがあったのだ。十二年前の話で、そのころ私はワダム学寮（オックスフォード大学の学寮のひとつ。十七世紀設立）で一心不乱に勉強していた。ウォルステンホルムは、私の属さぬ一派のカリスマ的存在で、詩を書いたり、寮でワイン・パーティを開いたりしていた。

そう、何もかも思い出した。眉目秀麗な顔だち、寮の贅沢な続き部屋、子供っぽい浪費、ひどい怠け癖、そして崇拝者たちからの盲目的な信頼。「やる気になりさえすれば」大学のあらゆる賞を授けられるはずだと彼らは信じていた。確かにニューディゲイト賞（十八世紀の政治家ロジャー・ニューディゲイトを記念した賞で、学部生による優れた英詩に与えられる）を受賞はしたが、功績はそれが最初で最後となり、ぎりぎりのところで落第を免《まぬか》れたという噂を残して大学を卒業した。なんと鮮やかにすべてが蘇ったことか——懐かしい大学生活、友情、もう二度と戻ってはこない楽しい日々。たかが十二年前のことだというのに、まるで半世紀も前のことのように思えた。そして、十二年後の今、ウォルステンホルムと私はオックスフォード時代と同じように顔を合わせる機会を得たのだ。彼は大きく変わっただろうか、変わったとして、それは良い方向へだろうか、悪い方向へだろうか。思いつきから生まれていた気前のよさが立派な美徳に磨き上げられただろうか、それとも愚行の数々が悪行に凝り固まっただろうか。ここにいることを知らせて、自分の目で確かめるべきだろうか。明日の朝、名刺に一筆書いて彼の屋敷に持っていかせることは簡単だ。だが、これといった目的もなく、好奇心を満たすためだけに旧交を温めることに意味はあるだろうか。

　こんなふうに思い迷い、遅くまで暖炉の前にいたので、寝床に入るころには、奇妙なやり方で姿を消した男や、どこからともなく現れた少年と出会ったことなど忘れていた。

　翌朝、自由に使える時間がたっぷりあったので、名刺に例の一筆を書き添えた。オックスフォードで知遇があったこと、九時から十一時までは公立学校の査察をしていることだけを記した。それを宿の主人の息子の一人に託し、仕事に出かけた。素晴らしく晴れた日だった。風は北へと向きを変え、太陽が輝き、空は冷たく澄んで、煙で煤けた村や、炭坑の入口付近に固まったみすぼらしい建物を精一杯晴れやかに見せていた。村は丘の長い坂道に沿って建てられており、教会と学校は丘の上に、猟犬亭は麓にあった。前夜通った道を見つけられないかと見回しながら、だらだら続く坂道を登り、教会墓地を巡る小径を進むと学校に着いた。教師たちの住まいを含む校舎が四角い中庭の三面を囲み、残る一面は鉄柵と門になっている。正面入口の扉の上方にある銘板には「これなる学舎はフィリップ・ウォルステンホルム郷士により建て替えられた。西暦一八＊＊年」と記されている。

「ウォルステンホルム様は、ここの荘園の領主様でございますよ」へつらうような小さな声が聞こえた。

　振り返るとすぐそばに男が立っていた。肩の張った体に土気色の顔、黒づくめの服装、脇に手本帖の束を抱えている。

「あなたは……校長先生ですか」私は尋ねた。名前を思い出すことができず、それなのに顔には見覚えがある気がして戸惑っていた。

「さようでございます。フレイザー様でいらっしゃいますね」

　一度見たら忘れられそうにない顔だった。ひどく蒼ざめ、不安そうだ。その目は用心深いというより怯えているようで、なんとも言えず厭《いや》な感じだった。

「そうです」と答えながらも、どこで、いつ、この男を見たのだろうと考えていた。「フレイザーです。あなたのお名前は……」ポケットに手を入れ査察用紙を出そうとした。

「スケルトン。エベニザー・スケルトンでございます。差支えなければ男子校を先にお願いできますでしょうか」

　どうということもない言葉だったが、彼の態度はこれでもかというほどへりくだっていて不快だった。自分の名前を告げるのも、私など名乗るほどの者ではありませんが、という口ぶりだった。

　男子からにしましょうと私は答え、足を進めた。それまでは立ち止まったまま話していたので、このときになって初めて校長の脚が悪いとわかった。その瞬間、思い出した。霧の中で会った男だ。

「きのうの午後、お会いしましたね、スケルトンさん」教室に向かって歩きながら私は言った。

「きのうの午後、でございますか」彼は私の言葉を繰り返した。

「あなたのほうでは私が目に入っておられなかったようですが」私はぶっきらぼうに言った。「実を言うと話しかけたのですよ。でも、答えていただけなかった」

「そんな……まさか、失礼ですが……誰かほかの方と間違えておられるのでは」と校長は言った。「きのうの午後は、出かけてはおりません」

　これは虚偽以外の何物でもないのでは。顔を見間違えることはあるかもしれない。とはいえ、これほど特異な顔だし、かなりはっきりと見たのだ。それに、脚の悪さまで見間違えるなどということがあるだろうか。あの、足首を挫《くじ》いたかのように左足を引きずる奇妙な歩き方は、そうそうあるものではない。

　私がとても信じられないという顔をしたのだろう、校長は急いで言い足した。

「査察に備えて男子生徒を指導しておりましたし、そうでなかったとしても、きのうの午後は出かけたはずがございません。とても湿気が多く、霧が出ておりましたから。気をつけなくてはならないんでございます……肺が弱いものですから」

　この男への嫌悪感が、一言ごとに強まっていった。なぜ嘘を重ねるのか、その理由は何かとは考えなかった。もうたくさんだ。この男は己《おのれ》の目的のために、それがどんな目的だとしても、信じられないほどの厚かましさで嘘をついている。

「査察を進めましょうか、スケルトンさん」私は蔑《さげす》むように言った。

　校長は、そんなことがあり得るのならだが、それまでよりさらに蒼ざめ、黙ってうなずくと生徒たちを順番に呼び出した。
　エベニザー・スケルトン氏が誠実さに欠けるとしても、優れた教育者であることはすぐにわかった。男子生徒たちは非常に良く教えられており、出席率や素行等に関しても申し分なかった。というわけで、査察が終わり、校長からピット・エンド男子校を政府補助金の対象校に推薦してほしいと言われたときには、すぐさま了承した。とにもかくにも、これでもう一年間はスケルトン校長の顔を見ずにすむ。だが、そうはいかなかった。女子校から出てくる私をスケルトン校長が玄関先で待っていたのだ。

　くどくどと謝りながら、貴重なお時間を五分ほどいただきたいとすがりついてきた。「私の心得違いでしたらご指摘ください。ささやかな改善策を提案させていただきたいと存じます。男子生徒は中庭で遊ぶことを許されておりますが、あそこは狭すぎて何かと不便でございます。が、校舎の裏側に半エーカーほどの空き地がございまして、あれを塀で囲えば問題はうまく解決できるのではないかと愚考いたしましたのですが」そう言って校長が建物の裏手へ案内するので、ついていった。

「この空き地は誰のものですか？」

「ウォルステンホルム様のものでございます」

「でしたらウォルステンホルムさんにお願いしたらいかがでしょう。学校を寄付してくれたのですから、運動場だって喜んで寄付してくださるんじゃないですか」

「お言葉ではございますが、ウォルステンホルム様は領地に戻られてから一度も当校を訪ねてはおられません。ご来校の栄誉を授けていただけないままピット・エンドをお発ちになる可能性はかなり高いと存じます。私ごときがお手紙を差し上げるなどという出過ぎた真似はできません」

「私だって政府への報告書には書けませんよ。ウォルステンホルム氏が提供した学校の運動場用にウォルステンホルム氏の土地の一部を買い上げてくれだなんて」と私は答えた。「別の状況なら……」

　そこで言葉を切り、あたりを見回した。

　校長は私の言葉尻をとらえた。

「別の状況なら、とおっしゃいましたか」

　私はまた見回した。

「誰かがここにいたような気がしたんですが」と私は言った。「私たち以外の誰かが、ほんの少し前に」

「おそれいりますが、私たち以外の誰かとおっしゃいましたか？」

「地面に影が見えたんです。あなたと私の影の間に」

学校の正面の門は真北を向いており、私たちは建物のすぐ裏で背に陽光を受けて立っていた。空き地は丘の上の高いところにあり、木々もなく見通しがよかったので、私たちの影はくっきりと足元に広がっていた。

「か、影でございますか」校長は口ごもった。「そんな、まさか」

半マイル四方には茂みも木もなかった。空には雲もない。何もない。影を落とすものは何ひとつなかった。

あり得ないことだと私も認めた。気のせいだったのだろうと言って、運動場の件に話を戻した。

「ウォルステンホルム氏にお会いになる機会があるようでしたら」と私は言った。「運動場の件は好ましい改良だと私が言っていたと伝えてくださってかまいませんよ」

「深く感謝いたします。ありがとうございます、まことにありがとうございます」と校長は卑屈な態度で答えた。「ただ……ひょっとしてあなた様からお口添えいただけたらと思っていたのですが……」

「ほら、あそこ」私は相手の言葉をさえぎった。「あれが気のせいですか」

私たちは今、男子校舎の壁に近づいていた。この壁に、燦々と降り注ぐ陽光に照らされ、私と校長の影が落ちていた。そしてそこに、またしても、一瞬ではあったがもうひとりの影がくっきりと、舞台の背景の前でスポットライトを浴びたようにはっきり見えた。今度は校長と私の間ではなく少し離れている。まるで侵入者があとずさりしたかのようだった。私が言葉を発し、あたりを見回したときにはもう消えていた。

「見ましたよね」私は訊いた。

校長は首を横に振った。

「な、何も見ませんでした」消え入りそうな声だった。「何だったんですか？」

唇が白くなっている。立っているのがやっとという状態に見えた。

「見たはずですよ」私は言った。「影はすぐそこに……あの蔦がちょっと生えているところ。男子生徒が隠れているに違いない……少年の影でした。間違いありません」

「少年の影」校長が木霊のように繰り返し、おどおどとあたりを見回した。「少年が……隠れるような場所は……ございません」

「場所があろうとなかろうと」怒った私は言った。「捕まえたら、あの子は私の杖の重さを思い知ることになるでしょう」

後方も前方も、あらゆる方向を探した。校長は怯えた顔で足を引きずりながら私のあとをついてまわった。地面は荒れてでこぼこしてはいたが、ウサギ穴のひとつもなかった。

「だが、あれは何だったんだ」私は苛立っていた。

「み、見間違い……申し上げにくいことですが、錯覚だったのでは」

スケルトン氏は叩かれた猟犬のように怯え、顔色をうかがうようすを見せたので、男の子を打ちすえてやると脅した杖をこの男の肩に振り下ろしてやったらどんなに気分がいいだろうと思った。

「だが、あなたも見たでしょう」私はまた訊いた。

「いいえ。名誉にかけて、何も見ておりません。どんなものも見ておりません」

校長の表情は自分の言ったことを裏切っていた。この男は影を見ただけでなく、それに関して何か知っている。だが、話したくないのだ。このときにはもう私は腸《はらわた》が煮えくり返っていた。生徒の悪戯の標的にされたうえに、それを校長が見て見ぬふりをしてごまかそうとするなど、もうたくさんだ。これは私自身と役所に対する侮辱だ。

自分が何を言ったかよく覚えていない。何にせよ、そっけなく厳しいものだったろう。言い終わるとスケルトン校長に背を向け、急ぎ足で村へと戻った。

丘の麓《ふもと》にさしかかったところで、二輪馬車を牽《ひ》く栗毛馬が脚を高く上げて猟犬亭の前へ駆けてきた。と思う間もなく、私はベイリオル学寮のウォルステンホルムと握手をかわしていた。相も変わらず眉目秀麗で、相も変わらず洒落た服をさりげなく着こなし、オックスフォードで最後に見たときから一日たりとも年をとっていないように見えた。両手で私の手をしっかりと握り、「これから三日間、きみはぼくの客人だ」と宣言した。そして、すぐにでもブラックウォーター・チェイスに連れていこうとした。明日はドラムリーより十マイル向こうにある二つの学校を査察しなくてはならないこと、そのために馬車と御者を待たせてあること、羽毛亭に宿泊の予約を入れてあることを説明したが無駄だった。ウォルステンホルムは私の反論を笑いとばした。

「きみねえ」と彼は言った。「馬車と御者は先にドラムリーに行かせればいいじゃないか。御者に羽毛亭宛ての伝言を預け、駅から二つの学校宛てに電報を打つよう言いつければいいのさ。不測の事態により査察は来週に延期せざるを得なくなったとね」

そう言うなり、いかにも領主らしい態度で、私の旅行鞄を荘園屋敷に送るよう宿の主人に大声で言いつけ、私を二輪馬車の座席に押し上げると、栗毛馬を好きなように走らせ、激しく揺れる馬車で私をブラックウォーター・チェイスまで連れていった。

　領主館は陰気で殺風景な古屋敷で、外周六、七マイルの薄暗い領地の真ん中に建っていた。葉を落としたオークの並木道が屋敷まで続いており、最も寂しい場所にはアオサギの棲息する侘《わび》しげな湖があった。それでこの荘園はブラックウォーター・チェイス（黒水湖の狩猟場）と呼ばれるようになったのだ。北部イングランドの大邸宅というより、国境の要塞のようだった。昼食のあとでウォルステンホルムは、絵画陳列室や謁見の間を案内してくれた。それから馬を走らせて領地を一巡し、夜になると壁にオーク材を張った広間の端の、一段高い席で夕食をとった。広間の壁には牡鹿の枝角や甲冑、過去の時代の戦争や競技に用いられた古い武具が掛かっていた。

「それで、明日だけど」燃え盛る薪の炎の前で赤ワインを飲みながら館の主が言った。「昼間は、天気がよければ、湿地に鳥を撃ちにいこう。一日長く滞在する気なら、金曜にブルームヘッドまで車でいって、公爵の猟犬と一緒にひとつ走りだ。狩りはしないって？　ばかなこと言うなよ。このあたりの牧師はみんな狩りをするよ。ところで、炭鉱に降りたことはあるかい。ないのか。だったら新しい体験を用意しよう。カーショールトンの坑道に連れていくよ。ノームやトロールの故郷をお目にかけよう」

「カーショールトンというのは、きみが所有する炭鉱のひとつかい」

「ここらの炭鉱は全部ぼくのものさ。ぼくは黄泉《ハデス》の国の王だ。地上だけでなく地下の世界も支配している。このへんの湿地はどこも地下に石炭が埋まっている。領地全体が立て抗と坑道で蟻の巣のようになっているんだ。うちでいちばん埋蔵量の豊富な鉱脈のひとつはこの屋敷の下を走っていて、ぼくたちの足の下、四分の一マイル（約四〇〇メートル）のところで、毎日、四十人余りの坑夫が働いている。猟園のすぐ下にもまた別の鉱脈が走っている。どれほど多く埋まっているかは神のみぞ知るだ。ぼくの父が二十五年前に掘り始め、それ以来ずっと掘り続けている。それでもなお採掘量が落ちる気配はない」

「きみは妖精の教母から富を約束された王子よりも金持ちなんだね」

　彼は肩をすくめた。

「まあね」たいしたことではないというように言った。「どんな無駄遣いも許されるくらいには金持ちだね。つまりたっぷりあるってこと。だけど、四六時中金をばらまき、世界中をうろつきまわり、そのときどきの衝動を満たすことを幸せと呼べるんだろうか。ここ十年というもの、そういう生き方を試してきたけど、それでどうなったと思う？　結果を見せようか」

　彼はランプを取り上げると先に立ち、家具の入っていない部屋ばかりが延々と続く中を通り抜けていった。どの部屋の床にも、あらゆる大きさと形の梱包物が高く積まれていた。さまざまな外国の港の名前や海外の代理人の住所が書かれたラベルが貼られたものが無数にある。何が入っているのだろう。イタリアやギリシャ、小アジアの貴重な大理石だろうか。過去の、あるいは現代の名匠の手になる値のつけようもないほど素晴らしい絵画だろうか。ナイル川、チグリス川、ユーフラテス川の流域から見つかった古代の遺物だろうか。ペルシャの琺瑯《ほうろう》細工、中国の陶磁器、日本の銅《あかがね》細工、これまで見たこともないようなペルーの彫刻、武器、モザイク、象牙、木彫り、毛皮、タペストリー、イタリアの古い飾り箪笥、絵入りの長櫃、エトルリアのテラコッタ。あらゆる国、あらゆる時代の宝物が、この部屋部屋の戸口を入ってから一度も開梱されたことはなく、所有者が部屋に入ったのも、これらを買い集めるのに費やされた十年間にたった二度なのだ。開梱されるときはくるのだろうか。並べたり楽しんだりすることはあるのだろうか。ひょっとしたら……放浪に飽きたら……結婚したら……こうしたものを置ける展示室を作ったら。あるいは、そう、基金を提供し博物館を創設するかもしれない。国に遺贈するかもしれない。どうだっていいではないか。蒐集は狩りと同じだ。楽しみは追うことにあり、そこで終わるのだ。

　その晩、私たちは遅くまで起きていた。会話をしていたとは言えないだろう。話をしていたのはウォルステンホルムで、私は喜んで陸や海での放浪について彼に話をさせ、楽しんだ。そんなふうに、冒険談で時は過ぎていった。危険な山頂への登攀、砂漠の横断、未知なる遺跡の探検、氷山や地震や嵐からの「危機一髪の脱出」。やがてウォルステンホルムが葉巻の吸い殻を暖炉の火に投じ、マントルピースに置かれた時計の針が日付をまたいだ深夜を示しているのを見たときに、ようやく、もう寝る時間だと気がついた。

　翌日は、私をもてなすために作られた計画表にしたがい、二人で七時間ばかりも湿地でヤマウズラを撃った。その次の日は、朝食前にカーショールトン炭鉱の立て坑を降りる予定で、朝食後には十五マイルほど離れたピクト人居住地と呼ばれる場所で、ストーン・サークルと先史時代の砦跡を見ることになっていた。

　野外での運動に不慣れな私は、銃を手に七時間を過ごした一日のせいで泥のような眠りに落ち、翌朝、ウォルステンホルムの近侍が、地獄へ降りていくのにふさわしい防水加工の服を持って枕元に来たときにも、なかなか目が覚めなかった。

「ウォルステンホルム様によりますと、お風呂は戻られてからのほうがよいだろうとのことでございます」礼儀正しい近侍が言った。ぶかっこうな服をあたかも最上等の夜会服であるかのように芸術的な手つきで椅子の背に配置している。「防水服の下には温かい下着をお召しになられるとよろしいかと存じます。坑内はとても冷えますので」

　私はしぶしぶと防水服を検分した。この日の朝は霜が降りた。こんな寒い日に食事抜きで、風呂にも入らず、地底に潜らされるなんて、とてもじゃないが魅力的な予定とは言えなかった。行きたくないと伝えてもらったほうがいいだろうか。私はためらった。だが、ぐずぐずしているうちに礼儀正しい近侍は姿を消し、機会は失われた。ぼやき、震えながら、ベッドから出ると、てかてか光るひんやりした防水服を身につけ、階下に降りていった。

　朝食室に近づくにつれて、ざわざわした声が聞こえてきた。中に入ると、十人余りの逞しい坑夫たちがドアの近くに集まっており、ウォルステンホルムが暖炉の火を背に、何やら深刻な顔で立っている。

「やあ、フレイザー」と軽く笑いながら声をかけてきた。「きみにとって喜ばしい知らせがあるよ。ブラックウォーター湖の底に亀裂が入り、夜のうちに湖が消えてしまった。炭坑は洪水状態だ。今日のカーショールトン降下は中止」

「ジュークスの鉱脈には七フィートも水が入《へえ》りやした。北と南の古い坑道は八フィートでさあ」大きな赤毛の男が唸るように言った。どうやらこの男が代表者らしい。

「ことが起こったのが夜だったのは神様のお慈悲でさ。でなきゃ、俺らみんな死んでました」別の男が言った。

「そのとおりだよ、きみ」とウォルステンホルムが今の発言者に応えて言った。「ネズミ捕りにかかったネズミのように溺れていただろう。この程度ですんだ幸運に感謝しよう。よし、それではポンプを動かすぞ。我々はついている。何をすればいいか、どうすればいいのかがわかっているんだからな」

　そう言うと機嫌よくうなずいて坑夫たちを下がらせ、台所でエールを好きなだけ飲んでもらうようにと使用人に命じた。

　私は唖然として聞いていた。湖が消えるなんてことがあるのか。とても信じられなかった。だが、ウォルステンホルムは、決して珍しい現象ではないのだと言った。これまでにも炭鉱地帯で川が消滅する現象は知られていた。ときには地割れだけでなく地面が陥没して家が何軒も埋まったり、ときには集落が全滅することもあるという。だが、そういうところに建つ家は、地盤の崩壊が始まる前に土台が不安定になるのがわかるため、その手の災害で人命が失われることは少ないのだそうだ。

「さあ」とウォルステンホルムは快活に言った。「その仮装用の衣装は脱いでいいよ。午前中は仕事で手一杯だ。湖を失くしたうえに、その水をポンプで汲み上げるなんてこと、めったにあることじゃない」

　朝食が済むと坑道の入口まで行って、炭鉱夫たちがポンプを設置するのを見ていた。しばらくして作業が軌道にのると、地殻の変動が起こった場所を見ようと領地を横切っていった。目的地は屋敷から遠く離れていた。木々の繁る高台を越え、森の広大な空き地を通って湖へと至る。ちょうどその空き地に足を踏み入れたとき――道中ずっとウォルステンホルムは喋りまくり、今回の件全体を冗談に仕立てていた――痩せた少年が釣り竿を肩に、右のほうの脇道から姿を現し、空き地を斜めに横切って反対側の樹幹の間に消えていった。すぐに誰なのかわかった。つい先日、牧草地で校長と行き会ったすぐあとに見た少年だ。

「あの少年がきみの湖で釣りをするつもりでいるなら」と私は言った。「着いてがっかりだろうな」

「少年って」ウォルステンホルムが振り返りながら訊いた。

「いましがた、あそこを横切った少年だよ」

「あそこ……ってぼくたちの前ってことかい」

「もちろんそうさ。きみだって見ただろう」

「いや」

「見てないのか。背の高い痩せた少年だ。灰色の上下を着て、釣り竿を肩にかついでいた。あそこのアカマツの向こうに姿を消した」

　ウォルステンホルムは呆気にとられて私を見つめた。

「夢でも見てるんじゃないか。領地の門を入ってからこっち、生き物なんて、ウサギ一匹、ぼくたちの前には現れなかったぞ」

「私には目を開けたまま夢を見る習性なんてないよ」すぐに言い返した。

　彼は声を出して笑い、私の腕に腕をからめた。

「目を開けていようと閉じていようと、そいつは錯覚だったんだよ」

　錯覚だって？　あの校長が使った言葉そのままではな

いか。どういうことだ。私はもう、自分の感覚を信用することができないのだろうか。一瞬のうちに、無数の、形にならない不安が脳裏に浮かんだ。十七世紀の出版業者ニコリーニの幻覚や、その他の似たような幻視の例を思い出し、私もそうしたものにいきなり見舞われたのだろうかと自問した。

「うわあ、こいつはとんでもない眺めだ」ウォルステンホルムが大声を出した。

それで私も、空き地から出て、きのうまではブラックウォーター湖だったものを眺めおろしていることに気がついた。

それは実際、とんでもない眺めだった。真っ黒な泥で埋まった歪んだ楕円形の鉢だ。あちこちに陰鬱な水たまりができ、縁を囲むようにイグサが生い茂っている。少し離れた土手、私たちがいるところから四分の一マイルも離れていないところに人々が集まり呆然としていた。ピット・エンド村の住人は、ポンプ係の男たちを除いた全員が、消えた湖の底を見にきているようだ。

ウォルストンホルムが近づいていくと、人々は帽子を脱ぎ、お辞儀をして挨拶した。ウォルストンホルムも笑みを浮かべて皆のそばに行き、それぞれに愛想よく声をかけた。

「おやおや」と彼は言った。「湖を探しているのかい。だったらカーショールトンの立て坑を降りていかなくちゃ。わざわざ見にきてくれたっていうのに、実に気が滅入る眺めだね」

「まったく、気が滅入りますなあ、旦那さん」と革のエプロンをつけたがっしりした鍛冶屋が言った。「だけど、もっと気が滅入るもんがありますぜ。ひょっとするってえと、泥よりもね。ほら、あすこ」

「泥より気が滅入るものだって」ウォルステンホルムが訊いた。

「ここに立ってくだせえ。そんで、まっすぐ向こうのイグサの茂みのほうを……見えませんかい？」

「腐った材木が一本、半分泥の上に出ているのが見える」ウォルステンホルムが答えた。「それと何か……長い葦のような……ちがう、釣り竿だ」

「釣り竿でさあ、旦那さん」鍛冶屋はぶっきらぼうな口調ではあったが大真面目に言った。「そんで、腐った材木だと言いなさるのは、あすこに埋まってた死体が出てきたもんだ。鉄床《かなとこ》と槌を賭けてもいい」

そうだ、そうだとぼそぼそ言う声が見物人たちから聞こえた。埋められていた死骸が姿を現したのだ。間違いない。疑う者はひとりとしていなかった。

ウォルステンホルムは両手でじょうごの形を作ると、それを通してじっと長い間見つめていた。

「あれが何だろうと、引き上げなくちゃ」やがて彼はそう言った。「泥の深さは五フィートといったところかな。ここにソブリン金貨が二枚ある。泥をかき分けていって、最初にあれを引き上げた者二人に一枚ずつやろう」

すぐに、鍛冶屋ともうひとりが靴と靴下を脱ぎ、ズボンを折り上げて泥の中に入っていった。

最初の一歩で足首まで沈んだ。二人は木の枝で地面を探りながら、ひと足ごとにより深いところに入っていった。ふたりが沈みこむたびに私たちの緊張は高まった。やがて腰から上しか見えなくなった。二人の胸が荒い呼吸で上下するのが見えた。一歩進むごとに渾身の力を振り絞っている。泥が脇の下まで来たときにも、目的地まではまだたっぷり二十ヤードはあった……あと数フィートになったとき、泥の上に出ていたのは頭だけだった。

不安そうな震えが人々の間を走り抜けた。

「戻れって言って！　後生だから」女の声が聞こえた。

だが、その瞬間、湖の底が緩い上り坂に転じた。二人は沈んだのと同じくらい急速に泥から上がり始めた。そしてとうとう、こびりついた泥で真っ黒になった二人が腰の高さまで上がってきた……あと三、四ヤード……そして……着いた！

二人は葦をかき分け、皆が注目している形のはっきりしないものの上にかがみこみ、泥の中から半分ほど持ち上げると、ためらい、元の場所に戻し、どうやらそのままにしておくことに決めたようで、岸に向かった。数歩進んだところで、鍛冶屋は釣り竿のことを思い出したらしく引き返し、絡まった釣り糸を少し苦労して外すと、肩にかついだ。

全身泥まみれで再び乾いた地面に立った二人が話せることはわずかだった。わずかだったが、疑う余地のない事実だった。あれは、本当に埋まっていた死骸だった。胴体の一部だけが泥の上に出ている。引き上げようとしたが、長い間水に浸かっていたために腐敗が進んでおり、岸まで運ぶには戸板が必要だ。二人によくよく訊いてみたところ、ほっそりしているので少年の死体に違いないとのことだった。

「こいつは、あの気の毒な子のもんだ」そう言うと鍛冶屋は芝地の上にそっと釣り竿を置いた。

ここまでは、私が目撃した出来事をそのまま語ってきた。だが、私が責任を負えるのはここまでだ。話の残りは、数週間後にフィリップ・ウォルステンホルムから受け取った次の手紙を引き写すことで手短かに締めくくりたい。

ブラックウォーター・チェイスにて
一八＊＊年十二月二十日

前略　フレイザー殿

約束した手紙を書くのにずいぶん時間がかかってしまったが、ぼくとしては、何かはっきりしたことを伝えられるようになるまでは書く意味がないと思ったんだ。だが、ようやく、あの湖の悲劇について知りうることはすべてわかったと思う。どうやら――いや、やはり最初から話そう。それはつまり、きみがチェイスを離れた日、あの遺骸を見つけた日の翌日からということだ。

ドラムリーから刑事が到着したのは（ぼくが治安判事に使いをやったのは覚えているだろう）きみがここを発ってすぐだった。だが、刑事だろうが、他の何者だろうが、遺骸を岸に引き上げるまでは何もできなかった。この難事業を成し遂げるのにほぼ一週間かかったよ。大きな石を幾つも沈めて、泥の上に間に合わせの土手道を作る必要があったからね。土手ができると、しかるべき敬意を払って遺骸を戸板で運んだ。十四、五歳と見られる少年の遺体であることが判明した。頭蓋骨の後部に長さ三インチの割れ目があり、これが死因であることは明らかだった。もちろん、事故による傷かもしれない。だが、遺骸を持ち上げたときに、干し草用の三つ叉で固定されていたことがわかったんだ。三つ叉の柄は水面に出ないよう、固定してから切り詰めてあった。これは殺人の証拠と言っていいだろう。被害者の顔は見分けがつかないほど腐敗していたが、残っていた髪の毛から砂色の短髪だったことがわかった。服は腐ってぼろぼろの糸屑になっていたが、化学的な処理を施した結果、かつては薄灰色の布で仕立てられた上下だったことがわかった。

聞き取り捜査の段階で山ほどの証人が名乗り出た。検死審問で明らかになった事実の肝心なところを教えよう。十二、三か月前、スケルトン校長は甥だという少年を自宅に住まわせていた。良くしてやっていたとは言えないらしい。この少年は背が高く痩せていて、砂色の髪をしていた。そして、いつも着ていた服は、湖で発見された遺骸が身につけていたぼろ切れと同じ色と材質だった。釣りに夢中で、池や川など、魚が食いつきそうな場所ならどこにでも糸を垂らしていた。

ひとつの証言がすぐに別の証言につながっていった。ピット・エンドの靴屋は、遺骸の少年が履いていた長靴は自分が作って売ったものだと確認した。別の証人は、叔父と甥の険悪な場面を何度も見たと証言した。ついにスケルトンは警察に自首して自分の犯した罪を認め、殺人の容疑でドラムリー拘置所に収監された。

動機かい？　そう、その動機がこの事件でいちばん不思議な点なんだ。あの哀れな子は実のところ、スケルトンの甥ではなく私生児だった。母親は死に、母方の祖母とカンバーランドの辺鄙な土地で暮らしていた。祖母は貧しく、校長が息子の食費や被服費を毎年渡していた。ピット・エンドに来るようにと使いを出すまで、息子とは何年も会っていなかった。おそらく、財布にかかる負担に耐えられなくなったのだろう。あるいは、あいつ自身が供述書で述べたように、息子に失望したのだろう。知恵遅れとまではいかないが頭が悪く、強情で、しつけができていなかった。そんなこんなで、父親は出来の悪い息子を厭《いと》うようになり、はっきりした憎しみにまで膨れ上がった。原因になることが幾つも積み重なっていったってわけさ。少年は五歳児並みの知能だった。スケルトンは息子を自分の学校に入れたが、どうにもできなかった。あの子が学校の規律に背いて釣りに熱中し、釣り竿を手にこのあたりをうろうろしていたことは、何人もの目撃者が口々に証言している。釣り道具をどこかに隠し、授業中に抜け出す常習犯で、罰を受ければ受けるほど、ずる賢く、片意地になった。

ついにその日が来た。息子のあとをつけていったスケルトンは、釣り竿を隠してある場所から牧草地へ、そして湖まで行った。そのあとに起こったことについて、スケルトンの供述は曖昧模糊としている。そのために持っていった重い杖で、少年の頭と腕を殴ったことは認めている。だが、殺すつもりはなかったと言うのだ。息子が倒れて動かなくなり、呼吸が止まっていることに気がついたとき初めて、杖を振り下ろす力が強すぎたことに気づいた。その瞬間に感じたのは、自分が仕出かしたことへの良心の呵責ではなく、己の安全が脅かされることへの恐怖だった。息子の死体を水際のイグサの中に引きずり込み、なるべく見えないように隠した。夜になり、隣人たちが寝静まったころ、星明かりの下を、三つ叉、一巻きのロープ、二本の古い鉄棒、それにナイフを持ってこっそり出かけた。重い荷をかついで湿地を越え、ストーンリー側の踏み越し段から領地に入り、フットパスを通った。こうして三、四マイルの回り道をしたのだ。その当時はおんぼろの平底舟が湖のほとりにつないであった。係留綱を外すと舟の向きを変え、死体を放り込み、櫂を操って湖の中央に向かって漕ぎ出し、おぞましい積み荷をあらかじめ目星をつけておいた、葦が群生する場所へ運んでいった。ここで死体に重りをつけて水中に沈め、三つ叉で首を固定した。それから三つ叉の柄を切り取り、釣り竿を葦の間に隠した。これで彼は、殺人者が常にそうであるように、見つかるはずはないと思い込んだ。ピット・エンドの住人には、甥はカンバーランドに戻ったとだけ言った。疑う者はいなかった。だが、今になって彼は、こうなることは予期していたと言っている。自ら罪を告白する寸前だったというのだ。恐ろしい秘密が、最近では耐えられないものになっていた。目に見えない息子の霊に取り憑かれていた。その霊は一緒にテーブルにつき、散歩についてきて、教室では後ろに立ち、ベッドの脇でじっと見ていた。姿を見たことはない。だが、いつでもそこにいると感じていた。ときどき、独房の壁に影が映ると譫言《うわごと》のように言っている。拘置所の責任者は、囚人の精神がまともではないと考えている。

　きみに話すべきことはこれで全部だ。裁判は春の巡回法廷までお預けだ。それまでは、明日パリに向けて出発し、十日のうちにニースに着く。手紙はオテル・デ・オンプレに出してくれればぼくの手元に届く。

　それじゃまた。

草々
P・W

追伸：右記のあと、スケルトンが自殺したという電報がドラムリーから届いた。詳細は不明だ。これでこの奇妙で波乱に満ちた事件は終わりを迎えた。

　ところで、領地を横切ったときにきみが見た幻は何だったんだろう。ぼくはあのことを何度も考えたよ。あれは錯覚だったのか？　それが問題だな。

ああ、そのとおり。それが問題だ。そしてその問題にはまだ答えが見つからない。何かを見たのは間違いないし——心の目で見たのかもしれないが——自分が見たとおりに描写した。何も隠していないし、何もつけ加えていないし、解釈しようともしていない。この謎は解決できる者に任せよう。私自身は、ウォルステンホルムの問いを繰り返すのみだ。あれは錯覚だったのか？

メアリー・シェリーにはじまる

胡桃屋敷

Walnut-Tree House

シャーロット・リデル
Charlotte Riddell

岩田佳代子訳

J・H・リデル夫人としても知られるシャーロット・リデル（一八三二―一九〇六）は、ヴィクトリア朝の大衆作家として著名であり、こと長編小説では社会性に富む素材でバルザックに比された。創作だけでなく、小説誌の編集にも携わった。また、幽霊物語も得意とし、五作の長編と二十作を超える短編を手がけているが、長編は未紹介、短編の邦訳もまだ五指に余る。本作は一八八二年の短編集 *Weird Stories*（J・H・リデル夫人名義）に収録された。この心やさしい一編が、再評価への一石となることを願う。

第一章　新たな主人《あるじ》

多くの近隣住民の話によると、もう何年も前、アッパー・ケニントン・レーンから延びる通りの角に、相当立派な庭に囲まれた、赤煉瓦造りのかなり広大な屋敷があつたそうだ。

もともとはとても格式のある場所だ。最も古い集落のひとつ、ランベスマーシュにまだ店など一軒もなかつたころは、おそらくこの国でもかなりの地位を占める人物の邸宅だつた。遊園地の祖ヴォクスホール・ガーデンズがまだ夢のまた夢だつたころの話だ。ロンドン・アンド・サウス・ウェスタン鉄道の敷設など計画も噂もなかつたころ、ロンドンが比較的小さな町で、現在のロンドン郊外が単なる田舎の村――中心地から遠く離れた小村に過ぎなかったころの。

　くだんの邸宅は、かつては慎ましやかな公園に囲まれ、当時はそこに養魚池もあり、敷地内には牧草地が広がっていた。だがやがて公園は建設用地として切り売りされていき、新たな建物ができては、どんどん貸し出されていった。牧草地は煉瓦と漆喰で覆われ、牛が草を食んでいた場所には店舗が林立し、以前は人里離れた地にあるかのように穏やかな静寂に包まれていた古い邸宅と打ち捨てられた庭には、ロンドンの凄まじい交通量が巻き起こす騒音が響きわたるようになった。

　その古い邸宅が建てられてからずっと、何世代にもわたって新たな命が生まれては埋葬されていき、邸宅の所有者は何度となく変わった。ロンドン近郊にあるこの手の地所の大半には住居がついているのが一般的なので、馬よろしく買い手から買い手へとわたっていく。だれかがもう満足だと思えば売りに出され、別のだれかが入札する。家々があっという間に建ち並び、道路が次から次へとつくられて、見慣れた景色が跡形もなくなれば、土地に対する気持ちを育むなどとてもできない。くだんの古い邸宅――胡桃屋敷の初期の所有者は、生涯を田舎の人間としてのびのびと暮らし、企業で働くことなど念頭になく、商売も露骨に軽蔑していたが、その子孫たちは、ロンドンの面白くもない地域に自分たちの受け継ぐ屋敷――最初に成功した祖先がポールトリーにある聖ミルドレッド教会向かいの会計事務所から毎日帰っていった邸宅がいまだにあることを、知らなかったようだった。

　とある雨のそぼ降る夕方、秋も深まり、今年の葉がすっかり落ちてしまった胡桃の木を擁して、侘《わび》しげな薄明かりの中に陰鬱な雰囲気をたたえてぽつんと立つこの屋敷は、いつも以上に不気味でさびれて見えた。

　人の気配はなかった。鎧戸は閉められ――錆びついた鉄の門にはしっかりと錠がおろされていて、門から屋敷へ続く私道は雑草にびっしり覆われていた――隙間からも揺らめくろうそくの灯りひとつ見えなかった。七年間、この邸宅を預かっていたのはネズミとゴキブリだった。住むべき人間が見つからなかった。七年間は空き家のままで、主人はといえば、ひどい鬱《うつ》病を患ったか、はたまた錯乱したとかで近くの精神病院から出てこなかった。そして今、その主人が亡くなり埋葬されて、忘れさられ、屋敷には、所有権を手にした新たな主人がやってきた。新たな主人は自分の弁護士――正確には亡くなった親類の弁護士に手紙を書き、自分が行くまでに屋敷内を片づけておいてもらえるよう屋敷の管理者に伝えておいてほしいと頼んだ。主人を乗せた列車がウォータールー駅に入ると、ティンプソン・アンド・カンパニーという弁護士事務所の助手のひとりが出迎えてくれたのだが、屋敷の主人であるミスター・ステイントンを見つけたこの助手は、事務所からの手紙を預かってきていて、お返事があるようでしたらお待ちして承りますと言った。

　主人は手紙を読み、最後の余白まで達すると最初の文字に戻り、今度は、弁護士が特に伝えたかったことをすべて、声に出して読んだ。

「当該家屋は七年以上にわたって留守宅であり」半分は助手に聞かせ、半分は自分に言い聞かせるように読みあげていく。「湿気のため居住には不適。敷地内に住人なし。かくなる状況下ゆえ貴殿のご指示に従うは難しく、直接お目にかかり今後の処置について話し合いの場が持てるまでは、ホテルへ行かれることをお勧めするのみ」

「ふん」新しい主人は読み終えると鼻を鳴らした。「とにかくその屋敷を見にいこう。ここから遠いのかい？」と、ティンプソンの若者の顔を見る。

「いえ、さして遠くありません」

「時間があるなら、つき合ってもらえないかな？」ミスター・ステイントンは続けた。

　若者は、時間ならあるが、と思いながら言い添えた。

「行かれるのでしたら鍵がありませんと。ウェストミンスター・ブリッジ・ロードの不動産屋にございます」

「どうもホテルは苦手でね」新たな主人は馬車に乗りこみ、告げた。

「そうなんですか？」

「ああ。ホテルにはぼくには似つかわしくない。少々やんちゃな生き方をしてきたんだ。未開地だの発掘現場に文明の利器なんてないからね、絶対に。家具だらけの部屋や、だれかしらがいつも片隅に控えてる家なんて息が詰まりそうだよ。体調も万全というわけじゃないから、騒々しいのも足音が響くのも駄目でね。船上で嫌というほど耳にしてきたし。それに、よく夜中に横になったまま考えていたんだ、大きな家にひとりきりで好きなように暮らせたらどんなにいいだろうって」

「おっしゃる通りですね」

「そもそも不便な生活に慣れているから、一晩くらい使用人がいなくても問題なくやれるしね」

「そうですか」

「家はちゃんと修理してあるんだろう？　屋根がしっかりしてるとかいろいろ」

「はっきりとしたことはわかりかねます」

「まあ、ひざ掛け一枚広げられる乾いた場所があれば、今夜はそこで寝るさ」

　助手は咳払いをした。窓の外を見つめ、それからミスター・ティンプソンたちの依頼人を見つめた。

「わたしなら――」助手は遠慮がちに言いかけたが、すぐに口を閉ざした。

「わたしなら、何だい？」

「申し訳ありません、でもわたしなら――わたしなら今夜あの家には泊まらないと思います、絶対に」

「どうしてだい？」

「その……あの家ではもう七年ほどもだれも夜を過ごしてないですし、湿気のせいで気だって滅入るし、かび臭いに決まってます。具合がよろしくないなら、なおのことそんな場所へは行かれない方がよろしいでしょう。それに――」

「それに？」ミスター・スティントンが促した。「はっきり言ってくれたまえ！　手紙の追伸と同じで、『それに』のあとには間違いなく肝心要《かんじんかなめ》の話が続くんだからね」

「あそこが何年もの間空き家だったのは――隠しても仕方がありません――悪い噂があるからなんです」

「悪い噂って？　命が危ないとか？」

「まさか、とんでもない！」

「幽霊が出る？」

　助手は身を乗り出した。「その通りです」

「だからもうずっとだれも住んでいなかったのかい？」

「そのせいで、あの家は貸すに貸せないんです」

「だったらさっさと幽霊を出なくするに越したことはないじゃないか」ミスター・スティントンは言い返した。「なおさら今夜はそこに泊まるよ。きみは一緒にいる気などないだろうね？」

　いささか怯えた顔で助手は身を引いた。間違いなく、一、二を争う風変わりな依頼人だった。彼のことをどう考えればいいのか、ティンプソンの若者には皆目見当もつかなかった。

「あっけらかんとした感じの人ですね」あとで助手が、この新たな主人を評した言葉だ。「がさつっていうか。まっとうな社会には馴染めそうもない人です」

　助手にはこの裕福な男性のことが、彼を対等に扱ってはくれたが、ホテルに異を唱え、酔っ払った日雇いの雑役婦でさえ一夜の宿にしようなどとは思わない家に平気で居を定め、初対面の彼――ティンプソンという一流の法律事務所に籍を置く助手、野心に燃え、自分の身なり、それも特にシャツの白さや襟の具合、上着の形にこだわる若者――に、古い地下牢さながらの、入る際には火を灯すような恐ろしいところへ一緒に行かないか、などと何食わぬ顔で聞いてくる男性のことが少しも理解できなかった。

それでも、新たな主人の気分を害したくはなかった。ティンプソン弁護士事務所は、彼が利益をもたらしてくれる依頼人だと考えていた。しかもそんながさつな男の金も、公明正大な弁護士事務所にとっては伯爵の金となんら変わらないことをこの助手は心得ていた。

「本当にすみません」助手はどもりながら言った。「申しあげにくいんですが、実は、その――先約が――」

ミスター・ステイントンは声をあげて笑った。

「いいよ。冒険も幽霊もお呼びじゃないんだろう。ところで、その亡霊のことを教えてくれないか。その『ご老人』は歩き回るのかい?」

「そんな噂は聞いたことがありません」

「じゃあ、そこでどうにか食い繋ごうとしてる惨めな物乞いかな?」

「亡くなられたミスター・ステイントンではないと思います」若者はその口調を介して、ティンプソンの依頼人を惨めな物乞い呼ばわりするのはどうかと思うとやんわり伝えた。

「だったらいったいだれなんだい?」ミスター・ステイントンは粘った。

「どうしてもお知りになりたいなら申しあげますが、子どもです。子どもがあの家の住人を次から次へと追い出しているんです」

新たな主人は腹を抱えて笑った。ティンプソンの助手が本気で腹を立てる笑い方だった。

「いや、実に面白い冗談だ。こんなに愉快な話は初めてだよ」

「愉快だろうかなかろうが、本当なんだ」この金鉱掘りから自分の話に投げかけられた、はなから信じていないといった感じの嘲笑に、先刻までの礼儀正しい物腰はどこへやら、若者は言い返した。「だいたい、あなたの家の噂を知ってるんだから、あんなところじゃ一晩過ごせこない。五十ポンドもらったってお断りだ」

「落ち着いてくれないか、きみ」新たな主人は穏やかに告げた。「無理に来てくれなんて言うつもりはないよ。子どもとぼくだけでもなんとかなるから大丈夫、きっと仲よくやれるとも」

第二章　子ども

同じ日の夕方、後刻。一時間前に胡桃屋敷を我がものとして、馬車を帰し、ティンプソンの助手におやすみの挨拶をしたミスター・スティントンは今、正門のかたわらに立ち、一番近くにあった青果物店に注文した薪《まき》と石炭、さらにさまざまな小売商人から買い求めたさまざまな必需品が届くのを待っていた。

　待ちながら見あげた屋敷は、街灯のぼんやりした光を受けているのに、深まる黄昏の中で見るよりもさらに陰鬱で重苦しく感じられた。

　鎧戸が閉められた窓また窓の列。静まり返った巨木の荘厳さ。胡桃屋敷と称されるに至った、かつての美しさがかろうじてうかがえる玄関へと続く並木道。敷地内に満ち満ちたぞっとするほどの静けさは、走り去る馬車や通りにいる少年たちの吹き鳴らす口笛の騒々しさ、傘をさしてとぼとぼ歩く紳士たちや、ペチコートが地面を擦って汚れるのもかまわずに急いで走っていく婦人たちとは対照的に、何事にも動じない人間の心をすら揺り動かしただろうし、エドガー・スティントンも、これまでの過酷な生活と髭も剃っていない見た目にもかかわらず、ひどく心を揺り動かされ、想像力を掻き立てられていた。

「確かに『不気味』だな」彼は思った。「だが独り身の男にとっては『未開地』ほどわびしくはないし。それに、疲労困憊ってわけではないが、幾晩も過ごした発掘現場に比べれば、この新しい自分の家のほうがはるかにぐっすり眠れるだろう。火さえちゃんと起こせれば大丈夫だ。ところで、肝心のその石炭はいつ届くのやら！」

　通りに視線を戻すと、先刻、一番近くにあった青果物店の店主が、なんとかできるかもしれませんと言った——実際にはなんとかしましょうと請け負った燃料を入れた麻袋がちょうど向かってくるところだった。店主は、一トンとなると——半トンでも——四分の一トンでも——明日までは無理ですな、と断言した。だが、そうですな、一袋ならなんとかしましょう、と約束したのだった。ビルが届けてくれることになっていた。ビルは、麻袋を手押し車に載せ、その上からさらに薪を十二束載せるよう言われた。「残りは明日だな」店主はさも思いやりに溢れた人物かのように言い添えた。

　遠方にミスター・スティントンが認めたのは、ひどく薄汚れたビルとやけに小柄な少年で、ふたりはまるでその通りを歩くのは至難の技かのごとく、手押し車を押しながらゆっくりゆっくり歩を進めてきた。

雨を透かしてふたりが近づいてくるのを眺めていたミスター・ステイントンは、ふたりを迎えると、嬉しそうな声でビルに挨拶をした。

「ああ、やっと来てくれたな。いや、よかった。遅くなっても来ないよりはいいとも。こっちへ運んでくれ。少ししかないが、一晩台所を温めるくらいならなんとかなるだろう」

「申し訳ないですが」ビルが言った。「そいつは無理ってもんですぜ、いや、つまり、おいらにはできないってことで。うちの親方に言ったんですよ、親方があの家に薪を売ったんなら、おいら、あの家に届けには行くが、家ん中には一歩たりとも足を踏み入れないってね」

「じゃあ、道に放り出していくってことかい？」

「まあ、玄関までなら運んでもかまいませんさね、旦那がお困りんなっちゃ大変だし」

「そうしてくれたまえ。この辺りの人たちはみんな、実に勇敢だな」

「それについちゃ」ビルが麻袋を背負い、前屈《かが》みになりながら言い返してきた。「旦那の生まれなさったところのお人たちといい勝負じゃないんですかね」

「ありえなくはないな。あそこにも臆病者は大勢いるがね」

怖くてたまらないといったふりをしながら、玄関前に設《しつら》えられた上がり段の端に石炭の入った袋を投げおろしたビルは、ほんの少し開いたままになっていた玄関から後ずさり、薪を運んでいった少年が手押し車を押して戻っていくと、握りしめた両の手を額に押し当てながら言った。

「申し訳ないですが、ビールを一杯、駄賃におごってもらえませんかね？　今夜は雨ですっかり濡れちまったし、ねえ」

「それはちょっとな」ミスター・ステイントンはためらうことなく告げた。「ぼくはこの石炭をひとりで家の中に入れなきゃならないんだ。それに今夜の雨で濡れてるのはきみたちだけじゃなく、ぼくもなんだから」

それでも、一日のつらい仕事をほぼ終えて、明日も朝から忙しくなると思っている様子で、ビルが短い私道をさもがっかりしたように足を引きずりながら歩いていくのを見て、新たな主人は態度を軟化させた。

「ほら」六ペンス銀貨を出してビルにわたす。「きみのせいじゃないからな、ばあさんたちの噂話を信じるのは」

「ご親切にどうも。本当にありがたい。けど、おいらが旦那なら、この家には泊まらないですよ。いや、申し訳ないです、悪気はないんでさ、けど、やっぱり泊まらないな。絶対に」

「どうやらもうすっかり評判になっているようだな」とミスター・ステイントンは思いながら、呪われた住居へとあがり段を再びのぼっていった。「さて、火の力でどの程度影を追い払えるか見てみよう」

　室内に入り、マッチを擦って、近所の油を扱う店で買ってきたろうそく数本に火をつけた。

　この屋敷からは料金を徴収するのをあきらめたガス会社は、もう何年も前にガスメーターを撤去した。水道もしかりで、すっかり暗くなる前にミスター・ステイントンは敷地内を回って確かめていた。

　こまごました家財はほぼすべて、不注意な借家人が壊したり、雑役婦が悪びれもせずに持っていったせいで、いかにもがらんとした感じだった。ろうそくを立てるにも手燭もなく、屋敷の新たな所有者は、汚れた鏡をどうにか燭台の代わりにし、割れた瓶の首に挿した、溶け残ったろうそくを使って、必要なものを探さざるをえなかった。一階の部屋を見て回ってから、見るからに書斎として使われていた部屋で夜を過ごすことにした。

　その部屋の真ん中には革張りのテーブルがあった。壁に沿って本棚がぐるりと並び、借りるほどの興味ももてない本や、どんな本か知らないかぎり盗む価値もないような本でいまだに埋め尽くされている。一角には書き物机があり、長い間死んだも同様だった男性の手紙や書類が保管されていた。

　床はむき出しだった。上品なオーク材の床板の中央には、かつてトルコ絨毯が敷かれていたのだろうが、もはやもとの場所にはない。窓と窓の間には凸面鏡《とつめんきょう》がかかっていて、そこに映る顔はどんな人間のものであれ恐ろしく歪《ひず》んで見えた。対して炉棚の上、それも書斎のかなりの部分を占める炉棚の上には、葉と花の模様の狭間《はざま》飾りで縁どられた、細長い姿見があった。天井には見事な装飾が施され、何年も放置されて埃がたまり汚れていたにもかかわらず、エドガー・ステイントンは先代が選んだその部屋のすべての調度品を前に思った。ここは、期せずして今までいた発掘現場に負けず劣らず、洗練されたロンドンからは外れた地だが、それでも、こんな屋敷の主人になれるのはまんざらでもないな。

「それに、ひとりきりでこれを全部堪能できるんだし」座って、赤く光る石炭を眺めながらつぶやいた。「母さんがいたら、今夜はどんなに喜んだだろう、こんな大邸宅の女主人として暮らせたら！　それに父さん、父さんが見舞われたあの嵐のあとでここを見たら、どんなに素敵な港に見えたことか！　ふたりとももっと幸せだっただろうな。それにしても、まったくもって妙な話だ。ただの一文無しになって逃げ出したこのぼくが金持ちになって舞い戻ってきて、これからもっと金持ちになっていくのに、この国にはどこを探しても、温かく歓迎してくれたり、遺産を相続できてよかったと一緒に喜んでくれたりする親類縁者がひとりもいないんだからなあ」

質素な夕食をすませ、食器類を広げたままのテーブルを脇に押しやり、室内をゆっくりと行ったり来たりし始めながら、来し方に思いを馳せ、これからのことを考えていった。

夢中になるあまり、火が小さくなっていくのも気づかなかった。だが、ずいぶん時間がたったころ、主人は不意に寒さを感じて思わず炉床に目をやり、薪を何本か投げ入れ、大きな暖炉に炎が勢いよく燃えあがると、家を燃やそうとするほど石炭をくべていった。

そうやってひたすら石炭をくべていると、部屋のドアをノックする音がした。かすかでためらいがちなその音は、何度めかでようやくミスター・ステイントンの耳に届いた。

すると、相変わらず石炭をくべるのに忙しく、この屋敷にいるのは自分ひとりだということも忘れて、彼は大きな声で言ったのだ、「どうぞ」

平らな鏡板に沿ってそっと手を動かしていると思しきカサカサという音は、まるでだれかが取っ手に手をかけるのをためらっているかのような、力なく暗闇の中で取っ手を探してドアをまさぐっているかのような、なんとも奇妙な音だった。やがて、部屋へ入る許しを求めていたその人物は、同じようにして今度は錠をいじってみたようだ。

「どうぞ、入っていいよ」ミスター・ステイントンは再度声をかけた。が、そう言いながらようやく思い出した。この屋敷にいるのは自分ひとりなのに——いや、ひとりのはずなのに、と。

恐怖は感じなかった。孤独にも、この手の危険にもすっかり慣れていた。それでも、屈めていた上体を起こし、先刻荷ほどきをしてたまたま書き物机の上に置いておいた拳銃を反射的につかんだ。

「だれだか知らないが、どうぞ」声を張りあげた。侵入者は明らかに無益な努力を続けており、ミスター・ステイントンのほうは、依然閉まったままのドアを見てとるやつかつかと歩み寄ったが、半分ほどのところで驚いて足を止めた。

突然ドアが開き、おずおずと遠慮がちに入ってきたのは小さな子ども——生きている者が目にすることはなさそうな悲しげな顔をした子どもだった。憂いを帯びた目と、もうずっと櫛を入れていない長い髪をした子ども。幼子の顔としてはこれ以上ないほどの沈痛な表情をまとい、みすぼらしく、やつれて、精も根も尽きたような子ども。

「この小さな物乞いは相当腹を空かせているんだろう」とミスター・ステイントンは思った。それから、声に出して言った。「やあ、坊や、こんなところへ来て、いったい何がしたいんだい？」

少年は何も答えないばかりか、質問してきた相手をちらりとも見ることなく、ただ部屋の中をゆっくりと歩いて、まるで何かを探しているかのように、隅々までじっくりと見て回った。窓の朝顔口を探し、暖炉の脇のくぼみを調べ、暖炉の前の炉床で足を止めて大きな一脚テーブルの下をのぞきこみ、最後に、再びドアに達すると、振り返って、真剣だが絶望した目で部屋全体をしっかりと見わたした。

「何がほしいんだい、坊や？」聞きながらミスター・ステイントンはその子どものやせこけた脚、丈が短く着古したフロック（ワンピース状の子ども用の部屋着）、すり減ってほぼ底がない靴、見るに耐えない貧弱なむき出しの腕に目を走らせた。

「ぼくがあげられるものかな？」

一言もなし。声さえ返ってこなかった。ただ、憂いを帯びた茶色い瞳をちらりと向けられただけだった。

「どこから来たんだい？　どこの子だい？」ミスター・ステイントンは食いさがった。

子どもはゆっくりと背を向けた。

「おっと、そう簡単に帰れると思わないでもらおうか」新たな主人は訪問者のほうへ歩を進めながらなおも食いさがった。「ここはきみのいるべき場所じゃない。だから帰る前に、はからずもどうやってこの家に忍びこんだのか、この部屋で何を見つけようと思っていたのかを話してもらわないとな」

ミスター・ステイントンはすでにドアのそばまで来ていたが、子どもは背を向けたままドア敷居の上に立っていた。

少年の服装が細部に至るまでよく見えた。格子じまのフロックは、少年が成長したために小さくなってしまっていたが、背中のホックは全部留めてある。背後で中途半場に紐を結んだ、汚れてしわくちゃの子ども用エプロンのピナフォー。一カ所、フロックの裾がほつれていて、そこから、ぼろぼろの上着に見合った、薄くてみすぼらしいフランネルの下着がのぞいていた。

「かわいそうな子だ」ミスター・ステイントンは思った。

「何か食べたいのかな。お腹が空いているのかい、坊や？」

　少年は振り返り、じっと見つめてきたが、やはり一言も答えなかった。

「口がきけないんだろうか」ミスター・ステイントンは訝《いぶか》った。そして、少年が去っていこうとしているのを見て、引き止めようと片手を突き出した。だが少年は、その手に触れることなくすっとよけると、そのまま玄関ホールへ出て、音も立てず、滑るように広い階段をのぼっていった。ミスター・ステイントンは鏡の燭台から慌ててろうそくをつかみとると、急いであとを追った。

　勾配《こうばい》のゆるい階段を全力で駆けあがる。だが、それにもまして子どもは速かった。のぼってものぼっても一向に距離が縮まらないまま、やがて子どもは最上階に達すると向きを変え、左右に部屋が並んだ狭い廊下を駆けていった。一番奥の部屋のドアが少し開いたままになっている。あそこに入ったんだな、ミスター・ステイントンは依然あとを追っていた。

「とうとう捕まえたぞ」そう言いながら部屋に入り、ドアを閉める。「どういうことだ、いったいあの子はどこへいったんだ？」ろうそくを掲げて見回したが、薄汚れた屋根裏部屋にはミスター・ステイントンしかいなかった。

　もぬけの殻。よくよく調べてみたが、ドア以外出入りできそうなところはなく、天窓は明らかに、もう何年も開けられた形跡がなかった。

　家具といえば、骨組みだけの移動式ベッドと、座面に藺草《いぐさ》が張られた椅子と、今にも倒れそうな洗面台だけ。衣裳簞笥もなければ、子猫一匹隠れられそうな箱も戸棚もなかった。

「わけがわからない」ミスター・ステイントンはつぶやき、困惑したまま部屋をあとにした。「さっぱりわからない！」廊下を歩きながら繰り返す。「まったくもってお手あげだ」そう思いつつ、階段の最上段からゆっくりとおりていった。が、不意に足を止めた。

「子どもだ！」ミスター・ステイントンのあげた大声は、陰鬱な屋敷の静寂の中に異様なほどに響きわたった。**「子どもだった！」**足もとを確かめながら主階段を一段一段慎重におりていく、もともとしかつめらしく思慮深いその顔は、いつもにもましてしかつめらしく思慮深くなっていた。

第三章　情報を求めて

こんな経験をすればだれでもしかつめらしい顔になっただろう。時間が経つにつれて、胡桃屋敷の新たな主人は気づけばいつも、自分の所有となったこの屋敷に居着いて、これまでに次から次へと借家人を追い出してきたあの子どもにまつわる謎を考えていた。最初は、あの弁護士事務所の助手の話などただの冗談だし、自分が初めてここに来た日の夜に目にしたものは単なる幻想だと思いたかったが、昼日中にもあの見るからにかわいそうな子どもが音もなく階段をおりてはあちらこちらの部屋へ入っていき、一向に見つからないものを必死に探しているのを目の当たりにしては、いい加減信じないわけにはいかなった。

　最初の衝撃が去り、この屋敷にずっと借り手がつかなかった原因である身の毛もよだつような存在が明らかになっても、ミスター・ステイントンにここを離れるつもりは微塵もなかった。逃げ出しても意味がないどころか、かえってひどいことになると思った。海を挟んだとしても、ランベスのこの古い屋敷のことが気になって仕方なく、いつまでも見つかりそうにないものをくたくたになるまで探す子どもの姿が頭から離れず、何もいい結果をもたらさないのは、火を見るより明らかだったからだ。

　彼は、寝ていても食事をしていても、もはやひとりではなかった。いや、むしろそれを期待していた。あの子が絶対に入ってこられない部屋など、屋敷内にはひとつもなかった。どこで寝ようが関係なかった。どこで食べようが関係なかった。寝ているときでも起きているときでも、朝食のときでも夕食のときでも、気が向けばいつでも子どもはすうっと入ってきて、決して見つからないものをひたすら探し続けた。探しているものがそこにはないとわかると、いつまでもぐずぐず居座ることはなかったが、屋根裏部屋から台所、居間から寝室まであちこち歩き回っていて、もう何度も探しているのに、いつもまるで初めてのように見えた。

　ミスター・ステイントンは、この件に関する情報を最も入手できそうな相手として事務弁護士のもとを訪れ、すぐさま本題に入った。

「あの子はだれだと思いますか、ミスター・ティンプソン？」自分が目にしたことを隠そうともせずに聞いた。

「その、何と申しますか、お答えするのが実に難しいことでして」

「以前子どもがいたんじゃないですか、血の通った本物の子どもが？」

ミスター・ティンプソンは眼鏡を外して拭いた。

「ええ、確かにふたりおりました、ミスター・フィーリクス・ステイントンがいらっしゃった頃に。男の子と女の子です」

「あの屋敷に？」

「はい、左様で。ミスター・フィーリクスが亡くなるまで、ですが」

「その後ふたりはどうなったんですか？」

「女の子は父方の親戚に引きとられ、男の子は――その――亡くなりました」

「そうか、男の子は亡くなったんですね？　ひょっとして、なんで亡くなったのかをご存知ですか？」

「いいえ、まったく存じあげません。ただ、お疑いになっていらっしゃるのなら、何もおかしなことはありませんでしたよ。そんな様子は露ほどもありませんでした」

ミスター・ステイントンはしばし口を閉ざしていたが、やがて言った。

「やはりどうしても、その子たちの身に何かひどいことが起こったような気がしてなりません。いったいどういう子たちなんですか？」

「フィーリクス・ステイントンのお孫さんたちです。お嬢さんが反対を押し切って結婚されたので、フィーリクスは勘当したんです。でもお嬢さんが亡くなると、お孫さんふたりに罪はないからと、胡桃屋敷に引きとられました。と言ってもまあ、食べ物と着るものを与えたってだけでしょうけど。フィーリクスが亡くなったあともふたりは、法定相続人によって屋敷に残ることを許されました」

「アルフレッド・ステイントンのことですか？」

「はい。精神に異常をきたした気の毒な方です。伯父であるフィーリクスが遺言を残さずに亡くなったために、アルフレッドは動産をのぞくすべてを相続しましたが、さしたるものでもなく、そのうちの一部はふたりの子どもにわたっています」

「では、亡くなったその主人にも、疑わしいところは一切なかったと言うんですか？」

「いやはや、とんでもない！　あるわけがないですとも」

「ならば、この謎を解く手がかりはいささかもないと？」

「ええ、少しも。お役に立てればよかったのですが」

ミスター・ティンプソンにはもうこれ以上話す気はなさそうだったが、まだ何か知っているはずだ、との思いを、ミスター・ステイントンは拭い去ることができなかった。そしてその思いを強めたのは、弁護士事務所を辞したほぼ直後、通りで会ったミスター・ティンプソンの共同経営者《パートナー》からたまたま聞いた言葉のためだった。

「何だって放っておけないんです?」自分たちの依頼人が訪ねて来た目的を聞き、いささかいらいらした様子でこのパートナーは言った。「十数年も前にランベスの教会墓地に埋葬された子どものことで気を揉んだって、仕方がないじゃないですか。悪いことは言いませんから、あの屋敷はとり壊して、建設用地として貸すか売るかされたほうがいい。あのあたりなら、かなりの高値がつくはずです。問題があったところで、今さらもう遅いんですから」

「問題って何なんです?」ミスター・ステイントンは、してやったりと思いながら勢いこんで聞いた。しかしティンプソンのパートナーのほうが一枚上手だった。

「あったところで、と申しあげただけで、あった、とは言っていませんよ」そして間髪を容れずに続けた。「私どもの忠告に従ってくださったとお聞きするのを楽しみにしております」

だがミスター・ステイントンは首を横に振った。

「あの古い家はまだとり壊しませんよ」そしてゆっくりと歩き去った。

「この件には何か裏がある」ミスター・ステイントンは思った。「あの子たちのことをもっとよく調べないと。地元で店を営んでいる人たちなら、何か覚えているかもしれない」

ところが当てにしていた面々も、ほとんどが最近店を構えたか、さもなければ屋敷とはつき合いがなかった。

「あっしが知ってることったって」屋敷に出入りしていたある肉屋が、怒ったように包丁を研ぎながら言った、「たいした話はねえですよ。話す価値もねえ客でしたから。あっしにはそうでしたよ。だから、これから言うことは、あっしにゃあ一文の得にもなんないですがね。スープ用の羊の首肉――肉汁《グレイヴィー》用の牛のすね肉――二ペニー分の羊のレバー――そんなもんでしたね。けちでしたよ。どけちもいいところだ。爺さんもたちが悪かったが、その甥っ子はもっとひどかった。だいたいうちが損させられてましたね。けど、ほかにどうしようもねえじゃねえですか。贅沢三昧してるお人たちが一番いい肉を家に入れてくれねえんじゃ、こちとら苦しくなる一方でさ。いいや、子どもたちなんて見かけたこともねえですよ、確かですって。子どもがいたってのは、ひとりが死んだって聞いて初めて知ったんだし、まっとうな家から出した葬式ん中じゃ、一番貧相だったって話ですよ」

「なんてかわいそうな子なんだろう」ミスター・ステイ

ントンはしばし通りを見わたしながら思った。そして告げた。「一族が見舞われた不運をここで断ち切るためにも、胡桃屋敷に塊肉を届けてもらったほうがいいな」

「なんてこった、旦那はあそこにお住いのお方で？　申し訳ありません、とんだ失礼をいたしましたが、いや、あの家とお子たちのことを聞かれていっぱいいっぱいだったもんですから、つい不躾《ぶしつけ》なことを申しあげてしまいまして。塊肉ですね。どちらの部位にいたしましょう？」

　新たな主人が応じた。代金を数えていると、肉屋のミスター・パーカーが思い出したように言った。

「そういえばひとりだけ、さっきのことで何かしら教えてくれそうなのがおりましたよ」

「その人は？」

「『行商人の犬《ペドラーズ・ドッグ》』のミスター・ヘニングスです。ミスター・フィーリクス・ステイントンと頭がおかしくなった旦那、ふたりの下で家政婦をしてたばあさんと顔見知りだったやつです」

　肉屋の言葉のままに、新たな主人は『ペドラーズ・ドッグ』へいき（そこは胡桃屋敷に初めて来た日に食事をした、近所でも評判の酒場だった）、ミスター・パーカーから受けたよりも手厚い歓迎を受けた。

「胡桃屋敷のことを知っているか、ですと？」ミスター・ヘニングスは自分を訪ねてきた相手の問いかけを繰り返した。「知ってますとも、かなりね。そりゃあもう、『ペドラーズ・ドッグ』のことを知ってるかって聞かれるのと同じくらい知ってますとも。ガキのころから大人になるまで、あの屋敷のことなら五十五年ほど前から知ってますって。ミスター・ジョージ・ステイントンのことだって覚えてますよ。あの人はよく、つばのない帽子をかぶってブリーチズ（膝丈くらいで裾が脚にぴったりつくようになったズボン）を履いてた。今のステイントン・ストリートもあのころは果樹園で、あの人は朝から晩まで躍起《やっき》んなって、ガキどもを果樹園から追っ払ってましたね。あたしも何度逃げたことか」

「ミスター・アルフレッドがあの屋敷を相続したあと、あそこで男の子と女の子を見かけたことはなかったかい――フィーリクス・ステイントンの孫なんだが」ミスター・ヘニングスの思い出語りがしばし途切れたところで、ようやく口を挟むことができた新たな主人は聞いた。

「女の子ねえ、見たかもしれないですけど思い出せないですなあ。けど、男の子のことなら覚えてますとも。ミスター・ステイントン二代にわたってあの家を切り盛りしてたミセス・トプリスと、二、三度ここに来たことがあるし、あの子のことは気にかかってたんでね、えらくやせてて古臭いもん着てるし、噂もいろいろ耳にしてたんで」

「噂、というと？」

「それがまあ、かわいそうに、死んじまってからも生きてたときと変わらず噂がありましてね。ここいらの連中はみんな、あの屋敷はあの子が相続すべきだったのにって言ってたんですよ」

「どうしてだい？」

「あの子にあそこをやるって遺言書があったからですよ」

すごい情報だ。一瞬心臓が止まったかと思ったほどで、ミスター・ステイントンは興奮を抑えることができなかった。

「遺言書はだれがつくったんだい？」

「じいさんのフィーリクス・ステイントンに決まってるじゃないですか。ほかにだれがいるっていうんです」

「いや、そうじゃなくて。事務弁護士に作成してもらったんじゃないのかい？」

「ああ！　そういうことですか、いや、合点がいきましたよ。遺言書を作成したのは間違いなくミスター・クィナンスっていう弁護士で、ランベス・ロードの、そりゃあ切れ者でしてね」

「じゃあ、ティンプソンじゃなかったんだ。でも、なんだってそうなったんだい？」

「じいさんがある晩遅くに急に思い立ったんで、ミセス・トプリスが、自分の知り合いで一番近くにいた弁護士に来てもらったんですよ」

「なるほど。で？」

「いやね、遺言書はちゃんと作成されたんですよ。じいさんも署名したし、立会人もいたし、万事滞りなく終わったんです。なのにその日以来今日まで、だれひとりとしてその遺言書がどうなったか知らないってんですからね」

「ずいぶんと妙じゃないか」

「そうなんですよ、妙なんてもんじゃない。わけがわかりませんて。当初はミスター・クィナンスが疑われたんです、こっそりミスター・アルフレッドにわたしちまったんじゃないかって。けど、ミセス・トプリスとクィナンスんとこの助手が——そいつが今はミスター・クィナンスのあとを継いでんですけどね——フィーリクスのじいさんが、遺言書は自分で持ってるって言って譲らなかったって話してるんですよ。そんなわけで、じいさんが破り捨てたか甥っ子が手に入れちまったか、神のみぞ知るってやつですな。生きてる連中はだれひとりとして知らんのですから」

「それで子どもは？　男の子のほうだけど」

「あの子のことをお知りんなりたいんなら、ミセス・トプリスが教えてくれますよ。貧しいばあさん――いつだって見苦しくないようにって必死んなってて、真っ当にやってくにゃ六ペンスもありゃあいいわけで、それだけありゃあ真っ当に自活できるばあさんに、六ペンスにほんのちょいと色をつけて、せめて一シリング恵んでやろうって気があるんでしたらね、ミセス・トプリスなら胡桃屋敷に住みこみで働いてたころのことを何時間だってしゃべってくれるでしょうから、会いにいったほうがいいでしょうな」

　そしてミスター・ヘニングスは、ミセス・トプリスの数時間より自分の数分のほうがはるかに価値があるという持って回った物言いでこの話を終えようとしたが、客人は、どこへいけばその家政婦に会えるのかたずねた。

「これはこれは申し訳ない！」なんとも思わせぶりだった。「一番肝心なことを忘れてたようで。ミセス・トプリスなら、ランベスの救貧院《ワークハウス》にいますよ。あまりといえばあまりにひどい話じゃないですか」

　エドガー・ステイントンは店を出ながら思った。ひどすぎる。これが、身内や縁のあった人たちに対する金のある連中のする仕打ちなのか？

　わざわざステイントン一族のことをしゃべるなど時間の無駄だ、などと思っている人間はひとりもいないようだった。が、やさしい言葉をかけてくれたり、いい思い出話をしてくれたりする人もまた、ひとりもいなかった。路上で見かけたこれ以上ないほどみすぼらしい人でさえ、一族の面々よりは世の中の役に立っていたかもしれない。代々住んできた家は、まるで呪われているかのような言われ方だった。そこに住んでいた人間に対しては、その立場にふさわしいことを何ひとつやり遂げないままだった、という思い出しかなかった。だいたい、年老いた家政婦に救貧院で余生を送らせるとはどういうつもりなのか！

「神よ、お助けください。ぼくは、自分に与えられた富の使い方を決して間違えません」

　自分の一族を疎んじられて心は痛み、ひるみながらも、通りを急ぐ足をゆるめなかったのは、あの屋敷を相続するはずだった亡くなった少年の顔に追い立てられ、恨めしそうな目で責められているような気がしたからだった。

「あの子の魂を鎮めてやれなかったら、頭がおかしくなるだろう」まわりに聞こえそうな声で言った。「たぶん、アルフレッド・ステイントンと同じように」そう思うと、たまらなく不安になった。死よりもはるかに恐ろしい恐怖に、この勇猛果敢な男性が一瞬、女性よりも怯えた。

「神よ、どうか正気でいられますように」そう祈ると、幽霊のことはきっぱりと頭から追い出し、救貧院へ向かった。

第四章　兄と妹

ミセス・トプリスのことを、皺だらけで、背中も曲がった、リウマチに苦しむ老婆だと思いこんでいたので、確かに老齢ではあるが、血色のいい頬、澄んだ瞳、矢のようにまっすぐにのびた背中、なにより豊かに年を重ねてきたことがうかがえる女性からの、丁重で温かな出迎えを受けたミスター・ステイントンは、まるで道の向こうから一筋の陽光が流れこんできたかと思ったほどだった。

「そうですか、あなたがミスター・エドガー、あのお懐かしい船長のご子息なんですね」彼女がそう言ったのは、初対面の挨拶と自己紹介を終え、涙をぬぐい、驚きのあまり何度も声をあげ、これでもかと喜びを表現してからだった。「ええ、ええ！　覚えていますとも、船長はご結婚なさってすぐにお屋敷にお見えになって、素敵な女性を奥様だってご紹介くださったんです。ご自分の奥様のことをあんなに誇らしげに話された殿方は初めてでした。『ぼくの妻』っておっしゃるのが嬉しくて仕方がないってご様子でしたよ」

「母は本当に素敵な女性でした」

「それじゃあ、あのお屋敷はあなたがお継ぎになられたんですか？　まあ、おめでとうございます。あのお屋敷で穏やかに、お健やかに、お幸せにお過ごしになられますよう、ご繁栄をお祈り申しあげます。そうなさっちゃいけないわけなんてありません。ええ、本当にそうですとも」

エドガー・ステイントンはしばし黙って座ったまま、どう切り出すのが一番いいのかを考えていた。

「ミセス・トプリス」ようやく口を開き、単刀直入に聞いた。「あなたに教えてもらいたいんです。いったいどういうことなのかを聞きたくてここにきたんです」

両手で顔を覆った老婦人がひどく震えているのがわかった。「どうか恐れずに正直に話してください。あの家では何かひどくよくないことがあったはずで、ぼくにその力があるなら、何としてもそれを正したいんです。金ならあります。大金を手にしたあとで、屋敷の相続の連絡を受けとったので、何であれ間違いがあって、財産を手放すことでその埋め合わせができるなら、すぐにでもそうしますから」ミセス・トプリスは首を横に振った。

「それは無理ですわ。どんなにお金を積んだところで、亡くなった人を生き返らせることはできません。できたところで、あそこの教会の墓地で眠っているかわいそうな子をこんなつらい世界から連れていってくださった神様のように、あの子を助けてやれるようなことは、たとえあなたでもおできになるとは思えませんわ。亡くなる数カ月前のあの子を見るのは、胸が張り裂けそうでした。思い出すのも忍びないことです！　あの子のやせ細った小さな足が階段をのぼっていくパタパタ、パタパタという音がいまだに耳から離れず、恐ろしくて夜中に目が覚めることがよくあるんです」

「実は、おかしな話なんですが、ぼくはあの子が恐ろしくないんです。家の中にいるときの話です。でも、家から離れていても、あの面影はついて回るみたいなんです」

「何ですって？」ミセス・トプリスが大声をあげた。「それじゃ、あなたもあの子をご覧になったんですか？　いえ、そんな、わたしったら何を言ってるのかしら。変なことを申しあげてしまいまして、お許しくださいまし」

「しょっちゅう見ますよ」穏やかに応じた。

「どういうことかしら！　どんな意味があるっていうのかしら！」家政婦は叫び、ひどく戸惑い、驚いて両手を握りしめた。

「わかりません」新たな主人は落ち着いて答えた。「でも、それを知るために力を貸してほしいんです。子どもたちが初めてあの屋敷に来たときのことを覚えていますか？」

「ええ、ええ。おかわいそうなミス・メアリーのお子さんで、男の子と女の子でした。ミス・メアリーは、ご存知のようにミスター・フェントンと駆け落ちなさいました。本当にお気の毒なことに、うまくはいきませんでしたけど。でも、ミスター・フェントンはミス・メアリーにとてもおやさしかったと信じております。震える小さなふたりが屋敷に連れてこられたとき、旦那様はふたりをここに送るつもりでいらしたんです。ええ、もしもあのときどなたかが、子どもふたりくらい食べさせてやれるんだろう、と言ってくださらなければ、旦那様はきっとそうしていらしたでしょうね。あんなに仲のいい兄妹はいませんでしたよ。ええ、いませんとも。双子でした。でも、兄は何よりも妹を大事にして、父親みたいだったんです！　りんごが一個あって、妹がそれを半分食べるまでは、一カ月でも手をつけずにとっておくような子でした。一事が万事そうだったんです。心から信じ合い、しっかりと身を寄せ合うふたりを日々ご覧になっていらつしゃるうちに、あのご老体も、お屋敷をミスター・アルフレッドにお遺しになるというお考えをお変えになったんでしょう。あるとき、ふたりを指差しながら、考えこむようにおっしゃったんです、『実に仲睦まじいな、トプリス！』わたしも申しあげました、『左様でございますね。まるでおふたりだけの世界にいらっしゃるようですわ』それがどんなに寂しいことかとは思いもしませんでしたけど――

「その後まもなく、ご老体は床につかれました。伏せっていらっしゃる間にいいお考えが浮かんだに違いなく、よく奥様やミス・メアリー、それにあなたのお父様の船長の話をされては、あの子たちはもう寝たのか、などといったこと――それまでは決して口にされなかったことをおたずねになられるようになったのです。

「だからミスター・クィナンスに頼んで遺言書をつくられたときにも、わたしは驚きませんでした。ええ、これっぽっちも。それ以前はいつだってミスター・アルフレッドのことを跡継ぎだっておっしゃって、そのように遇してらっしゃったんですけどね」

「でも、遺言書は見つからなかった」話が横道に逸れるのを心配したミスター・ステイントンが口を挟んだ。

「そうなんです。上から下までくまなく探したんですのに。わたしの誤解かもしれませんけど、ずっと思ってたんですよ、ミスター・アルフレッドなら遺言書がどうなったか知ってらっしゃるって。ご老体が亡くなられると、子どもたちはひどい扱いを受けました。そりゃあひどかったんです。叩かれたりってことじゃありません。ただ、ろくに食べるものも与えてもらえず、無視されていたんです。ミスター・アルフレッドは、あの子たちにまともな服も買ってやらず、どなたかがきちんとしたものを買ってくださっても、それを身につけることを許しませんでした。食べるものにしても同じでした。パンやバターをほんのひとかけあげるのだって、こっそりだったんです。まあ、実のところあの家には、あの子たちにあげられるものはたいしてありませんでした。ミスター・アルフレッドは、お定まりの守銭奴になりましたから。ためこむようになったのは、ミスター・アルフレッドのひいおばあさま、ミセス・ランスロット・ステイントンのときからで、代が変わるたびにたちが悪くなって、どんどん細かく、けち臭くなっていったんですけど。こんなことをお話しして申し訳ありません。でも本当のことなんです」

「残念ながらそうみたいですね」明らかに細かくもけち臭くもない新たな主人は、ミセス・トプリスの言葉を受け入れた。

「で、六歳くらいのときにとうとう女の子のほうが病気になりまして、だれもがもう駄目だろうと思ったんです。ところが、いよいよ最悪の状態といったときに、あの子の父親の妹ミセス・メイがたまたまロンドンに滞在していらして、ミスター・アルフレッドがお医者様を呼ぶのを拒んだものですから、ミセス・メイはもはや抗議の声すらおあげにならずに、あの子を毛布に包むと馬車を呼び、ご自分がお泊まりになっていらしたところへ連れていったんです。ミスター・アルフレッドは文句ひとつ言われませんでしたよ。ミセス・メイが玄関を出ていかれるときに、たった一言口にされたのが――

『今その子を連れていくんなら、いいか、この先もずっと面倒を見ろ』でした。

『ええ、結構よ』ミセス・メイはおっしゃいました。

『この子はわたしが育てます』」

「それで男の子は？　男の子のほうは？」焦れるあまり声が大きくなった。

「今思い出しますのでね。あの子は、妹と離れ離れになってからだんだんと弱っていって、妹が連れていかれたのは七月だったんですが、十二月に亡くなったんです」

「なんで亡くなったんですか？」

「悲しみのあまり心が壊れたからです。子どもがそんな、と思われるかもしれません。でも、心が壊れることがあるとすれば、あの子の心は本当に壊れたんです。最初は、妹を探していつも屋敷の中を歩き回っていましたけど、最後のほうになると、よく階上の自分の部屋にいって、ひとりきりでこもっていました。とうとうわたしはミセス・メイに手紙を書きましたが、手紙が届いたときにミセス・メイはちょうど伏せっていらして、ようやくこちらにおいでになられたときには、あの子はもう亡くなっていました。驚いたことに、ミセス・メイはミスター・アルフレッドに食ってかかったんです！　だれにせよあんなふうにまくし立てるのを聞いたのは初めてでした。最初にあの子をだまして遺産を巻きあげ、それから飢えさせて命を奪ったんだと、ミセス・メイははっきりと言われました。でもそうではなく、あの子は妹がいなくなってから心をすり減らし、壊していったんです」

「そうですね。それで、あの子が亡くなったとき――」

「あまりお話ししたくはないんですが、わたしが今ここに座っているのも本当なら、これもまた本当のことで、あの子は棺に入れられた夜も、いつものようにパタパタと階上からおりてきて、一生懸命妹を探していました。わたしはすぐさま階上へいきましたが、じっと静かに横たわっている小さなやせ細った亡骸を見なかったら、あの子が生き返ったと思ったに違いありません。以来、いつもあの子がいました、いつも。そのせいで、ただただそのせいで、ミスター・アルフレッドは気が狂ったんです。よく、あの子と闘ってきれいさっぱり片づけてやるって言ってらっしゃいました。ひどい発作に見舞われると、踏みつけたり壁に押しつけたりしようとして、それから息を弾ませながら泣かれて、お願いだから消えてくれっておっしゃって。亡くなられる前にほんの少しだけ正気に戻られたときにお聞きしたんですけど、あの子にすべてを遺すと書いた遺言書があるって伯父様から言われたのに、そんな遺言書は一度も見たことがなかったそうです。まあ、そう言っていただけだったのかもしれませんし、もしかしたらやっぱり正気じゃなかったのかもしれませんしね」

「亡くなった子どもにかんして、本当に不審な点はありませんでしたか?」それがどうしても気になって仕方がなかった。

「もちろんです。言いにくいのですが、ミスター・アルフレッドはあの子が亡くなることを望んでいました。それでも、自ら手にかけられるようなことではありませんでした」

「それについては、ぼくは何とも言えませんね」ミスター・ステイントンは返した。

第五章　翌日の午後

ミスター・ステイントンが混乱した頭を多少ともすっきりさせようと、屋敷前で伸び放題になっていた常緑樹の剪定をし、長年放置していたために灌木の根もとで絡まり合ってはびこっている下草やシバムギを刈りとっていたとき、ふと見ると、大きな鉄門の前に立ったふたりの女性が屋敷を見上げていた。

「今はだれか住んでいるみたいね」年長の女性が連れに向き直って言った。「新しい持ち主はここで暮らすつもりなんじゃないかしら。相変わらず陰気だこと。でも、あなたは覚えてないわね、メアリー」

「覚えている気がするわ。見ていると、懐かしくなってくるんですもの。夢を見ているみたいだけれど、ジョージーを忘れたことがないように、記憶に残っている部屋もあると思うわ。ちょっとでいいから中をのぞかせてもらえないかしら」

ちょうどそのとき、新たな主人が灌木の奥から姿を現し、門を開けながら、よろしければご覧になりますか、と声をかけた。

　年長の女性はためらった。が、若い連れは小声で言った、「まあ、叔母さま、ぜひお願いしましょうよ！」

「それじゃあ、お言葉に甘えさせていただきますわ」ミセス・メイは、初めて見る相手を庭師だと思いこんで言った。「でも、ミスター・ステイントンが文句を言われるんじゃないかしら」

「いいえ。言いませんとも」新たな主人は断言した。「よろしければ、どこでもお好きなようにご覧になってください。屋敷の中にはだれもいませんから。住んでるのはぼくだけですからね」

「じゃあ、屋敷の管理をしてらっしゃるのね？」ミセス・メイがそつなく聞いた。

「まあ、そんなところです」

「あの方、管理人じゃないんじゃないかしら」古い屋敷の中へ入っていきながら、若い娘が叔母に言った。

「じゃあだれだっていうの？」

「ミスター・ステイントンご本人よ」

「まったく、何馬鹿なこと言ってるの！」ミセス・メイは声をあげたもののやはり気になり、窓から新たな主人の様子をちらりとうかがうと、彼はちょうど両手をポケットに突っこんで、手持ち無沙汰そうに私道を行ったり来たりしていた。

　玄関ホールから屋根裏部屋まで、あちらをこっそり、こちらをちらりと屋敷中の部屋を見て回ってから、ミセス・メイは、先刻からずっと気になっている男性が、玄関ポーチの柱に寄りかかり、どうやら自分たちが戻ってくるのを待っていたらしいのに気づいた。

「ご親切にしてくださいまして、心から御礼申しあげますわ」戸惑いがちに口を開いた。

「どうかお気になさらないでください」

「この娘は、この家に悲しい思い出がございましてね」メイは依然疑念を抱きつつ、様子を探りながら話を進めた。

　ミスター・ステイントンはしばし娘に目をやり、彼女が、おろしたままのベール越しに泣いているのに気づいた。

「失礼ですが、こちらのかたはミス・フェントンではありませんか？」

「ええ、そうですけど。それであなたは——」

「エドガー・ステイントンです」新たな主人は片手を差し出した。

「ここにはぼくしかいないんですが」互いの自己紹介が

終わってから言った。「お茶を差しあげるくらいならできます。どうかお入りになって、ぼくがこの国でひとりぼっちではないことを実感させてください」

ミセス・メイはたいそう喜んで応じ、十分後、三人は暖炉を囲んで座っていた。暖炉の炎は壁や天井に反射してちらちらと揺らめき、汚れた鏡や黒ずんだオーク材の棚に明るい光を投げかけていた。

「すっかり記憶が蘇ってきたわ」娘が穏やかに叔母に告げた。「ジョージーと何時間もあの炉床に座って、火がつくり出すいろいろな模様を眺めていたの」

ただこのとき娘には見えていなかったのだが、そのそばには何かが立っていて、それが娘に近づいていくのを、新たな主人は言葉も失うほどの恐怖を覚えながらじっと見つめていた。

あの子だ！　あの子はもう、見つけられないものを探し回ることはなく、娘のかたわらに息を潜めて、微動だにせずに立ち、娘の顔をひたと見つめ、気の毒なほどにやせ細った体で娘のドレスのひだにそっと寄り添っていた。

「神よ、彼女に見えていないことを感謝します！」と新たな主人は思い、安堵の息をついた。

確かに、娘には見えていなかった——青ざめた頬が娘の肩に触れても、か細い手が娘の腕に置かれても、その後延々と話が続く間もずっと、それが娘のそばから離れず、娘の顔をひたすら愛おしそうに見つめていても、娘にはわからなかった。

娘が帰るときには——清々しく若々しい美しさのままに屋敷から出ていくときには、それは嬉しそうにぱっと顔を輝かせながら、玄関口まで娘についていった。そしてすぐにその姿は消え、ミスター・ステイントンは階段をすうっとのぼっていく姿を探したが、徒労に終わった。

だがその晩遅く、ひとり暖炉のかたわらに座って、赤く燃える石炭をじっと見つめ、メアリーが孤独な子ども時代に兄とやっていたと言っていたように、そこに描き出される模様を見るともなく眺めていたとき、ミスター・ステイントンは振り返らずとも、少年が再びそこに現れたことを確かに感じた。

うんざりするほどの長い間、一途に妹を待ち続け、空っぽの部屋をのぞいては、現れることのない妹を探し続けた亡くなった子どものことを思い、ついでその妹——亡くなった兄の記憶も次第にぼやけ、夏が過ぎ、冬が過ぎていく中でやがてすっかり曖昧になってしまったであろう妹のことを考え、ミスター・ステイントンは深いため息をついた。すると背後から、そのため息を真似たごくかすかな音が聞こえてきた。

新たに見つかったいとこにもっと思いを馳せ、顔の造作のひとつひとつ、話すたびに変わる声の調子を思い返そうとしたが、立派な女性に成長した彼女を思うと必ず、双子の兄――身を寄せ合い、思いも悲しみもわずかな喜びもともにしてきた兄と、かつてこの屋敷の中を歩き回っていたであろう少女の姿が思い浮かんでくるのだった。やがて自分の手に何かが触れるのを感じた彼には、少年がかたわらにいて、切なそうな目で一緒に炎を見つめているのがわかった。

だが振り返ったとき、もはやその瞳は悲しみに曇ってはいなかった。妹は見つかったのだ。しばし顧みられることのなかった暖炉のそばで、生きているいとこと語らうために、長い間いなかった妹が再び姿を現したのだから、もはや小さな疲れ切った足が、やはりしばし顧みられることのなかった広い階段をパタパタとのぼりおりする必要もなくなったのだ。

妹を追い求める日々は終わり、探索も不要となった。あの子はもう、陰鬱な屋敷の薄暗い片隅を必死にのぞかなくてよくなったのだ。

妹が戻ってきた！　妹を待ち焦がれた長い長い日々が、今ようやく終わりを告げたのだ。

その晩、エドガー・ステイントンはぐっすり眠った。だが夜が明け始めたころ、まだ闇が残る中で不意に目覚め、子どものような小さな手が枕をなで、額を触るのを感じた。

それから再び眠りに落ちると、とても素敵な夢を見た。実に素敵なその夢の中で、彼は自らの心に誓い、その誓いを何としても守ろうと思った。

「ぼくがあの孤児だった女性とうまくやっていけるよう、どうか神よ、お助けください！」

第六章　消えた遺言書

ほどなくして、古い屋敷は大きく変わった。再びミセス・トプリスが仕切るようになったのだが、今度はその下に使用人――ミセス・トプリスが叱ることもあるメイドたちと、からかうこともある下働きの男たちもいた。食料貯蔵室はいっぱいになり、ワインもじゅうぶんに揃った。かつてはぴったりと閉ざされていた窓も、今は開け放たれ、心地良い風が入ってくる。私道にはもはや雑草など見当たらない。人の行き来が多くなり、雑草がはびこる余地がなくなったのだ。

クリスマスの時期だった。肉屋に並ぶ塊肉も、リボンをつけられて華やかだ。食料雑貨店の窓はきれいに飾り立てられ、子どもはもちろん老いも若きも、通りをいく人々の目を楽しませていた。クラップハム・ロードの北に位置するミスター・メイの家ではだれもが胸躍らせていたが、というのもこれから家族揃って――父親も母親も、成長した息子も娘も、まだ丈の短いドレスを着た女の子も、頭からかぶる上着を着た男の子も――新たに見つかった、まれに見る魅力的な親戚と――一家はひとりとして意を唱えることなくこの男性を親戚として受け入れた――ともにクリスマス・イブを過ごすことになっていたからだった。

　もちろんいとこのメアリーもいた。メアリーはこの日のために新調したドレスを身にまとい、髪はシッシー・メイがことのほか魅力的に見えるよう結いあげてくれていたのだが、ちょうどその途中で小さな子どもたちの呼ぶ声が聞こえてきた。

「客間にいる男の人が会いたいって、メアリー。父さまが、早く支度しておりてきなさいだって」

　素直なメアリーが言われるままに急いで支度をし、客間へおりていくと、そこにいたのは、ミスター・スティントンがロンドンへ来た日に出迎えてくれた、あのティンプソンの助手だった。

　助手の役目は簡単だったが極めて大きな意味を持っていた。今回もティンプソン・アンド・カンパニーからの手紙を持ってきたのだが、ミス・フェントン宛てのその手紙には、ミスター・フィーリクス・スティントンの遺言書が見つかり、その遺言書にもとづいて、ミス・フェントンにはスティントン・ストリートの人々からの遺産一万ポンドを受けとる権利がある、と書かれていた。

「まあ、叔母さま、叔父さま！　わたしたち、ものすごいお金持ちになってよ」メアリーは叫ぶと、いとこたちに話そうと走っていった。だが叔父夫婦は不安そうな顔をしていた。この遺言書がエドガー・スティントンにおよぼすであろう影響を心配していたのだ。

　そんな話をしているうちに――ティンプソンの若者はすでに帰っていた――ミスター・エドガー・スティントンその人がやって来た。

「ああ、それでしたらご心配なく！」メイ夫婦に問われ、エドガーは答えた。「フィーリクス・スティントンが亡くなった部屋でぼくが遺言書を見つけたんです。胡桃屋敷とすべての自由保有地は、亡くなった気の毒な男の子に遺され、メアリーには一万ポンド、ミセス・トプリスには五百ポンドが支払われ、ほかにもいくつか遺産があります。残念ながらジョージーは遺産を受けとれませんから、屋敷や土地はぼくが相続させていただきました。クィナンスのあとを継いだ弁護士のところへいって話を聞いたんですが、ご老体とアルフレッドはひどい言い争いをしたらしく、その結果ご老体は、アルフレッドを相続人から完全に外すことに決めたそうです。ところでメアリーはどこですか？　おめでとうと伝えたいんですが」

　メアリーは小さな温室にいて、自分の美しい茶色の髪にさすバラを探していた。エドガーは真っ直ぐにメアリーのもとへいった。

「メアリー、あなたは今夜もうクリスマスの贈り物を受けとられましたが、ぼくからも受けとっていただきたいものがあります」

「なんですの、エドガー？」だがエドガーの顔を見てその言葉の意味を察したに違いないメアリーは、目を伏せ、美しいバラの花びらを一枚ずつちぎっていった。

　エドガーは、その花と一緒にメアリーの手をとった。

「ぼくと一緒になっていただけませんか？」エドガーは言った。「まだまだ未熟なのは承知しています。けれど、この気持ちに嘘はありません、あなたを心から愛しています」

　とにもかくにもメアリーはエドガーの望んでいた返事をし、その後ふたりはずっと、あの古い屋敷でとても幸せな日々を過ごした。

　一度、すっかり使い慣れた部屋でメアリーと手をつないで立っていたとき、エドガー・ステイントンは自分たちを見つめるあの子どもを認めた。

　子どもの目には悲しみも切なさもなく、心からの安らぎと穏やかさに満ちたその瞳は、このうえなく美しく輝いて見えた。

二〇二二年、メアリー・シェリーの受容（需要）

市川 純

こんな話は私と共に消えた方がいいのだろう。しかし、うまく表現できない感覚に導かれ、身も心も弱り果て、わずかな衝動にも抵抗できないのだ。

（メアリー・シェリー『マチルダ』六―七頁）

今年はパーシー・ビッシュ・シェリーの歿後二百周年で、国内外でアカデミックな企画が催されている。が、一般の読書子の間で話題になっている様子は見られない。私自身は、原田博訳の大作『レイオンとシスナあるいは黄金都市革命　十九世紀の一幻影　スペンサー連に則して』（一八一七）が音羽書房鶴見書店から刊行されて感動したが、今やシェリーといって一般に多く読まれているのは圧倒的にメアリーのようだ。といっても、もっぱら『フランケンシュタイン』（一八一八）に限定されるのであろうが。

二百年前のメアリー・シェリーは何も出版しておらず、今年は何かの記念に該当するわけではない。にもかかわらず、非常に実りの多い年となった。どんな果実が収穫されたのか、以下に概観しよう。

まず、新訳が複数登場した。『フランケンシュタイン』ばかりが読まれていると書いたが、それ以外の多数の著作の中で、短編作品のいくつかは結構昔から翻訳されている。細かいことは昔書いたので繰り返さないが、[*1]一風変わった設定や不可思議な現象を扱った小編が時々翻訳され、愛好家に読まれてきたのだ。

今年登場した翻訳で意外だったのは、『ナイトランド・クォータリー』vol. 29（アトリエサード）に収録

『マチルダ』書影

された待兼音二郎訳「邪視譚――アルバニア人匪賊の物語」である。インパクトの強い邦題であるが、原題はシンプルな"The Evil Eye"（一八二九）である。ギリシアの固有名詞が頻出し、地理的イメージも把握し辛い作品だが、地図も添付して丁寧な解説を試みている。付された註にはいくつか気になる点もあるが、日本語で紹介されていないシェリー作品を新たに開拓しようとする意気込みを感じる。

　これと同時期の七月には、新紀元社のアンソロジー・シリーズ『新編怪奇幻想の文学1　怪物』が刊行され、ここに和爾桃子訳「変化《へんげ》」が収録されている。原題は"Transformation"（一八三〇）で、旧編の『怪奇幻想の文学Ⅴ　怪物の時代』（新人物往来社、一九七七）では日夏響訳で「換魂譚」の題で収録されていた。私が生まれる前に刊行されたこの旧編は、古書店で購入して持っている。生き辛い人生も忍び続ければ、こうして新訳に邂逅できる。

　なぜか七月はメアリー・シェリー関連の出版が多く、次は現代の英文学であるが、『フランケンシュタイン』と現代科学が絡み合った恋愛小説、ジャネット・ウィンターソン著、木原善彦訳『フランキスシュタイン　ある愛の物語』（河出書房新社）もお目見えした。

『フランケンシュタイン』の舞台化は十九世紀から盛んに行われているが、今年は一月に東京と大阪で「フランケンシュタイン-cry for the moon-」（演出：錦織一清、主演：七海ひろき）が上演された。このブルーレイが発売されたのも七月であった。

　藤田和日郎のコミック『黒博物館　三日月よ、怪物と踊れ』（講談社）の単行本第一巻が発売されたのも七月だ。一八四〇年代のメアリー・シェリーや息子パーシー・フロレンスも登場するところが珍しい。事実関係として違うところはあるし、メアリーはこういうことを言わないだろうと思われるキャラ付けもあり、その背景には昨今の色々な状況も作用しているのだろうが、創作作品にそんな口出しするのも野暮であろう。

　その他、四月にはNHK　BSプレミアムの番組「ダークサイドミステリー」で「『フランケンシュタイン』誕生〝19歳の母〟が生んだ無限の魅力」が放送され、私も取材とイ

『フランキスシュタイン』書影

ンタビューに協力した。

そしてこうして『幻想と怪奇』でもメアリー・シェリーが取り上げられ、一筆書く機会も賜った。しかし、実はもう何年もメアリー・シェリーの研究に対して距離を置くようにしていた。ここからは多分に個人的話題になるが、この随想のテーマと関わることでもあるので、少々ご寛恕いただきたい。

元々、メアリー・シェリーだけを研究する気はなく、周辺の詩人や作家、関連するテーマの研究も続けていた。ただ、メアリー・シェリーは自分の研究の軸であった。それでまがりなりにも色々読み、発表もしてきたのだが、不首尾に終わることがあまりにも多かった。それはもっぱら私自身の能力不足によるのだろうが、それにしても報われないことばかりであった。

みっともないので詳しく書かないが、メアリー・シェリー関連で何かを書いたり応募したりしても、ほとんどが認められなかったのだ。また、『フランケンシュタイン』以外のシエリー作品で何か発表すると、フロアの参加者のほとんどはその作品を知らず、質疑応答の時間では作品の基本情報の確認に終始し、議論が深まらないことが多かった。海外の学会でもそうである（あくまで私が経験した範囲内だが）。ひょっとして他のことを研究していたら、今頃もっと……と思うことも多く、ことあるごとに思い出すのは石川啄木の歌、

友がみなわれよりえらく見ゆる日よ
花を買ひ来て
妻としたしむ
（『新編　啄木歌集』四九頁）

であった（妻がいなくても）。

それでシェリーから距離を取るようになり、代わりに何をしていたのかというと（一時はパンデミックに絶望して無気力が酷く、寝込み続けていたが）、以前から興味のあった別のテーマに取り組んでいた。たとえば、日本で受容され、キャラクター文化へと発展していく『不思議の国のアリス』（一八六五）や、ロマン主義時代のイギリス文学におけるペルーの表象[*2]といったもので、そこにシェリーの名は一度も現れない。

すると、これらのテーマの方が人の目に留まって面白い話を頂けたり、

『黒博物館　三日月よ、怪物と踊れ１』書影

応募したものがすっと通ったりしたのだ。対して、再びメアリー・シェリーで何か書いてもやはりだめ。そんなことが本当に数多く続いた。自分にはシェリーが向いていないのかもしれないと思うようにもなり、次第に耐え難くなってきた。

　メアリー・シェリーとの関わりを絶つと決めたわけではない。ただ、少し距離を置きたくなったのだ。そうしてしばらく経過し、この一年くらいでなぜかシェリーに関係した話を依頼されることが重なり、ここにも随想を記している。先述のように翻訳や翻案も盛り上がっている。これまで嘗めた辛酸を思うと、今更……という思いも少しあるが、小さな賑わいを見せているメアリー・シエリーに関して、今思うことを以下にまとめておきたい。それは本書の題名にもある、幻想と怪奇というテーマとの関連である。

　メアリー・シェリーは怪奇幻想文学者ではないし、ゴシック作家でもない。『フランケンシュタイン』の一作、あるいはその他いくつかの短編からそのようなイメージをもたれやすいのかもしれないが、作品全体のうち、ゴシックなものは一部である。

　長編の小説（novel）は全部で六作品あるが、『フランケンシュタイン』以外にゴシックな要素を含むものを敢えて挙げれば二作目の歴史ロマンス『ヴァルペルガ』（一八二三）、それのみである。十四世紀のイタリアが舞台で、異端信仰や魔女が登場したりする。

　短編作品に関しても、奇想天外な要素を含むものがいくつか訳されてきたとはいえ、それもやはり全体の一部が切り取られて紹介されてきたのだ。そもそも、シェリーの短編は『キープセイク』を始めとするクリスマスの時期のプレゼント用アンソロジーに掲載されたものが多く、これはあまり深刻な内容の作品を収録する性質のものではない（『キープセイク一八三四年号』（一八三三）冒頭にはホフマンの「砂男」（一八一六）の英訳が掲載されていたりはするが）。シェリーがここに寄稿した作品にはラブコメ風のものもいくつかあるし、たとえ怪奇・幻想的な要素を持つものであっても、そこには喜劇的な要素も含まれる。

　シェリーの恋愛コメディ作品や、歴史ロマンス、家庭・結婚に主眼を置いた小説など、『フランケンシュタイン』に比べて圧倒的に研究は少なく、評価も高いとは言えない。けれども、彼女のイメージがゴシックなものに偏って一般に紹介され、そこに本質があるかのように思われると、かなり違和感がある。アンジェラ・ライト（Angela Wright）による比較的近年のメアリー・シェリー入門書は、シェリーがゴシックに貢献し、また生涯ゴシックに魅了され、そこを描き出すことがより真実に近いシェリー像になるというのだが（一八頁）、ゴシックと結びつけやすい作品ばかりが選別されているように思う。シェリー作品の特徴の一部として、ゴシックなもの、怪奇や幻想という言葉で語れるものもあるだろうが、シェリーは決してそこに収まらない。シェリーの長編・中編・短編小説を、一応は全て読み通してみて、そう痛感する。

「変化」初出誌挿絵

　ただ、『フランケンシュタイン』作家としてのイメージは抗えないほど強い。シェリー存命中もこの小説は代表作であり、以降作品を発表する際には「『フランケンシュタイン』の著者」という肩書がよく使われた。気になるのは、今や単に『フランケンシュタイン』の著者というイメージだけでなく、『フランケンシュタイン』の作風、さらには怪物のイメージまでが作家を侵食していることである。

　マンガに登場するシェリーの例を紹介したが、欧米のイラストやマンガ作品にはさらに極端な例が豊富にある。ボリス・カーロフの怪物像と合わせたり、腕が触手になっていたりと、シェリー自身が怪物化したものまである。ジャン＝マリー・ルコント（Jean-Marie Lecomte）はその様々な例を列挙・分類し、大衆文化におけるメアリー・シェリーの図像は『フランケンシュタイン』を越えられないと結論付けている（一六四頁）。

　シェリーは改訂版『フランケンシュタイン』に付けたまえがきで、自分の小説を「醜い我が子」と呼んだが、時にグロテスクに歪められて拡散する自らのイメージを、果たして同じく醜い我が子として許容するだろうか。少なくとも私は彼女を怪物化したくない。「隠喩と神話はひとを殺す」（スーザン・ソンタグ、一四九頁）のだ。

　とはいえ、色付けされたシェリーのイメージを開き直って戦略的に利用する方法もあり得るとは思っている。姑息な手段と思われるかもしれないが、たとえば両親のウィリアム・ゴドウィンとメアリー・ウルストンクラフトはそれぞれ『政治的正義』（一七九三）や『女性の権利の擁護』（一七九二）といった思想書を著した一方、一般により親しみやすく思想を伝えるために『ケイレブ・ウィリアムズ』（一七九四）や『女性の虐待、またはマライア』（一七九八）といった小説を著した。

　また、原作を重視する立場からしたら、ジェイムズ・ホエール監督の映画『フランケンシュタイン』（一九三一）には批判すべき点が多々あるかもしれないが、映画によって大衆化された『フランケンシュタイン』のイメージがなければ、果たして今日までメアリー・シェリーは忘却の難を逃れていただろうか。イメージは偏っていたかもしれないが、それをバネにしてシェリー研究は発展してきたように思う。といってシェリーの実像を積極的に歪める気は微塵も無いが、親しみやすい入り口を設け、その先の世界へ誘うという方策を探ってもよいのかもしれない。

　シェリーとは距離を置くつもりでいたのだが。

報はれぬ努力のやうに初雪に
　なりきれず降るみぞれかわれか
（吉田隼人『忘却のための試論』三五頁）

【註】
＊1　市川純「欧米におけるメアリー・シェリー研究史」木村晶子編『メアリー・シェリー研究――「フランケンシュタイン」作家の全体像』（鳳書房、二〇〇九年）二八四―八五頁。及び、メアリー・シェリー著、市川純訳『マチルダ』（彩流社、二〇一八年）の「訳者あとがき」一九〇―九一頁等を参照。
＊2　この頃執筆したもので怪奇や幻想といった主題に関連したものとしては、市川純「『マンク』における二つのプロットと世界史的背景」東雅夫・下楠昌哉編『幻想と怪奇の英文学Ⅳ――変幻自在編』（春風社、二〇二〇年）一一七―三八頁がある。

【引用文献】

石川啄木『新編　啄木歌集』岩波文庫、一九九三年。

シェリー、メアリー著、市川純訳『マチルダ』彩流社、二〇一八年。

ソンタグ、スーザン著、富山太佳夫訳『隠喩としての病い　エイズとその隠喩』みすず書房、二〇〇六年。

吉田隼人『忘却のための試論　Un essai pour l'oubli』書肆侃侃房、二〇一五年。

Lecomte, Jean-Marie. "Iconographic Portraits of Mary Shelley: A Postmodern Perspective." *Mary Shelley and Europe: Essays in Honour of Jean de Palacio*, edited by Antonella Braida. Legenda, 2020. pp. 143-66.

Wright, Angela. *Mary Shelley*. U of Wales P, 2018.

怪談はお好き?

擦り切れた絹布

Scoured Silk

マージョリー・ボウエン Marjorie Bowen

平戸懐古訳

『幻想と怪奇』第8巻に収録した魔術小説「ひとり残る者」に続き、マージョリー・ボウエンの短編を、ここに御紹介する。これまでの『幻想と怪奇』収録作の中でも、屈指の恐怖譚と言えるだろう。週刊誌 *All-Story Weekly* 一九一八年六月八日号の初出時には、題に「古きロンドンの犯罪」と添え書きされていた。ボウエンは探偵小説ではしばしば実際の犯罪事件を題材に選んだというが、もしや本作も実話か、と考えると、悪寒を覚えずにはいられない。お読みのさいは、どうぞお気をつけて。

この話は、いろいろな観点からさまざまに語ることが出来るだろう。そのためには手紙や報告書、日記、簡単な証明書など、あちこちから素材を集める必要がある。当時、この事件は一過性の不思議に留《とど》まらず、近隣に醒めやらぬ恐怖を残していったのだった。

オーフォード氏の住んでいた家は、けっきょく取り壊された。もの好きな方々はコヴェント・ガーデンに赴《おもむ》いて、聖ポール教会の壁の銘板を探しにゆくかもしれないが、あの無口な学者が日々の散歩に通っていた昔からの広場は、もうほとんど痕跡を留めていない。かつてあれほど生々しかったものの記録は曖昧に掠《かす》れてしまい、それら忘却に沈んだものたちの弁解の言葉にも、首尾一貫した繋《つな》がりを見出せなくなってしまった。しかし、これは当時ロンドンに暮らしていた者たちの身に、実際に起こった事件なのである。そう昔のことではないので、同時代を生きた人々は、この恐ろしい悲劇の演者たちを覚えている人々に、詳しい話を聞くことを避けてきたのだった。

当時、この事件は謎と恐怖を軸にして、すべてハンフリー・オーフォードという人物の周りを巡っていた。ただ、この悲劇の中心人物として名を知られることになるまで、この男に興味をもつ者は多くなかった。おそらくそれまで、オーフォード氏はすこし変わった人物だという評判を得ていたのだが、それは単純な話、彼が地域の娯楽行事に参加することを拒み、そうした集《つど》いに嫌悪すら示していたからだった。

この態度が許されていたのは、彼が自分の学問に没頭していたためだった。長ずるにつれ、彼は気侭《きまま》な翻訳道楽で知られるようになった。アリオスト（一四七四―一五三三　イタリアの詩人。代表作に長大な物語詩『狂えるオルランド』がある）の叙事詩を英語の二行連句に訳していたのだった。また、文法や言語に関する難解な主題の論文も書いていたのだが、こちらは出版に至っておらず、評価をもらえていなかった。

彼のものと確定している肖像画は、一七三三年に描かれたもので、出版される予定だったアリオストの訳書に口絵として付されるはずだったものである。痩せた男が赤髪を後ろできつくまとめ、茶色の外套を着てモスリンのネクタイを付け、画のなかからまっすぐとこちらを見据えている。顔は面長で整っており、繊細な性格から想像されるよりも眉毛が太い。

この絵が描かれた時期、オーフォード氏はコヴェント・ガーデンの近くに暮らしていた。高名なラドクリフ博士も一時期そのあたりに住んでいたことがある。正面がすとんとまっすぐな、外壁が暗色の上品な邸宅で、石段を上がった先の玄関扉は、帯状装飾の付いた小さな張り出し屋根《ポルティコ》に覆われていた。同じ通りに並んだ屋敷や、ロンドンにある生活水準の近しい通りの家々のように、瀟洒《しょうしゃ》な窓を見せ、薄暗い空気をまとっていた。

オーフォード氏の住居や性格と同じく、隣人たちが知るかぎり、彼の来歴にも特筆すべき点は見当たらなかった。

サフォークの良家の出身で、その州に広大な地所をもっているようだった（ただ、氏がその地の土を踏んだことがないことも知られていた）。親類はおらず、独り子のそのまた独り子で、両親はすでに亡くなっていた。父親が屋敷を購入したのはウィリアム王の治世で、当時この地区に暮らしていたのは上流階級の人々だった。オーフォード氏がそこに住みはじめたのは二十年前だったが、以来、彼はこの屋敷を離れることがなかった。

この屋敷に入る際、彼は家政婦や従者とともに、病気がちな妻を連れてきた。そして出迎えた近所の知人に説明して言うには、憔悴《しょうすい》した若きオーフォード夫人の気晴らしになればと、数ヶ月ほどこの街に滞在することを決めたのだということだった。

しかし間もなく、ロンドンに留まる動機は消え失せてしまった。というのもこの夫人はほとんど誰にも会わないうちに、病を拗《こじ》らせ、亡くなってしまったのである。夫が彼女をサフォークから連れ出して、わずか数週間後のことだった。夫人は聖ポール大聖堂に、とても簡素に埋葬され、布の掛かった壺を象《かたど》った大理石像と一緒に銘板が掛けられたが、そこには彼女の名前と日付だけが彫られていた。

ハンフリー・オーフォードの妻フローラ、
当教区にて、
一七一三年十一月に永眠、享年二十七歳

オーフォード氏は屋敷を出ようとしなかった。周囲の人々が憶測するには、彼は失意に打たれ、邸宅に引き篭《こも》ったまま、深く喪に服し続けているのだということだった。

だが、それもすでに二十年も前のことだった。みな影の如《ごと》き若妻のことを忘れていた。そもそも夫人の姿を見たことがある者がほとんど居なかったし、彼女についてなにか知っていたり興味をもったりする者など、ひとりも居ないのだった。彼女が暮らしていた痕跡はすべて、穏やかに規則的に、気侭に生きるオーフォード氏の日常から掻き消えてしまったようだった。そうした折に、ある出来事が切っ掛けとなり、かつてのフローラ・オーフォードの存在が想起され、議論が巻き起こったのだった。その出来事とは、オーフォード氏が突然に婚約を発表し、ほぼ即時の結婚を告知したことにほかならなかった。

花婿が前妻を伴ってロンドンに住みはじめたとき、こんどの花嫁はまだお喋《しゃべ》りざかりのこどもだった。ある老婦人が思い出して語ってくれたところでは、いつも自宅の窓辺に座して、小さく切り取られた通りの人間模様を眺めていたおかげで、彼女はフローラ・オーフォードが郷里からの馬車を降りてきたとき、その姿を目撃することが出来たのだった。隣家の手摺《てすり》から見つめていた件のこどもを見つけると、この若妻は櫛《くし》を通さぬ彼女の巻き毛を愛《め》でるように撫でたのだが、その手つきはどこか寂し気でもあったのだという。

それが唯一、フローラ・オーフォードが余人に目撃された機会なのだった。その後すぐに彼女は病《やまい》に伏し、詮索《せんさく》好きの老婦人が次に眼にしたのは、細長い茶色の棺が、夕暮れの通りを聖ポール教会へと運ばれてゆくところだった。

だが、それもすでに二十年も昔のことであり、件《くだん》のこどもはすっかり成長し、イライザ・ミンデン嬢になっていた。もうすぐハンフリー・オーフォードの二番目の夫人となる、器量の良い娘である。もちろんこの縁組に、なにか不自然なものを嗅ぎつけた者など居なかった。イライザの父親であるミンデン医師は、もう長いあいだオーフォード氏の親友であり（親友というに留まらず、氏に友人というものがいるとすれば、それがこの医師なのだった）、ふたりとも穏やかな部類に属しており、お互いのことをよく知っていた。オーフォード氏は四十五歳ほど、上品な男で容貌も悪くなく、裕福で悪癖に染まってもおらず、温和な人物だった。一方でイライザ嬢は、かわいらしく礼儀も身に着けていたが、持参金が充分でなかった。頼るべき母は居らず、妹たちもこの姉の数少ない美点を共有してはいなかった。そういうわけで、善良な医師が良いお相手に娘を嫁《とつ》がせることに成功したということや、オーフォード氏があんなに溌剌《はつらつ》として有能な娘を妻に迎えたのは幸運だということのほか、周囲の者たちはなにを言うことが出来ただろうか。

学者のほうはこれを機に、書痴的な生き方を改めるつもりでいたらしい。夫妻でしばらく海外に暮らすことすら仄《ほの》めかしていた。とくに行きたがったのはイタリアだったが、その地の古典を英訳することに生涯を捧げてきたような人物だから、それも当然だった。

婚約期間が何事なく、好ましい結末に近付きつつあったある日のこと、オーフォード氏はミンデン嬢を散歩に連れ出した。コヴェント・ガーデンの広場のそばにある自宅へと連れてゆき、それから舗装された通りを進み、咲きはじめた春の花々でいっぱいの屋台を通り過ぎ（三月も末のことだった）、そして偉大なる建築家イニゴー・ジョーンズ（一五七三―一六五二 イングランド最初の建築家といわれる）の設計したポルティコの下を潜って、教会へと入っていった。

「妻のフローラが埋葬されている場所を見せたいのだ」
オーフォード氏は言った。

このひと言が、事件の始まりを告げることになる。

さて、ミンデン嬢は生まれてこのかた、毎週日曜日のみならず平日も飽かず、頻繁にこの教会に通っており、幼少期からフローラ・オーフォードの銘板を何度も眼にしてきた。しかし恋人が静かな声でそう言うのを聞き、彼がお日様のもとから教会の暗がりへと自分を引っ張り込もうとするのを感じると、ほとんど恐れにも似た忌避感を覚えたのだった。

　どうもこの提案は彼女にとって、興味をくすぐられると同時、嫌悪を催すものだった。

「ねえ、帰りましょう」彼女は言った。「お父様もわたしたちを待っているはずです。親切なボイド夫人だって、お茶を蒸らしすぎて困ってしまいますよ」

「いや、まずはこれを見せなければ」そう言うと、彼はもういちど恋人の腕を取って教会の奥へと引いてゆき、自身の座席を通り過ぎた。ふたりは会衆席の端と壁に掛かった銘板のあいだまで来ると、そこで歩みを止めた。大理石の銘板はふたりの頭上、手ひとつ分の高さにあった。

「彼女を偲《しの》ぶためのものだが」オーフォード氏は言った。「彼女の美徳には触れていないだろう」

　イライザ・ミンデンはオーフォード氏の前妻についてはなにも知らなかったので、この言葉が敬意を示したものなのか、それとも皮肉なのか判らなかった。それで彼女は何も言わずに、麦わら帽子《レグホーン・ハット》の下から背の高い恋人の姿をおずおずと見上げるに留めた。氏のほうは、眼の前の大理石の矩形をじっと見つめているのだった。

「なにか、フローラ・オーフォードに言っておきたいことはあるかね」彼は鋭い口調で訊ね、素早く彼女を見下ろした。

「なぜですか。わたしはそのひとのこと、なにも知らないのですよ」ミンデン嬢は答えた。

　オーフォード氏は、ミンデン嬢の腕を強く摑んだ。

「だが、私の妻だったのだ」彼は言った。「そしていま、きみの足元に埋葬されている。きみが立っているそのすぐ近くだ。想像してくれ、リジー。もし彼女が起き上がって手を伸ばしてきたら、きみのドレスを摑むことだって出来る。それほど近くなのだよ」

　その言葉や口調は、ミンデン嬢を恐怖で身震いさせた。感性豊かで空想好きな娘だったので、これから夫になる男をかつて愛していたひとの、骸骨の真上に突っ立っているのだというその事実が、とても恐ろしいものに感じられた。ふたりのすぐそばにあるひと摑みの朽ちた肉体が、かつてはこの男を愛し、寄り添っていたのだと考えると、背筋が凍った。

「恐れることはない、かわいいひとよ」オーフォード氏が言った。「彼女は死んでいるんだ」

　イライザ・ミンデンは眼に涙を溜め、冷たく答えた。

「あなた、どうしてそんなことが言えるのですか」

「邪悪なひとだったのだよ」彼は答えた。「本当に邪悪なひとだった」

　娘は言葉を返すことが出来なかった。突然に明かされた痛ましい秘密に、素朴な心が動揺してしまった。

「この話、続けなくてはいけないのですか」彼女は訊ねた。「この教会で結婚しなければならないのですか」

「そうだ」答えは短い。「準備は整っている。来週の明日だ」

　ミンデン嬢は黙っていた。この教会のことが好きだったのに、もはやそうは思えなくなっていた。フローラ・オーフォードを知ったことによって、穢《けが》されてしまったのだった。

　同伴者は、彼女の沈黙の後ろにある考えを見抜いたようだった。

「恐れることはない」厳しい口調で言った。「彼女は死んでいるんだ。死者なのだ」

　そして彼は、持っていた杖を伸ばして妻の墓上の石を叩き、その音が地下納骨所の空洞に響いた音を聞くと、ゆっくりと微笑んだ。

　それから、彼がこの場を去ることに同意したので、ふたりは居心地の良いオーフォード氏の屋敷へと戻ってきた。二階の客間ではミンデン医師が、姉とその息子とともに、ふたりを待ちわびていた。イライザの従兄《いとこ》に当たるこの青年は軍人で、若い友人たちが過たずに見抜いたところによれば、彼はイライザ・ミンデンに心を奪われているのだった。客間に揃った面々は、赤いカーテンを閉め切ってお茶会を始めた。磨かれた薪《まき》台のあいだで火が焚かれ、スコーンやナポリ・ケーキを添えてお茶が運ばれ、ボイド夫人はお盆を携えて行ったり来たり動いていた。皆が和気《わき》藹々《あいあい》として、この席を楽しんでいた。そのうち外では吹雪が始まったようで、人々は身を切るような風に頭を下げ、早足で帰宅していった。

　不意にイライザの心のなかに、思いもよらない考えが浮かんできた。

（わたし、この家が好きになれないみたい。フローラ・オーフォードが亡くなったのはここなんだ）

　これまでどうして、どの部屋に案内されても、この事実に思い至らなかったのだろうと思った。考えながら無意識に、従兄の若い顔を、ちらりと一瞥した。赤と白の軍服を身に纏《まと》った彼は、暖炉のそばに立って、炎に眼をやっていた。

　しかし、それは陽気なお茶会だった。イライザはお茶菓子に手もつけず、笑顔で冗談を言っていた。

　この時期に描かれたイライザの小肖像が残っている。

明るい茶色の髪と同色の眼、薔薇色に染まった頬、かたちよい鼻と口。とっておきの藤色のドレスを身に纏い、首元の紗の襟飾り《タッカー》のうえで、同じく紗の覆い帽子《ボンネット》の紐を結んでいる。天鵞絨《ビロード》の紐が付いた麦わら帽子は、この時は脇に置かれていた。

オーフォード氏は、そのお茶会の晩も元気そうだった。蠟燭の赤々とした灯に照らされて、実際よりも若く見えた。豊かな髪に白いものは混じっておらず、顔にも皺が見られなかった。その立ち振る舞いの優雅さ、簡素ながら品の良い服装が、最大限の魅力を湛えていた。一方で、従兄のホーア大尉はオーフォード氏と対照的に、身体を強張《こわば》らせてぎこちない様子だった。

イライザ・ミンデンの眼は時折、心配そうに、この青年のまだ若い顔に留まった。彼の人生には、亡き妻など存在していない。その時ふと、彼女の若く素直で受身がちな純心に、ある疑念が湧き上がった。自分が父親の取り決めた年配の学者との結婚を、これほど冷静に受け入れてしまったのはなぜなのか。そして従兄のフィリップ・ホーアまでが、この婚約を簡単に認めてしまったのはなぜなのか。この考えはとても曖昧なもので、このとき彼女が自覚できたのは、なにかが変だという混乱した感覚だけだった。しかしイライザはカーテンが引かれ、暖炉に炎の点った暖かい部屋で皆とお茶を飲み続けている気になれず、立ち上がってこう言った。わたしたちはそろそろお暇しなければ。だって叔母さんが大量に溜めた繕《つくろ》い物のお手伝いをするって約束をしていましたから。しかしホーア夫人は耳を貸さず、笑って否定した。時間なら充分にあるじゃない、というわけだ。善良なミンデン医師は上機嫌で、寒々しい通りを自宅まで歩く気もなかったので、こんな時こそ家人に屋敷を案内してもらうべきだと宣《のたま》った。

「気付いていたかね、ハンフリー」彼は言った。「きみはよくこの家を案内すると約束してくれたが、まだ一度も実行してくれてはいないんだ。きみと知り合って何年も経つが、この部屋と一階の食堂のほかを見たことがない。それにきみの例の図書室だが」

「まあまあ」オーフォード氏が鷹揚に割り込んだ。「誰も入ったことがないのだ。例外はボイド夫人だけでね、彼女が取り次ぎをしているというわけだ」

「ああ、これだから学者という人種は」医者は笑った。「秘密主義なんだ。それに恵まれているよな。だって僕の貧相な住居では娘が三人、どたばた走り廻っているんだからな」

若い軍人が口を開いたが、叔父ほど楽しげな調子ではなかった。

「どうしてそんなに秘密めかすのですか、オーフォードさん。その図書室には、そんなに神経を尖らせて隠さなければならないものでもあるのですか」彼はそう訊ねた。

「いやいや、なにも秘密などありはしない」学者は笑った。「私の本や書類、それに絵があるだけだ」

「拝見しても良いですか」イライザ・ミンデンが訊ねると、恋人は快く同意した。もういくつか和気藹々と会話を楽しんだのち、一行は蠟燭を携えたオーフォード氏に案内されて、瀟洒な部屋をいくつも見学した。

　ときどきホーア夫人が、未来の花嫁にこそこそと囁《ささや》いた。この家、淑女に使ってもらえるようになるまでには、まだまだ改装が必要みたいね。でもその仕事に着手するときがとうとう来たみたい。だってもう、結婚式まで二週間もないんですから。

　イライザ・ミンデンは、そうしたことに助言してくれる母親が居なかったので、突然この屋敷が荒涼として古びていることに気付き、住むことなど出来る場所ではなかったのだと感じた。というのも父親を喜ばせた婦人用の続き部屋が、まさに彼女にとって、この邸宅のなかで一番に忌避感の募る場所だったのである。恋人が彼女に語ったところによると、その部屋は二十年前、フローラ・オーフォードのために家具を揃えた場所なのだった。

　イライザは自分に言い聞かせた。こうなったら結婚後すぐに立ち退いて、改築をしてから戻ってくる算段を付けなければならない。そうこうするうち、一行は図書室として利用されている例の小部屋の扉口に辿り着き、蠟燭を高く掲げたオーフォード氏が、皆を中へと先導した。灯りが充分でなかったので、彼は炉棚に駆け寄ると、そこに据えられていた二本の蠟燭に火を分けた。

　居心地の良さそうな部屋だった。床から天井まで書棚に本がぎっしりと敷き詰められていた。古書に貴書、豪華に装釘された幾多の書物たち。本が存在しないのはまず暖炉の据えられた空間で、炉棚の上には女性の肖像画が掛けられていた。それから机の後ろの壁にも書棚はなかったが、これがどうにも奇妙な状態だった。机は部屋の最奥の壁側に設置されているため、席に着いた者は部屋の空間を隔てて扉と相対することになるのだが、この机が壁にかなり近づけてあるため、書き物をするひとが椅子に座れるだけの隙間しか空いていないのだった。この机の後ろに書棚がないのはそのためだろうが、代わりに剝き出した滑らかな木板の壁には小さな絵が掛けられていた。荒々しく、暗い筆致で表現された、原野の絞首台に男が吊られている絵画だった。穏やかに読み書きの出来る贅沢な部屋にはいかにも不釣り合いな主題だったので、オーフォード氏が皆にエルゼヴィア（十六世紀創業のオランダの出版社）やアルド（十五世紀イタリアの印刷・出版業者）の初版本を自慢しているあいだ、イライザ・ミンデンはこの不気味な絵を見つめていた。

眺めているうち、彼女は悍《おぞ》ましさに狼狽《うろた》えて寒気を感じ、叫び出しそうになるのを抑え込んだ。この小部屋は彼女にとり、筆舌に尽くしがたいほど恐ろしく、悪意に満ちているようだった。

いままでこんなことはなかった。昼間に訪れた件のひとの墓など、この恐怖には遠く及ばなかった。イライザはその場を離れ、かろうじて動転を隠し果せたが、振り向いたとき椅子に躓《つまづ》きかけてその背に摑まり、そして気付いた。椅子には桃色の絹布《シルク》のドレスが掛けられていた。イライザは自身を抑えられず、この衣服を摑み取った。

「ハンフリー様」彼女は取り乱して叫んだ。「これはなんですか」皆が彼女のほうを向いた。イライザの口調や恐慌は、その手にあるものとはまったく不釣り合いだった。

「まあ、イライザ」ホーア夫人が言った。「シルクのペチコートでしょ、見たとおり」

「きみへの贈り物だろうさ」医師も陽気に言った。

「贈り物」イライザは叫んだ。「でも、これ、もう百回くらいは洗われて、裏返されて、繕われて、継ぎを当てられています」

そして彼女はドレスを持ち上げた。ほとんど燃え滓《かす》のようで、いまにもばらばらに解けそうだった。

そこで学者が説明した。

「ボイド夫人のものだよ」穏やかに言った。「きっとここに掃除に来たとき、繕い物を置き忘れていったんだろう」

この説明を聞いた皆が、ふたつの点を妙に思ったのだった。まず、ふつうの家政婦がこんな舞踏会で着るような貴婦人用の衣服を持っていることが不自然だったし、もうひとつはボイド夫人がこの図書室に入るのは氏が在室のときだけで、それも必要なときに限って、短い時間に限られるのだと、オーフォード氏自身がさきほど説明したばかりだということだった。

皆が同じように考えた。つまり、これは亡くなった元妻の衣服で、だからオーフォード氏はこの部屋で大切に保管しているのだ。ただし皆というのは、イライザを除いて、ということだった。彼女は婚約者がフローラ・オーフォードを邪悪なひとだと呼んだことを知っていたのである。

彼女はシルクのドレスをさっと元に戻し（布地にはまだ針が刺してあり、椅子には綿の糸巻きが置かれていた）、炉棚の上の肖像画を見上げた。

「あれが、オーフォード夫人ですか」彼女は訊ねた。

オーフォード氏は妙な顔付きになった。

「そうだよ」彼は言った。

奇妙な沈黙のなか、その場の皆が肖像画を見上げた。白いドレスを纏った若い女性で、首から提げたハート型の水晶に手を当てていた。暗色の髪に整った顔立ち。イライザは、綺麗なペンダントに添えられている細い指を見つめながら、聖ポール教会の壁に掛かった銘板と、オーフォード氏の言葉を思い出した。「彼女はきみのすぐ近くにいるんだ。だからもし手を伸ばしてきたら、きみに触れることだって出来る」肖像画やそのモデルについてひと言も触れず、イライザはもう帰る時間だと叔母を促した。そこで四人はお暇《いとま》することにした。彼らが通りを覆う灰色の闇に消えてゆくのを、オーフォード氏は廊下の柔らかい灯に縁取られながら見守っていた。

一時間ほど経ったのち、自宅のイライザ・ミンデンは階段をこっそりと降りてきて、出掛けようとしていた従兄に声をかけた。

「ねえ、フィリップ」彼女は両手を握り合わせて言った。「もし重要な用事じゃないなら、一時間だけ付き合ってください。わたし、あなたが外に出ようとするのを待っていたんです。そしたら目立たずに話せるから」

若い軍人は、イライザをじっと見つめた。玄関の灯のなかに立つ彼女は、かなり動揺しているように見えた。

「いいとも、リジー」彼は優しくそう答え、玄関広間から小さな客間へと場所を移した。蠟燭にも暖炉にも火が点いていなかったが、邪魔されずに話が出来そうだった。

イライザは家人として、ランプを見つけて火を点け、寒さをお詫びした。だが二階に戻る気はなかった。ホーア夫人と医師、二人の妹は四人揃って、大きな客間のほうに落ち着いていたのである。イライザは彼らの邪魔をしたくはなかった。

「困っているんだね」ホーア大尉は静かに言った。

「ええ」彼女は怯え声で答えた。「一緒にオーフォード様の家まで来てくれませんか。あの家政婦さんと話がしたいんです」

「なぜだい、リジー」

彼女にはうまく説明が出来なかった。昼間に教会へ行き、あの小部屋に恐怖を覚え、擦り切れてしまったシルクのドレスを見つけただけなのだ。

「でも、フィリップ、わたしはあのひとの最初の奥様について、知らなければならないのです」彼女はどうにか説明した。「でないと、わたし、もうこのままではいられません。今日、なにかが切っ掛けになって、あの家が嫌いになってしまったんです。それどころか、彼のことまで嫌いになりそうなんです」

「どうしてそんなことを、リジー」若い軍人は厳しい口調で言った。「久しぶりに帰郷してみれば、きみの保護者になるかもしれない男が、孤独癖の持ち主で、しかもきみを怖がらせているなんて」

ミンデン嬢は従兄を見つめた。なぜあの家に忌避感を抱いたのか、彼女自身にも判らなかった。すべてが突然に、受け付けなくなってしまったのだった。

「お願いです、今すぐ一緒に来てください」彼女は言った。

疲弊しきったイライザを見て、彼はその願いを拒む気持ちになれなかった。ふたりは暖かな外套を身に着けると、暗い通りへと出ていった。

また雪が降りはじめており、足元は滑りやすくなっていた。イライザは従兄の腕にしがみついて進んだ。オーフォード氏や彼の邸宅を見るのも嫌で、玄関に辿り着いたとき、彼女は震えていたが、それでも臆することなく呼鈴を鳴らした。

扉口に出てきたのはボイド夫人そのひとだった。ご主人は図書室でお仕事をされています、と説明を始めたが、若い軍人がそれを遮《さえぎ》った。

「ミンデン嬢はあなたに会いに来たのです」彼は言った。「彼女の用が済むまで、僕は玄関で待たせてもらいますよ」

そこでイライザは家政婦に連れられて、地階にある使用人の使う居間に落ち着いた。従者は留守にしており、ふたりのメイドもすぐ厨房へと追いやられた。

七十歳近く、穏やかな気質のボイド夫人は、若い娘が事情を話すのを待っていた。イライザ・ミンデンは、顔を赤らめたり青ざめたりさせ、滑稽《こっけい》に感じて躊躇《ちゅうちょ》しながら、来訪の目的を訥々《とつとつ》と述べた。

彼女はフローラ・オーフォードの話を聞きに来たのだった。ほかに頼める相手もおらず、そして彼女は、自分には知る権利があるのだと考えていた。

「知る権利はあると思いますが」ボイド夫人は暖炉を見つめて言った。「でも、聞いて楽しい話ではありませんよ。オーフォード様のふたりめの奥様にお伝えすべきとは思いません」

「まだ彼の妻ではありません」ミンデン嬢は言った。

「まあまあ。ご主人にご自身でお訊ねになるのが宜しいですよ」ボイド夫人はあくまで穏やかに答えた。「ただ、その話題になると、ご主人はお怒りになるかも判りません。わたしはご主人がその件をお話になるのを聞いたことがありませんし、それにもう二十年も前のことです。お忘れになってしまうのが賢明ですよ」

「教えてください。そしたら忘れますから」ミンデン嬢は食い下がった。

そういうわけで、穏やかで気の良いボイド夫人は、拘《こだわ》らずに話しはじめた（醜聞があったわけではないのだが、彼女はその件について、長らく黙秘を続けていたのだった）。ハンフリー・オーフォードの妻にまつわる話だったが、それはごく僅《わず》かな言葉で語られた。

「フローラ様は、ご主人の猟場管理人の娘でした。ハンフリー様はあのひとの可愛らしいお顔を見初め、ただそのためだけに、即座にご結婚なさったのです。ただ、わたしから見てもはっきりと判るくらい、おふたりは幸せとは言いがたい状態でした。奥様はご主人を恐れて萎縮してしまい、ご主人はそれを嫌っていました。フローラ様は知らぬ間に、ハンフリー様を侮辱してしまっていたのです。そしてある時、ご主人は、奥様が愛人と一緒にいるところを見つけてしまいました。イライザ様の前でこう申し上げるのは失礼ですが、それが奥様と同じ身分の男だったのです。ハンフリー様は狂気に憑かれたようになってしまいました。お宅を締め切って、わたし以外の使用人全員に暇を出し、フローラ様をこの町に連れてきました。つまり、このお屋敷です。それからふたりの間になにがあったのか、知る者は居りませんが、奥様は恐怖で命を削られているようでした。それから、お医者様が来るようになりました。もう亡くなられたサーズビー先生ですが、処置も虚しく、フローラ様は亡くなってしまったというわけです。ですから、棺のなかの奥様を最後にひと目見たり、献花を送ったり、そうしたことは一切が許されませんでした。惨めで哀れな、忌み嫌われた死だったと申せましょう。しかし、フローラ様はそれに見合う悪女でした。ご主人を憐れむほかありません」

以上がフローラ・オーフォードの物語だった。

「それで、その男のひとというのは」沈黙ののち、ミンデン嬢が訊いた。

「愛人のことですか。ええ、オーフォード様が、泥棒として逮捕させました。粗暴な男で、良い人物ではありませんでした。家に侵入していた理由は喋りませんでしたが、オーフォード様は治安判事でしたから、その権限を用いて、ただ盗人として有罪を宣告されました。今日まで、この事実を知る者はほとんど居りません。男は最後まで黙秘を貫きましたから。なので彼が治安判事の家で捕まった理由を、彼から聞いた者は居なかったのです」

「それで、どうなったのですか」ミンデン嬢は声を抑えて訊ねた。

「絞首刑にされました」ボイド夫人は言った。「現行犯でしたから、ほかに為す術《すべ》はありません」

「じゃあ、あの小部屋にあったのは、その男の絵だったんだ」イライザは叫んだ。暖炉に赤々と火が燃えているにも拘《かかわ》らず、身体を震わせていた。それから勢い込んで訊ねた。「教えてください、フローラ・オーフォードは、あの小部屋で亡くなったのですか」

「そんな、違いますよ、イライザ様。屋敷の裏手の大部屋です。その時からずっと閉め切っています」

「でも、あの小部屋には恐ろしいものを感じました」イライザは言った。「もしかしたらあの肖像画と、あの絵のせいだったのかもしれない」

「わたしはほとんどあの部屋に入ったことがありません」ボイド夫人は認めた。「でも、ご主人はほとんどあの部屋にいらっしゃるのです。いつもそこで夕食を摂られます。それにあの肖像画に話しかけて、フローラ、フローラ、今晩の調子はどうだねと呼び掛けたり、今度は奥様の声を真似して答えたりするのです」

イライザ・ミンデンは胸元に手をやって握り締めた。

「なんてことを言うんですか。わたし、あなたのことも嫌いになってしまいそうです。こんな恐ろしいお宅に仕え続けて、そんなことに見て見ぬふりを続けてきたのですか」

ボイド夫人は驚いた。

「そんな、イライザ様、気を悪くされないでください」彼女は抗弁した。

「ふたりとも邪悪なひとたちで、相応の報いを受けたのです。忘れてしまうべき昔話です。それにご主人は、ここに来てからは、ずっと良くなられました。お若い奥様とそのご家族たちと一緒になれば、もう肖像画に喋りかけたりしなくなるでしょう」

しかしイライザ・ミンデンは立ち上がり、扉の把手に指を掛けた。

「もうひとつだけ」彼女は肩で息をしながら言った。

「あの擦り切れた、桃色のシルクのドレス」

「まあ、ご主人はまだあれをお持ちなのですか。奥様が愛人と一緒に居た夜に着ていたものです。布地を買われたとき、ご一緒していたことを覚えていますよ。一ヤード四十シリングの上質なシルクでした。イライザ様、わたしだったら、燃やしてしまいますよ」

しかし、ミンデン嬢は寒々しい玄関広間に駆け出ていった。

従兄はそこに居なかった。頭上から怒鳴り声が聞こえ、メイドがふたり、階段で震えあがっていた。家の者もこの騒動の理由を知らぬようだった。

イライザが戸惑って立ち竦《すく》んでいると、扉が勢いよく開く音が聞こえ、フィリップ・ホーア大尉が顔を真っ赤に染めて降りてきた。彼はイライザの腕を掴むと、そのまま邸宅から引っ張り出すように連れ出した。

彼は怒りの醒めやらぬ声で、オーフォード氏の不当な言動について話した。氏は玄関広間で従兄を見つけると、釈明を待たずに侵入者だ間諜だと決めつけ、大尉が学者を二階の小部屋まで追いかけてゆくと、そこで中身もなく怒鳴り合う一幕が始まったのだということだった。

「ああ、フィリップ」憔悴したイライザは、寒い闇のなかを走り続けた。

彼女はフローラ・オーフォードについて話した。若者は聞きながら、重い外套越しに彼女の腕を押して進んだ。

「しかし、きみがこんなことに巻き込まれなければならぬ理由はない」彼は優しく言った。「駄目だ、あの男と結婚しては駄目だよ」

ふたりはそれ以上の会話をしなかったが、イライザは従兄が健全な感覚でもって自分に味方してくれたことに心を落ち着け、安堵と感謝から泣き出してしまった。自宅に戻ると、ふたりが急に姿を消したことで騒ぎになっており、釈明をしなければならなかった。イライザはボイド夫人に話があったのだと言い、フィリップはオーフォード氏の礼節を欠いた出迎えと、その後の口論について話した。

年長者ふたりは困惑し、イライザの振る舞いを疑問に思ったが、彼女は明らかに動転していたので、追及を差し控えた。代わりにフィリップに説明を求めようとしたが、彼はコーヒーハウスでの仲間との会合に遅刻しており、すぐに出掛けてしまった。

その夜、イライザ・ミンデンは寝台に入りながら、生涯で経験したことのないくらい感情的になっていた。穏やかな気持ちで将来の夫として受け入れようとしていた男に対して悍《おぞ》ましい嫌悪を抱きながら、もう一方では幼馴染の温かい存在感に思慕を感じ、それらがぐるぐると混ざり合った結果、きっぱりとした断言となって苦い夜の枕に囁き出された。

「もうあのひとと結婚することなんて出来ない」

翌朝は雪が酷かったが、イライザは不思議な高揚感とともに、暖かな客間へと降りていった。暖炉の炎や、窓の外で輝く雪に照らされて、部屋は明るかった。

彼女はオーフォード氏との婚約を破棄すること、そしてあの屋敷には二度と行きたくないことを、父親に告げるつもりでいた。

皆が朝食の席に付いたところでホーア大尉が遅れて入ってきて（散歩を兼ねて新聞を買いに外出していたのだった）、速報を持ち帰ったのだが、それはその場の皆が想像だにしなかった内容であり、またすぐにロンドンじゅうの度肝を抜くことになる内容だった。

オーフォード氏が、例の図書室で他殺体となって発見されたのである。

従兄はこの知らせを可能なかぎり慎重に切り出したのだが、その甲斐も虚しく、平凡なミンデン家は、深い驚愕と動揺に陥った。悲鳴が客間じゅうを駆け廻った。

ミンデン嬢だけが、血の気の失せた顔色をしていたものの、傍目に判るような取り乱し方をしていなかった。彼女はフローラ・オーフォードのことを考えていたのだった。

ミンデン医師は動揺しきった姉や娘たちを宥めすかすと、甥の大尉とともにオーフォード家へと急行した。

殺人の経緯は謎に満ちていた。学者は机の前の椅子に座しており、屋敷で使われていたパン切りナイフがその肩に突き刺さっていた。彼がどのように、そして誰によって死に導かれたのか、手掛かりは何もなかった。

支離滅裂なボイド夫人の証言、取り乱したメイドの証言、巡査の説明、要領を得ない隣人の談話から再構成された状況は、以下のようなものだった。

昨晩の九時過ぎ、ボイド夫人は主人の夕食をメイドに届けさせた。彼は特段の理由なく、いつもこのようにして、食事を件の小部屋まで運ばせていたのだった。ワインに肉料理、パンにチーズ、果物にケーキ。いつもの銀器が整えられていたが、そのなかに兇器として使われた件《くだん》のナイフがあった。

メイドが下がるとき、学者は図書室の扉までやってきて、彼女が出てから施錠したのだが、これも普段からの習慣だった。邪魔が入ることを防ぐためだった。というのも彼の言では、仕事がいちばん捗《はかど》るのが日没後だったのだという。

翌朝、氏の寝台が使われておらず、図書室の扉が施錠されたままだったことが判明した。ボイド夫人が焦燥に駆られて扉を叩いても返事はなく、従者が鍵屋を呼んで開錠させると、ハンフリー・オーフォードは、椅子に座っていた。書類の上に倒れ込んで、ナイフが柄までざっくりと、肩に突き通されていた。即死に違いなかった。争った形跡も、服装や書類の乱れも認められなかった。彼の遺体を最初に確認した医師は通りすがりで、家の騒がしさに助力を申し出たのだった。彼によれば、オーフォード氏は数時間前に、つまりおそらく昨晩のうちに、亡くなっていた。蠟燭は受皿に達するまで燃え尽きており、蠟が机の上に零《こぼ》れていた。夕食を載せた盆は部屋の反対側に置かれ、料理はほとんど残っておらず、ワインも飲み干されていた。遺体の肩に刺さっていたナイフを除き、部屋のものはすべてが普段どおりに整っていた。

　ホーア大尉は新聞を買った戻りがけに屋敷の前を通りがかり、野次馬たちの集まりを見かけて中に入り、殺された男の生前の姿を最後に見たのは自分かもしれぬと証言した。彼がオーフォード氏と険悪な応酬をしたのが十時頃で、そのとき小部屋に夕食が置かれていたのを覚えていた。学者は一階から聞こえる声に苛立ち、扉の鍵を開けてフィリップを短気にあしらったので、彼は怒って階段を上がり、学者を追って図書室に入った。罵倒が何往復かしたのち、オーフォード氏が事実この訪問者を部屋から押し出し、その眼前で鍵をかけ、ミンデン嬢を家に帰すよう命じたのだった。

　この情報は、しかし殺人の解明にはまったく寄与しなかった。ただ十時にオーフォード氏が書斎で生きていたことが判明しただけだった。

　そこからが謎だった。朝になっても扉は内側から施錠されたままで、部屋の窓は夕方から閉め切られ、内側から鉄棒で施錠されていた。この部屋があるのは屋敷の二階だったので、滑らかな煉瓦造りの正面にある窓は、どのみち侵入経路としては考えられなかった。

　部屋にはひとの隠れられる場所もなかった。奥行きのない本棚が並び、壁には二枚の絵（憂い顔の娘のほうが、いまや死者の曲がった背中よりも奇妙に見えた）。机があり、椅子があり、脇机がある。それだけの部屋だった。戸棚や箪笥は置かれておらず、猫が隠れるほどの隙間もなかった。

　では殺人者はどうやって、この部屋に出入りしたというのだろうか。

　刺傷の状態からして、自殺はもちろん問題外だった。しかし他殺も同じくらいには考えにくい。オーフォード氏は壁のすぐそばに座っていたので、ナイフの柄が背後の壁板に触れるほどだった。彼と壁板のあいだに立つことなど、誰にも出来なかったはずである。椅子の背の後ろには、杖を通すだけの余裕すらなかった。

　ではいったいどうやって、こんなに正確に、そして強烈に、この一撃は加えられたのだろうか。

オーフォード氏の正面に立った者による犯行ではない。というのはまず第一に、襲撃者が視界に入ったならば、彼は立ちあがったに違いなかった。さらに第二に、もしオーフォード氏が居眠りをして頭を下げていたとしても、犯人は机のうえを越えるようにしてナイフを突き出すことは出来ないはずだった。実験してみると、どんなに背が高くとも、こんな距離まで届く腕は存在しないのだった。

残った唯一の仮説は、オーフォード氏が図書室の別の場所で殺害されたのち、現在の位置まで移動させられたというものだった。

しかし、これもありそうにないと知れた。というのも、実行するためには机を動かさねばならず、それなのにこの重い家具には触れられた形跡がないのだった。しかも被害者の手の下には書類があり、指にはペンが握られ、ペン先からインクが散っており、文章も書きかけだった。

この事件は恐るべき謎であり続け、人々の想像力を大いに刺激し、あらゆるコーヒーハウスや社交クラブで議論の的となった。

殺人にはまったく動機がないように見えた。被害者に敵がいたなどという事実は知られていなかったが、部屋のものは手付かずだったので、強盗と考えることも出来なかった。

過去の悲劇までが掘り返された。ボイド夫人は知ることをすべて証言したが、それは彼女がイライザ・ミンデンに話した内容と同じものだった。事件は二十年も前のことで、絞首台の露と消えた件の男には、知己も親族も残っていなかった。

イライザ・ミンデンは、絶望的な動揺に陥っていた。当初こそ衝撃からむしろ冷静になっていたが、それは長く続かなかった。彼女はオーフォード氏の屋敷を取り壊すことを望んだ。あの図書室と、そこにあったものすべてを燃やしてしまわねばならない。彼女は自分のウェディングドレスも、沈黙のままに燃やしてしまった。誰もイライザを止めようとしなかった。彼女は父親が懇願するのに抗《あらが》って、死因審問が終わってもその地から離れようとしなかった。彼の死の謎が解けるまではここに留まります、というのが彼女の返事だった。

オーフォード氏の小部屋を再訪しなくては、納得できそうになかった。決めたのです、と彼女は断固とした口調で言った。わたしはこの謎を解き明かします。いちど入室し、恐ろしいほどの影響を感じたあの部屋に、なにか手掛かりがあるはずだと、彼女は考えていた。

ミンデン医師は、行かせてやるのが適当だと考えた。そういうわけで、彼と従兄はイライザとともに、いまでは誰もが身震いしながら通り過ぎるあの邸宅へと向かい、そして誰もが入ることを恐れるあの小部屋へと向かった。

　善良なるボイド夫人は、彼らに追従しながら啜り泣いていた。不運な彼女は、日常生活が突然かつ無惨に終止符を打たれたことに、酷く取り乱していた。ひと息に捲《まく》し立てて説明し、釈明し、嘆き悲しんだが、すべてが支離滅裂だった。しかし、そうした狂態を通じて暗に明に示されるのは、彼女はとくべつ主人に愛着を抱いていたわけではなかったということで、そして今回の件で傷ついたのも、主人への愛情ではなく、これまでの平穏な生活だということだった。

　そもそも、ハンフリー・オーフォードを愛していた者など、存在していないようだった。弁護士はすでに最近親者を探すのに躍起になっていて、彼の財産とサフォーク州の土地は、いずれも大法官裁判所の管轄に落ち着きそうだった。

「入っては駄目です、イライザ様、あなたは入っては駄目です」老夫人は泣き声で言い、ミンデン嬢の黒いドレスを摑みながら（彼女は被害者を悼《いた》んでいた）、それでも好奇心には抗えず、小部屋のなかを覗き込んでいた。

　イライザは顔色悪く、まだ取り乱しているようだったが、堅く決意していた。

「教えてください、ボイドさん」彼女は扉の敷居に立って言った。「あの擦り切れたシルクはどうなりましたか」

　家政婦は仰天し、わたしは見ていませんと首を振った。こうして、謎がまた増えたのであった。オーフォード氏が殺害された日、この小部屋で四人が目撃した古い桃色のシルクのドレスは、完全に消え失せていた。

「彼が燃やしたんだ」ホーア大尉は言った。あれほどの量の布を燃やせば暖炉の火床に痕跡が残っていないはずがなかったが、しかしそう考えるよりほかに解決策もないのだった。

「どうしてこんなに長いあいだ、あれを手元に残しておいたのか、わたしには理解できません」ボイド夫人は呟いた。「奥様のお気に入りだったドレスというだけのものですよ」

「悍ましい遺物だ」若い軍人は厳しい口調で言った。

　イライザ・ミンデンは部屋の中央まで進み出て、周囲をぐるりと見渡した。なにも変わっておらず、乱されたものもなかった。学者を運び出す際に机が脇へと動かされており、椅子も後ろに下げられていたので、絞首台の絵が掛けられた壁板の全体が視認できるようになっていた。

イライザの想像力が刺激され、周囲を書棚に囲まれた長く狭い壁板が、どうにも棺の蓋のように見えてくるのだった。

「この絵も外すときですね」彼女は言った。「もう誰の興味を引くこともありません」

「リジー」父親が優しく言った。「もう出よう。ここは悲しく恐ろしい場所だ」

「いいえ」彼女は答えた。「わたしは調べないといけないのです。わたしたち皆が知らなければなりません」そして彼女は振り向き、今度はフローラ・オーフォードの肖像画を見つめた。

「ハンフリー様は彼女を憎んでいた。そうですよね、ボイドさん。そして彼女は、夫への恐怖から病気になり、死んでしまった。想像してください。恐怖で亡くなるなんて。絞首台の哀れな遺体のことを考えながら死んでゆくなんて。邪悪だったのは彼のほうです。誰が殺したのだとしても、そのひとはフローラ・オーフォードの復讐をしたのに違いありません」

「しかしね」父親が性急に言った。「すべて二十年も前のことだし、彼は裁判で自身の正当性を示したのだ。ただ、事前にこの話を知っていたら、今回の縁組に諸手《もろて》を上げて賛成することもなかっただろうが」

「どうしてあのひとを好きになれたのだろう」イライザ・ミンデンは呟いた。「もし先にこの部屋に入っていたら、彼と婚約することはありませんでした。ここには恐ろしいものが存在しています」

「それで、イライザ様、ほかになにを探すのですか」ボイド夫人は鼻を啜った。「殺人のあった部屋なんかで」

「でも、以前からこんな感じだったのです」ミンデン嬢は答えた。「なにか恐ろしい感じがあったのです」

彼女は父親と従兄に眼をやったが、その顔は苦しげに歪んでいた。

「いまもまだ、ここにはなにかがあります」彼女は言った。「この部屋になにかがあるのです」

ふたりは彼女のもとに駆け寄った。過度に緊張した神経が、ぷつんと切れてしまったのだと思った。しかし、イライザは一歩前へと踏み出した。

その唇から悲鳴が迸った。

震える指で、彼女は机の後ろの細長い壁板を示した。最初、ふたりは彼女がなにを指しているのか判らなかった。それからホーア大尉が、彼女の絶望的な恐慌の原因を認めた。

色褪せた桃色のシルクの小片が、壁板の盛り上がった線の縁から覗いていた。壁から突き出ているその様は、扉に挟まった衣服のように見えた。

「そこに居るんだ」ミンデン嬢が叫んだ。

狂乱がその場の全員に降りかかった。皆が混乱し、誰が何を言ったのか、何をしたのか、誰にも判らなかった。ホーア大尉だけが冷静さを保ち、壁板のもとに駆け寄ると、その四方に細い隙間があることを認めた。

「これは扉ですよ」彼は言った。「これで殺人者が壁の側から被害者を襲ったとしか思えない状況が説明できます」

絞首刑にされた男の絵を持ち上げると、小さな把手が見つかった。大尉の指摘どおり、これを押すと壁板が奥のほうに開いてゆき、戸棚ほどの大きさの隠し部屋が現れた。

真っ暗で刺激臭に満ちたこの部屋のなかには、女性の屍体が、壁にもたれるようにしており、その喉元には白いハンカチがきつく結ばれていた。それが彼女の死因なのだった。ぼろぼろに擦り切れたシルクのスカートを身に着けており、壁板に挟まっていたのはその端だった。リネンの胴着《ボディス》もぼろぼろに古びて薄汚れ、羊皮紙のようになっており、髪は灰色で多くが抜け落ち、顔貌は人間らしさをまったく失っていた。その身体は痩せこけて、乾き切っていた。

部屋には数インチ四方の小窓がひとつあり、庭に面したそこが唯一の光源だった。ぼろ布の不潔な寝台と、朽ち果てた衣服の掛けられた椅子があり、床には食物の欠片が入った籠が置かれていた。

イライザ・ミンデンは、そっと部屋に入っていった。

「フローラ・オーフォードです」彼女は夢でも見ているように言った。

皆で哀れな遺体を図書室まで運び出した。すると、この悍ましく朽ち果てた存在が、炉棚の奥から微笑みかけている肖像画の娘にそっくりであることが確かめられた。

さらにもうひとつの事実が判明すると、しばらくのあいだ、彼らは口を開くことが出来なくなってしまった。

この女性は二十年ものあいだ、夫のほか誰も立ち入ることのない図書室の壁の奥の部屋のなかで、懲罰に耐え続けてきたのだった。二十年ものあいだ、オーフォード氏は愛人の絵の裏側に彼女を閉じ込め、残り滓のような食事を与え、使用人たちが寝静まった時間になると外に出してやり、責め苛むのを楽しんでいたのだ。そして彼女は二十年ものあいだ、自らの擦り切れたシルクを纏っていた。ほとんど完全な闇のなかで縮こまるようにして座っており、その数フィート先では夫が優雅な詩作に耽っていたのだった。

「もちろん、彼女は狂ってしまっていたでしょう」長い沈黙ののち、ホーア大尉が言った。「しかし、彼女はどうして、叫んで助けを呼ばなかったのでしょうか」

「理由があるのだ」ミンデン医師が小声で言った。彼はボイド夫人に、気絶した娘を連れ出すように指示したところだった。「彼がそのようにした。つまり、舌が抜かれていたのだ」

　フローラ・オーフォードの名が彫られた棺が発掘されると、中には鉛の塊しか入っていないと知れた。この棺は壁の銘板の日付から二十年後になって自害した女性の朽ちた遺体を収めた棺と交換された。

　いったいどのような経緯があって、幽閉者にすべてを支配され、知性を失ったこの存在は、突然に意志を取り戻し、暴君を殺してから自害するという難行を成し遂げるに至ったのか（いつ実行してもおかしくなかった）、この謎は永遠に解かれることがなかった。

　ある仮説では、オーフォード氏がこの残忍な計画を完了させるため、新しい花嫁とともに外国を巡っているあいだ、壁の奥に前妻を残して餓死させようとしていることを、彼女が察知して先手を打ったのではないか、とのことだった。もしくは彼女の哀れにも発狂した脳髄が、施錠中ならば図書室に出てきて縫うことを許されていたシルクを手に取った女性の声に反応したのかもしれない。しかしこうした問題点や、二十年ものあいだ続いた彼女の受苦の内実については、沈黙すべきだろう。

　リジー・ミンデンは従兄と結婚したが、コヴェント・ガーデンの聖ポール教会では式を執り行わなかったし、ハンフリー・オーフォードの屋敷のそばに戻ってくることもなかったという。

怪談はお好き？

彼奴《セルイ・ラ》

Celui-Là

エレノア・スコット

Eleanor Scott

渦巻栗 訳

一九二〇年代のイギリスは怪奇小説の黄金時代であり、M・R・ジェイムズやW・F・ハーヴィーらの作品が読者を怖がらせ、シンシア・アスキスの幽霊物語アンソロジーが書肆を賑わせた。エレノア・スコット（一八九二―一九六五）もこの時代の小説家で、教職のかたわらミステリや児童向けの伝記などを手がけたが、怪談にも寡作ながら巧手を発揮し、E・F・ベンスンやH・R・ウェイクフィールドに比された。本作は、全九作の怪奇短編をまとめた *Randalls Round*（1929）所収の一編。ジェイムズの代表作のあれこれを連想させる恐怖譚である。

「きみが助言を聞き入れるとはこれっぽちも思わんがね」フォスター医師はそう言って、如才なく患者を見た。「それでも、ひとつ言わせていただくよ。つまりだね、かばんにいくつかものを詰めたら、あしたにでも旅に出て、海か山の近くにある、小さな村に行くんだ。イングランド以外がいいな。そうすれば、知り合いに会ったりしないからね。三週間か四週間、そこでただ静かに過ごし、適度に運動する。それから私に手紙を送って、また元気になったと教えてくれ」

「言うは易く行うは難し、ですよ」マドックスは文句を言った。「ぼくが知るかぎり、静かな場所なんてもうないでしょう。あったとしても、予約なしで泊まれる宿はないんじゃないですか」

フォスターは考えてみた。

「ぴったりの場所があるぞ」彼は唐突に言った。「ブルターニュの沿岸にこぢんまりとした村がある――漁村なんだがね、とても小さくて、ひともまばらなんだ。浜が長く伸びていて、内陸にはヒースの野原や荒野がある。これ以上ないくらい静かだよ。私はそこの教区司祭《キュレイ》と仲良しでね。ものすごく親切で、温厚な小男なんだ。名前はヴェティールという。彼ならきっと泊めてくれるよ。今夜、手紙を書いておこう」

　こうなっては、マドックスも体よく断るのは無理だった。老練なフォスターはなにに関しても実に巧みだった。それに、面倒なことでいったら、彼と言い争うのも、旅に出るのも変わらなかった。一週間もしないうちに、マドックスはケルアックへ向かっていた。

　フォスターは彼を見送って、安堵した。マドックスのことはよく知っていたし、彼が長年にわたる過労と気苦労から病んでいることも承知していた。彼がありとあらゆる厭わしい努力をしてきたことも理解していた――あるいは、理解していると思っていた。だが、現実には、病からくる憤怒や憂鬱を他人が抱えていたとしても、その状態を理解することはかなわない。とはいえ、マドックスがランバルで乗った、こっけいなほど小さな列車が穏やかにぽつぽつと進み、荒れ放題のちっぽけな果樹園を抜けていくと、この神経の張りつめた乗客も心が休まるのを覚えた。その後、線路は北に西に曲がり、ぼんやりと広がる荒野から涼しい風が吹いてきた。彼は満ち足りた気分になり、安らぎに近いものさえ感じた。

　夕闇が垂れこめたころ、ケルアックの駅の目印となっている小屋におりた。教区司祭は、背が低い小太りの男で、司祭平服《スータン》に広縁の帽子という出で立ちだった。マドックスを迎えると、心のこもった、おおげさなあいさつを述べた。ブルターニュの地元民はこうして客を歓迎するのだ。彼はでこぼこした田舎道を、足元のおぼつかない滞在客を連れて歩いていった。この小道は険しい下り坂で、闇に包まれた高い土手に挟まれており、ハリエニシダやヘザーや湿った土のにおいがした。マドックスの目の前では、海が水平な線となってちらりと覗いており、それを縁取るように、荒野の土手が両脇にそびえている。頭上では、おぼろげな星がいくつか、薄暗い空できらめいている。平穏そのものだった。

　マドックスは、ケルアック司祭館での質素な生活にたちまちなじんだ。教区司祭は、フォスターが言っていた通り、とても温厚で親しみやすい小男であり、いつも穏やかで、ほとんどいつも忙しくしていた。というのも、教区民は数が多い上に散在していたし、彼はそのひとりひとりが抱える問題と真摯に向き合っていたからだ。また、これはマドックスの推測だが、資金が潤沢にあるわけではないらしかった。司祭は教会の仕事をすべて自分でこなしており、吹きさらしの小さな建物を取り巻く草や灌木の手入れまでやっていたのだ。

　この地域一帯も、滞在しに来た男の心を強く惹きつけた。荒涼としていながら居心地がよく、峻厳でありながら平安に包まれていた。彼がとりわけ気に入っていたのは、長く伸びる渚だった。絡みあうヒースやハリエニシダの茂みが、がさがさした白っぽい草に取って代わられ、やがて砂利浜となり、最後には、遠くまで伸びる、平らで滑らかな砂浜が現れる。彼は夕闇がおりてからそこを歩くのが好きだった。左手では、荒野が薄暗い空を背にして黒々とそびえている。右手では、静かに凪《な》いだ海原が果てしなく広がっていて、そこかしこでさざ波がきらめている。普通では考えられないが、教区司祭氏はこうした宵の散歩をよく思っていないらしかった。まあ、そんなのはどこの田舎者だって同じさ、とマドックスは自分に言い聞かせた。そして、とりとめのない考えにふけった。これは、一日屋外にいれば、自然と炉端が恋しくなるからだろうか。それとも、霊や悪鬼を恐れる、いにしえの感情のせいなのか。田舎の人間はいまも昔も、狼か犬かもわからぬ《アントレ・シアン・エ・ルゥ》暗い時間になると、そうしたものを恐れる。とにかく、晩の散歩をやめるつもりはなかった。迷信など気にするものか！

　もう十月も終わりに近づいていたが、その時期にしてはとても穏やかな天候だった。ある晩、空気が肌に快く、星々のおぼろげな輝きがあまりに美しかったので、マドックスはいつもより遠くまで散歩していた。宵のこの時間帯はいつも、浜をひとり占めしていた。そういうわけで、彼が不安を覚えたのは、正当化できないにせよ、当然だった。渚にいたのは自分だけではなかったのだ。

　そのなにものかは五十ヤードほど先にいた。最初は地元民の女だと思った。というのも、頭巾めいたものをかぶっていたからだ。両腕をふりまわしたり、くねらせたりしているが、そこも長く垂れさがる袖に包まれている。さらに近づいて気がついたのは、女にしては背が高すぎることだった。彼は早とちりして、稀に見るほど長身の僧侶か修道士に違いないと考えた。

　あたりは薄暗かった。新月は沈んでいたし、星々のかすんだ光は、薄くたなびく雲の合間から射していた。それでもなお、マドックスは、眼前の人物が実に奇妙な行動をしていることを認めぬわけにはいかなかった。そいつは――性別は見極められなかった――砂浜のある部分を信じられない速さで行ったり来たりして、袖を垂らした両腕をふりまわしていた。それから、突然、彼がぞっとしたことに、そいつは恐ろしい叫びをあげた。まるで犬の遠吠えだ。その叫び声にはどこか、マドックスを凍りつかせるものがあった。もう一度、さらにもう一度、咆哮した――気味が悪くて、むせび泣くような、梟《ふくろう》めいた声が、無人の荒野に響きわたり、消えていった。すると、怪物は膝をついて、両手で砂をひっかきはじめた。ある記憶が、いままで忘れていたのだが、マドックスの脳裏にひらめいた――ハンス・アンデルセンの本で読んだ、思いのほか恐ろしい話の記憶だ。あれにはアン・リズベスと溺れた子どもが出てきたが……

　薄い雲が弱弱しい光を束の間かすませた。マドックスがもう一度見てみると、そのなにものかは渚にうずくまっていた。さらさらした砂に指を埋めて、かきまわしている。ここでマドックスが連想したのはもっと別のものだった――恐ろしいことに、途方もなく大きな蝦蟇《がま》を思い浮かべたのだ。ためらう気持ちをどうにか押さえつけると、衣をまとってうずくまるものへ歩を進めた。

　近づいていくと、そいつはだしぬけに立ちあがった。その奇怪な、滑るような移動の仕方は到底表現できない。そいつは信じられない速さで内陸へ突進し、法服をたなびかせて行ってしまった。再び、マドックスは、長く尾を引く、悲哀に満ちた吠え声を聞いた。

　マドックスは立ち尽くして、深まりゆく闇の向こうを見つめていた。

「この暗さだし、なんとも言えないのはもちろんだが」彼はひとりごとをつぶやいた。「異様なほど背が高かったのはたしかだ――それに、なんだかおかしな見た目だった。平らだったな。案山子《かかし》にも似ていたけど、厚さはまったくないみたいだった……」

　自分でも驚いたことに、怪物がいなくなって安堵していた。彼は自分に言い聞かせた。これは異常なものがきらいだからだ。それに、疑う余地もないことだが、さっき見かけた人物は、女だろうが僧侶だろうが、正気ではなかった。狂っていたとまではいかないかもしれないが。

　彼はあれがうずくまっていたところに行ってみた。たしかに、砂がかきまわされた場所がある。その部分だけ乱れていて、まわりはなめらかだ。そこでふと思いついたが、あの飛ぶように逃げていったなにものかの足跡を探すのはどうか。その足跡が異常な長身という印象の裏付けとなるか、たしかめるのだ。だが、光が乏しすぎて見つからなかったのか、あるいは、あの怪物は砂利浜までひと跳びしたらしい。とにかく、足跡は見当たらなかった。

　マドックスは、砂が乱れている場所のそばで膝をつき、なにげなく、だがいくばくかの興味を持って、指をそこにつっこみ、精査しはじめた。硬くてすべすべしたものに触れた――石だろうか？　それを取り出してみた。

　なんにせよ、石ではなかったが、湿ってぼろぼろした砂がくっついていたため、正体ははっきりしなかった。彼は立ちあがると、ハンカチでそれをきれいにした。姿を現したのは、箱か容器のようなものだった。長さは三インチか四インチで、ある種の粗雑な彫刻がびっしりと施されている。ためつすがめつしていると、箱はひとりでに開いた。なかに見えたのは、革のようで革でない、なにかの包みだった。さらにそのなかには、紙のように乾いた音を立てるものが入っていた。

　彼はあたりを見まわした。あのなにものかは、この物体を埋めるか探すかしていたが――どちらかはなんともいえなかった――またもどってくるのではないかと思ったのだ。だが、目に入ったのは、ハリエニシダやヒースの茂みだけで、鉛色の空を背にして黒々と縮こまって見えた。聞こえるのは、夜風のため息と、上げ潮が優しく打ち寄せる音だけだ。彼は好奇心をそそられて、容器をポケットにすべりこませ、帰途についた。


　夕食は、スープとチーズと林檎酒という素朴な献立で、彼が帰ったときにはもう準備してあった。そのため、靴を履き替えて、手を洗う時間しかなかった。だが、夕食を終えて、広い炉端の一方に座り、教区司祭がその反対側で煙草を吸ってくつろいでいるとき、マドックスはポケットの小さな箱が当たるのを感じ、亭主に奇妙な出来事を話しはじめた。

　司祭の気乗りしない様子に、彼は思いのほか落胆した。いや、広い教区を受け持っているが、マドックスが話したような行動をする女性は知らない。近所には修道院もないし、あったとしても、修道士にそんなふるまいはさせないだろう。実のところ、司祭はうさんくさそうにしていたので、マドックスはひどくいらだち、小さな容器を取り出して、テーブルに放り出した。

　それは最初に思っていたよりも、ずっと異様な物体だった。まず、ものすごく重くて、硬かった――重さは鉛のようだが、はるかに硬い金属でできている。浮き彫りも風変わりだった。その模様を見て、マドックスはルーン文字を連想した。それで思い出したが、ブルターニュには先史時代の遺物が残っているのではなかったか。戦慄が走った。考古学者ではなかったが、この発見はきわめて興味深いものかもしれないという考えが浮かんだ。

彼は容器を開けてみた。思っていた通り、なかには革のようなものが一枚入っていて、羊皮紙にていねいに巻きつけてある。となれば、当然、先史時代の遺物ではない。だが、マドックスはそれでも興味を覚えていた。羊皮紙を平らにして、つっかえながら、判読しにくい文字を読みはじめた。使われているのは、ある種のラテン語だ。彼はすっかり没頭して、単語をひとつずつ見極めようと骨を折っていたため、その意味を分析しようとはしなかったのだが、ヴェティール神父は怯えた叫び声をあげて彼を止め、さらにはその手から文書を奪い取ろうとさえした。

　マドックスは目をあげた。ぎょっとしていた。小柄な司祭は青ざめて、震えあがっている。まるで、この上なく過激な冒瀆の言葉を聞いてくれと言われたかのようだった。

「わっ、どうしたんですか、神父さん《モンペール》」マドックスは尋ねた。びっくりしていた。

「そんなことを読みあげてはなりません」小柄な教区司祭は息を切らして言った。「その文書を持っているのはよくありません。大いなる罪です」

「なぜです？　どういう意味ですか？　訳していたわけじゃないのに」

司祭の頬は少し血色がよくなったが、依然としてひどく取り乱していた。

「あれは召喚のまじないです」彼はささやいた。肩越しにうしろをちらちら見ている。「恐ろしい文書です。呼び出してしまうのですよ――彼奴を」

　マドックスは目を輝かせ、興味を露わにした。

「まさかね。本気で言っているんですか？」また紙を広げた。

　司祭は弾かれたように立ちあがった。

「いけません、ムッシュー。やめてください！　だめです！　あなたはまだおわかりになっていないんだ――」

　あまりにうろたえた様子なので、マドックスは良心が疼くのを覚えた。なんといっても、この小男はとても親切にしてくれたのだし、さきほどの話を信じるとしたら――！　それでも考えずにはいられなかった。残念なことに、こうした無知蒙昧な田舎者が教区司祭を務めているのだ。実際、彼らの宗派には迷信深い部分があるから、田舎に存在する、昔の忘れられたまじないや召喚呪文など取りこむまでもない。少しいらだって、彼は紙を容器にもどし、一式をポケットに入れた。彼が了解しているところでは、教区司祭が箱に手をかければ、ためらうことなく、あらゆる手を尽くして、一切を破壊するはずだった。

　その晩はいつもとは異なり、くつろげなかった。マドックスは、話し相手がひどく無知なのでいらだっていた。ヴェティール神父は別人のようで、いつもの落ち着き払った様子とは大違いだった。そわそわしていて、怯えているようにも見えた。マドックスが眺めていると、司祭館の雌猫が飛びあがって、飼い主のいすの背に乗り、その耳元に頭をそっとこすりつけた。すると、教区司祭はいすから飛び出しそうになり、慌てて十字を切った。時間がのろのろと流れ、やがてマドックスは、そろそろ寝室にさがってもよさそうだと考えた。自室に入ってしばらく経つと、ヴェティール神父の立てる物音が聞こえた（司祭館の部屋仕切りは木摺《きずり》に漆喰《しっくい》を塗っただけのものだった）。小声で祈りをあげたり、ロザリオをまさぐったりしていた。


　朝になると、マドックスは意外にも、小柄な司祭を不安にさせたことが恥ずかしくなっていた。不安にさせたのは、まちがいなく自分のせいだ。良心の痛みが増したのは、ヴェティール神父の姿を目にしたときだった。早朝のミサを終えて入ってきたのだが、この小男は顔面蒼白で、肩を落としていたのだ。マドックスは心のなかで自分に毒づいた。子どもを動揺させたような気分だった。急いで頭をしぼり、ちょっとした償いでもできないかと考えた。遅い朝食の半ばで、ひとつ思いついた。

「神父さん」彼は言った。「たしか、ここの教会は改装中なんですよね」

　小男は目に見えて顔を輝かせた。これは、マドックスも知っていた通り、彼の道楽なのだ。

「そうなんですよ、ムッシュー」彼は元気づいて答えた。「しばらく前から作業をしていまして、ようやく充分な資金が集まりました。猊下が恵んでくださったのです。ほら、この教会のそばに古い建物の残骸がありますでしょう――ええ、古いんですよ。なんでも、昔は教会か寺院だったかもしれないというんですがね、わたしにはなにもわかりません――とにかく、ていねいにつくられていて、とても頑丈ですから、教会につなげてもいいなと思ったんです。想像してみてください、ムッシュー、そうすれば側廊がふたつになるんですよ！　壮観でしょう。塗装はもちろんわたしがやって、然るべき見た目に仕上げます。教会はすでに、天空そのものの青で塗ってありますし、聖母さまの象徴として、白百合も添えました――黄金の百合がよかったんですけれど、金色の塗料は法外な値段ですからね！――新しい小礼拝堂は深紅にして、聖心を表そうと思います。それで、境目には黄色のハートを並べるんです。華やかでしょう？」

　マドックスは内心、震えあがった。

「とても華やかですね」暗い声で同意した。彼が心を惹かれていたのは、のろを塗った、みすぼらしい小教会だった。ヴェティール神父の青と深紅と黄色の話など、考えるのも苦痛だった。だが、小柄な教区司祭はなにも気がついていなかった。

「現在の教会ではもう取りかかっているんです」彼はまくしたてた。「ムッシューにもご覧になっていただかなくては！　まさに天国ですよ、あの色は。そろそろ古い建物の準備もはじめるつもりです。そうすれば、いまの教会とつなぐ壁ができ次第、装飾できますからね。長くはかからないでしょう。小さな壁ですからね。きっとすぐですよ。そうしたら、塗装をして……」

　彼は法悦の幻視にふけっているようだった。マドックスはおもしろく思う一方で、心を動かされていた。親切な小男ではないか。あのばかげた召喚の呪文とやらで悩ませるなんて、恥ずべきことだった。彼は改めて、このもてなし好きの小男をよろこばせたいと思った。

「ぼくもお手伝いできませんか、神父さん？」と訊いてみた。「壁を削ったりさせてもらえませんか？　塗装はやめておきますよ。上手ではありませんからね」

　司祭の笑顔は実にまぶしかった。彼は朗らかな人物で、だれかといっしょにいるのが大好きだった。仕事でもそうだった。だが、それ以上に大好きだったのは、長年温めてきた計画にのっとって、派手な色を塗りたくることだった。いっしょにいてくれる人物が塗装をやりたくないというなら、願ったりかなったりだ。彼はよろこんで申し出を受け入れた。

　朝食の後、マドックスは外に連れ出されて、教会につけくわえられる予定のものを見せられた。それは小さな教会の北側にあり（当然ながら、教会は東西に伸びている）、マドックスが見たかぎり、大部分を占めているのは、教会の壁と平行に伸びる石造物だった。壁の残骸もいくつかある。いまでは崩れ落ちており、教会の北に面した壁の東西の端ではほとんどくっついている。かつては小教会の一部だったとしてもおかしくない。たしかに、ヴェティール神父が言っていた通り、たいして手をくわえずとも、教会につなげて北側の側廊に仕立てられるだろう。マドックスは、よろこばせたい一心で仕事に取りかかり、古い壁から漆喰をそぎ落としはじめた。

　昼過ぎになって教区司祭は、数マイル先まで病人の見舞いに行かねばならないと告げた。彼は心の底から感謝して滞在客の申し出を受けた。新しい側廊を塗る準備をつづけてくれるというのだ。こんなにてきぱきと作業していただければ、教会の増築も聖ミシェルの祝祭に間に合いますね、と司祭は言った。聖ミシェルはこの村と教会の守護聖人だった。マドックスもよろこんでいた。狙い通り、小男は穏やかで陽気な人物にもどってくれた。

二時を少し過ぎたころ、マドックスは教会の庭に出ると、仕事を再開した。こつこつとこそぎ落としていった。だんだんその作業にも飽きてきたとき、彼はある発見をして、再び熱心に漆喰をはがしはじめた。これはもともとあった壁に後世の人間が塗りたくったものだった。壁画が描かれた箇所を発掘していたとみてまちがいない。すぐにかなりの部分が露わになった。装飾が帯状に広がっているのが見て取れる。幅は六フィートか七フィートで、地面から約二フィートのところにあり、壁のほとんど端から端までを覆っている。

陽光はかげりつつあり、壁画の色も褪せていたが、なにも見えないというほどではなく、マドックスはいたく興味をそそられた。絵に描かれているのは、渚の一部のようだった。風景描写は月並みだったが、ケルアックの近くの浜に似ているように思った。絵には人物も数人いた。これを見ると、胸が高鳴った。というのも、少なくともそのうちのひとつには見覚えがあったからだ。長身で、頭巾をかぶり、衣を垂らしている——昨夜、浜辺で見かけた姿だ。おそらく、古代の技法のせいだろうが、この姿はやはり平らに思えた。もう一方の人物は——人間としての話だが——いっそう奇怪だった。頭巾をかぶったものの前にうずくまっていて、マドックスは思いがけず、忌まわしい動物を連想した——蝦蟇というか、膨れあがった魚のようだ。奇妙なことに、そいつは長身のものの前でうずくまっているにもかかわらず、支配力をふるっているように思われた。

マドックスは戦慄を覚えた。絵にじっと目をこらし、骨を折って、なにが描かれているのか見極めようとした。だが、十月の昼下がりは短く、日が暮れるのも早かった。そのため、はじめに受けた印象を除くと、知り得たことはごくわずかだった。彼が注意を引かれたのは、なんとなく見覚えがある風景に、ひとつだけ予想外のものがあることだった——それは塚というか、巨石か岩を積んだ山のようなもので、横には文章か文章の断片らしきものが見て取れた。「Qui peuct venir（来たるもの）」ある箇所にはそう書いてあり、もっと下のほうには「Celuy qui ecoustera et qui（呼びかけに応え来たるもの）sacri（生贄）……mmes pendus（吊り）……」とあった。

　なにか定かならぬ物体も描かれていて、マドックスには海藻の山のように思われた。塚の下に積まれているらしい。

　芸術にしても考古学にしても門外漢だったが、マドックスはこの発見に強く興味をひかれた。この妙な絵は地元の伝承か迷信を描いているに違いないと思った。それにしても奇妙なことだが、浜であのなにものかを目にしたのは、あるいは目にしたと思ったのは、壁画を発見する前だった。あれを見たのはまちがいなかった。くたびれた頭が生んだ空想ではない。ポケットに入っている、箱と召喚呪文なるものが、その証拠だ。そこでひとつ思いついた。壁画の古いフランス語と羊皮紙のラテン語の間になにかしらの関連があると判明したら、興趣をそそるではないか。彼はポケットから金属の小箱を取り出して開いた。

「『Clamabo et exaudiet me』は『わが呼びかけを彼のもの聞くべし』か。祈禱かもしれないな。なんだか聖歌のようにも思える。『Quoniam iste qui venire potest（彼のもの来りて捕らふは）』――ほう！　『qui peuct venir（来たるもの）』ねぇ――これはなんだ？　『sacrificium hominum（生贄にされし人なり）』――おいおい！　あれはなんだ？」

　はるか彼方から、ヒースの野をわたって、かすかな叫びが聞こえてきた――遠くでなにかが咆哮している。浜で見たなにかが……

　彼は耳をすました。もうなにも聞こえなかった。

「どこかの犬が吠えているんだろう」心のなかでつぶやいた。「神経過敏になっているんだ。どこまで読んだっけ？」

　彼は文書にもどった。だが、数秒ほど注意をそらしていた間にも日は傾いていて、目をこらさなければ、単語はひとつも見えなかった。

「E paludinid ubi est habitaculum tuum ego te convoco」彼はのろのろと読みあげた。かすれた文を一字ずつ解読した。「これと対応するものは絵にはなさそうだな。ずいぶんと変な内容だ。『汝が住まう沼地より、われは汝を呼ぶ』。どうして沼地から呼ぶんだろう？　『E paludinid ubi est habitaculum tuum ego te convoco――』」

　彼は不意に口をつぐんだ。またしても、あの恐ろしい遠吠えだ――明らかに犬の遠吠えではない。しかも、すぐ近くだ……

　マドックスはじっと考えこんだりはしなかった。飛びあがって走り出し、庭を抜けて司祭館に駆けこんだ。なかに入ると、扉に鍵をかけた。玄関に行って、そこも施錠した。小さな建物の窓という窓に閂《かんぬき》をかけた。そこではじめて立ち止まり、慌てふためいて逃げ出したことに驚いた。からだは激しく震えていて、苦痛を覚えるほど息があがっている。彼は自分に言い聞かせた。こんな行動をするなんて、神経質な老嬢じゃあるまいし——まるで女学生じゃないか。とはいえ、窓を開ける気にはなれなかった。こぢんまりとした居間に入り、暖炉の火をかき立てて、並外れた大きさにした。それから、ヴェティール神父が所蔵する祈禱書に興味を向けようとしながら、小柄な教区司祭の帰りを待った。そわそわして落ち着かなかった。気のせいか、なんらかの生物（大きな犬か山羊に違いないと言い聞かせた）が外壁や扉の下をかぎまわっているのが聞こえるようだ……ようやく、小刻みで迷いのない足音が聞こえたときは、たとえようもないほど安堵した。それは、教区司祭が建物につづく小道を歩いてくる音だった。

　その夜、マドックスはよく休めなかった。短くて重苦しい眠りに何度か落ちたが、そのたびに夢を見て、頭巾をかぶった平らな存在に追いかけられた。一度など、忌まわしさのあまり、喉がつぶれたような叫びをあげ、悪寒に震えながら目を覚ました。夢のなかで逃げていたところ、つまづいて顔から倒れたのだが、その下では軟らかくてひやりとするものが蠢《うごめ》いていた——蝦蟇の大群だった……その夢を見てからしばらくの間、彼は眠れないまま横になっていた。だが、やがてまどろみはじめ、起きているとも眠っているともわからぬ状態に陥ると、穏やかならぬ印象を抱いた。部屋にいるのは自分だけではない——なにかがすぐそばで息づき、手探りで、ひそやかに動きまわっているようだ。神経が張り詰めていたため、どうしても勇気が出せず、手を伸ばしてマッチを取ることもできなかった。手でつかんだものが——マッチ以外のなにかだったら？　それがなにかは想像しないようにした。

　夜明け近くになって、不安なまま、浅い眠りに落ち、ぎょっとして目を覚ました。なにかの音に起こされたのだ——愁いを帯びた遠吠えが耳で鳴り響いていた。だが、本当に聞こえたのか、それとも記憶や悪しき夢の一部だったのかは、わからなかった。

　彼は加減が悪そうな、やつれた顔で朝食の席についた。よく眠れなかったので、古い壁での作業はつづけられないと話した。陰鬱な一日だった。屋内ではなにをやっても落ち着かなかった。

しまいには、柔らかな十月の陽光に誘われて、ちょっとの間、早足で散歩しようと思い立った。日が暮れる前には帰るつもりで――それは心に決めていた――ひと気のない渚一帯は避けようと考えていた。

気持ちのよい昼下がりだった。ハリエニシダやヘザーが豊かに香り、陽光は温かく、海の冷気を含んだそよ風はさわやかで、マドックスの心をすばらしく和ませ、静めてくれた。彼は昨夜の恐怖を忘れかけていた――とりあえず、頭の片隅に追いやることはできた。満ち足りた気分で家路についたが――改めて平静になっても、日没後に外にいたいとは思わなかった――そのとき、たまたま白い道に目を落とした。斜陽を受けて、自分の影が前方に細長く伸びている。その影を見た途端、心臓が不意にどきりと大きく脈打った。第二の影がそばを歩いていたのだ。

すぐさまあたりを見まわした。生あるものは見当たらない。うしろに伸びる道にはだれもいなかった。両側では、荒野が広い空に胸を開いている。彼は走り出して、狩り立てられているかのように司祭館を目指した。

その夜、ヴェティール神父が思い切った様子で話しかけてきた。

「ムッシュー」と言った。思いのほかおどおどしている。「わたしはあなたの個人的な問題に首をつっこもうとは思っていません。それはわかってくれますね。でも、わたしは大親友のムッシュー・フォスターに、あなたの面倒を見ると約束しました。あなたがカトリックではないのは承知しています。ですが――これをつけてくださいませんか？」

話しながら、彼は自分の首から細い銀の鎖を取った。鎖には小さなメダルがついていたが、年季が入って黒ずんでいた。彼はそれを客に差し出した。

「ありがとう、神父さん」マドックスはただそう言って、鎖を首にかけた。

「うん！　よくお似合いだ」小男の教区司祭は満足げに言った。「それとですね、ムッシュー、差し出がましいとは承知の上ですが――お部屋を変えさせてくれませんか？　わたしの部屋は、たしかにあなたの部屋ほどよくはありませんが、小さな戸口があって、教会に出入りできるんです。そのほうがよくお休みになれるでしょう。いかがですか？」

「ぜひお願いします」マドックスは申し出に飛びついた。「神父さんは本当に親切ですね」

小男は彼の手をそっとたたいた。

「それはですな、ムッシュー、あなたがとてもよいお方だからです」と無邪気に言った。「それに――わたしはまったくのばかではありません。われわれブルターニュ人は、見ようとしていないものでも目に収めてしまうし、聞こうとしていないことでも耳にしてしまうのです」

「神父さん」マドックスは気まずそうに言った。「お尋ねしたいことがあるんです。ぼくがあの紙を読みあげはじめたときのことなんですが――覚えていますか?」――(教区司祭は不安げにうなずいた)――「神父さんは、あれが召喚のまじないだと言いましたね――彼奴《セルイ・ラ》を呼び出す、と。それはつまり――悪魔のことですか?」

「いえ、そうではありません。わたしには――申しあげられないのです。われわれケルアックの者はあれに名前をつけていません。ただ彼奴《セルイ・ラ》と呼んでいます。お願いですから、あれのことは口にしないでください。話題にするのはよくないのです」

「わかりました。たしかによくなさそうですね」マドックスは言った。会話はそこで終わった。

その夜、マドックスはたしかによく眠れた。朝になると、自分に対して、これにはいくつか理由があったのかもしれないと言い聞かせた。いまのベッドのほうが寝心地がよかったのかもしれない(だが、そうではないのはわかっていた)。それか、昨日は疲れきっていたのかもしれない。あるいは、小柄な教区司祭の贈り物のおかげで、どういうわけか、安全で守られているように感じていたのかもしれない。もっとも、実際は守ってくれる力などありはしなかったのだろうが。彼がいっそう安心したことに、神父はこんな話をしてくれた。

「あした、お客さんがもうひとりいらっしゃいます。ムッシュー・フォスターがわたしの招待を受けてくださって、泊まりに来てくださいます」

「フォスターが? 本当ですか? それはうれしいな」マドックスは声をあげた。彼の印象だが、あの医師は、科学や文明や健全な思考や人生における心休まるものすべてを代表していた。そうしたものが、ケルアックの人里離れた自然には欠如していた。

翌日、果たしてフォスターはやってきた。何事にも動じぬ無骨な男で、実に頼もしかった。マドックスはそうであってほしいと願い、そうでなかったらどうしようかと恐れていた。はじめのうち、フォスターは友人の体調に気がついていないようだった。だが、到着した次の日、彼は用件を切り出した。

「マドックス、きみは健康を取りもどそうと思っているのかね」と言った。「きみがここに来たのは、なによりも空気がいいからだ。適度に運動するように言っただろう。それなのにきみは、ここに引きこもって、こんな狭苦しい建物でふさぎこんでいるじゃないか」(言うまでもないが、ヴェティール神父はこの会話の場には居合わせなかった)「このあたりのなにが気に入らないんだね? 散歩をするにはうってつけの場所だと思うが」

マドックスの顔が少し赤くなった。

「若干退屈なんですよ。ひとりで散歩するのはね」彼は弁解するように言ったが、「退屈」が適切な言葉ではないのはよくわかっていた。

「なるほど……そうかもしれんな。だが、もうちょっと外に出てもいいんじゃないか。私がこうやって来たんだし。昼過ぎになったら散歩に連れていってほしいな。教区司祭は会議がなにかに出かけるらしいんだ」

マドックスは不安になって考えた。フォスターはどこまで知っているのか。やってきたのは偶然なのか? 自分の意思で来たのか? それともヴェティール神父が、はじめて迎えた客を心配して呼び寄せたのか? そうだとしたら、司祭はなんと話したのだろう? その答えはじきにフォスターから引き出してやろうと思った。

ふたりは浜を歩いていった。マドックスも行ったことがないほど遠くまで足を伸ばした。最近は渚を避けていたし、ケルアックに来たばかりのころは、そんなに遠くまで行きたくなかった。ところが、渚のそのあたりには来たことがないとわかっていたにもかかわらず、なんとなく見覚えがあった。たしかにこれはよくある出来事で、はじめて目にする場所を知っているように感じた経験はだれしもあるだろう。だが、その印象があまりに強烈だったので、マドックスは思わず、連れに感想を漏らした。

「くだらんよ」フォスターはぶっきらぼうに言った。「ブルターニュに来たのははじめてなんだろう。それに、こんな遠くまで歩いたこともないと言っていたじゃないか。まあ、風変わりな土地ではないからね。そっくりの場所はほかにも山ほどある」

「そうですね」マドックスはそう言ったものの、納得していなかった。

散歩はつづけたが、彼は連れとして落第だった。帰り道では黙りこんでしまった。フォスターがいくらひやかしても反応はなく、しまいには医師もあきらめてしまった。ふたりは無言のまま司祭館に帰り着いた。

翌日は蒸し暑くて雨模様だったが、どしゃぶりが訪れぬまま時間が過ぎていった。ふたりの英国人はどちらも、こんなに雲が垂れこめていては、散歩をする気になれなかった。ヴェティール神父は、カップ・モレルで病に伏している教区民から再び緊急の呼び出しを受けて、出かけていた。教会を出るときは、防水布の珍妙な服で身を包んでいた。二度目の遅い朝食を終えた、すぐあとだった。彼が言い置いたところでは、せっかくプレヌーフの近くまで行くので、何件か訪問するかもしれないという。そのため帰ってくるのは、おそらく夜になってからだということだった。

「もしおいやでなければですが」彼は出発する前に、思いのほかはにかみながらマドックスに言った。「ムッシュー・フォスターは、わたしが教会に施そうとしている改装工事を見たがるかもしれません。そういうのが趣味なんですよ、ムッシュー・フォスターは。おもしろいと思ってくれるかもしれませんし……」

明らかにお気に入りの装飾を披露したがっていたが、自分で見せたらうぬぼれていると思われそうで、少し心配しているのだ。そこで、マドックスはほほえんでみせた。

「きっと見たがると思いますよ」と優しく言った。

だが、思い当たる理由もないのに、あの崩れかけた壁に近づくのはひどく気が進まなかった。そこに広がる絵にしても一部しか現れていなかった。ばかげているのはわかっていた。あそこで作業をするうちにくたびれた。そして犬の遠吠えにぎょっとした。それだけだ。もう一度見に行ってみればわかるはずだが、あのフレスコ画はへたくそな描きそこないの絵に過ぎない。張りつめた神経や、薄暮の異様な光や、忌々しい犬が、あの絵を不吉でおぞましいものに仕立てあげたのだ。彼は自分に対して請け合った。勇気を出して、もう一度見てみれば、自分自身も恐怖の数々も笑い飛ばせる。だが、頭の片隅では、ひとりで行くことは決してないと承知していた。虚勢と、フォスターの俗世の知恵が恐怖を静めてくれるかもしれないというある種の希望が合わさって、彼はようやくやる気を出し、壁のところに行ってみないかと持ちかけた。

フォスターは、控えめながらも興味を持って、マドックスが崩れた壁の絵について話すのを聞いていた。彼は先に家を出て、手入れの行き届いていない、こぢんまりとした庭に向かった。マドックスは、気乗りしなかったものの、浜で拾った小箱を取りに行った。そうすれば、フォスターは自分の目で両方の銘文を比較できるからだ。その後、マドックスも外に出て、友人のもとへ行ったが、作業していた壁には近づけそうになかった。力をふりしぼってようやく、そちらへ足を向けた。

装飾は記憶していた通りではなかった。人物の絵はあいまいでぼやけており、ほとんど見わけられない。それどころか、マドックスの考えでは、なにも知らない者がこのへたな絵を見ても、人物を描いているとは思わないだろう。そう気がつくと、おかしなほど安堵した。まるで、すさまじく圧倒的な重荷が魂から取り除けられたかのように感じた。さきほどまでの心配が消えると、彼はしゃがんで、絵のほかの部分をじっくりと調べた。だいたい覚えていた通りだ——石の堆積があり、ところどころ判読できない文章がある。その前には海藻だかぼろ布だかの乱雑な塊がある。長く伸びる渚があり——そうか！　これだったのか！

「フォスター！　ちょっとこれを見てくれませんか」彼は言った。

「どこだね？」医師はそう訊いて、ぶらぶら歩いてきた。

「これです——このフレスコみたいなものです。きのう見に行った渚は見覚えがあると言ったじゃないですか。ぼくはこれを見たんですよ」

「ふむふむ。そうかもしれんな……まあ、このあたりの浜はどこもそっくりだからね。興奮するほどのものでもないと思うが」

「なんですって！　そんな話でごまかすつもりですか！」マドックスは叫んだ。激高していた。「あんたがた医者はみんな同じだ——『安静にしなさい』とか——『興奮してはいけません』とか——『心配することはありません』とか……」

唐突に言葉を切った。憤怒のあまり息がつづかなかった。

「マドックスくん！」フォスターは言った。無口な友人がいきなりまくしたてたので、驚いていた。「本当に申し訳ない。きみをけなすつもりは毛頭なかったんだ。私はただ——」彼も言葉を切った。それから心を決め、もう一度怒らせるのを覚悟で切り出した。「なにを思い詰めているんだ？」彼は尋ねた。思わず切迫した口調になった。「教えてくれ、マドックス。きみには友達がついているんだ。いったいなんなんだね？」

期待をこめて話をやめた。だが、マドックスは話せなくなっていた。説明できなかった。彼が知るかぎり、この頼りになる愉快な友人は、あの恐怖が空想の産物ではないことを理解しようとしないし、理解できないはずだ。医師が友人をなだめるところは見るに堪えない……それも内心では「神経症」を疑っているのだ……とはいえ、話せば楽になるだろう……

「これを見てください」彼はついに言った。ポケットから、浜で見つけた箱を取り出した。「この紙をどう思います？」と訊いた。

フォスターは壁の影から出てきた。淡くかすんだ日光がやっとのことで雲を貫き、羊皮紙を照らした。マドックスは、真剣な様子で紙を受け取ってもらえたので、少しほっとした。背を向けると、もう一度絵を調べた。実に奇妙なことだが、そこに描かれていた人物ははっきり記憶に残っていて、前はとても鮮明に見えたのに、いまではひどくぼやけており、実在していたのか疑わしいほどだった。数分前に見たときよりもぼやけているように思える。それに、塚の前に投げ出されている塊は――なにを表しているのか？　彼の頭に疑問が浮かんだ。あれもまた人物の絵ではないのか――もしかすると、溺れた人間かもしれない。からだを曲げて近づいた。そうしてかがむと、そばに気配を感じた。だれかが肩越しに覗きこんでいる。寄りかかるような具合だ。

「妙でしょう、フォスター」彼は言った。「石の下にうずくまっているのはなんだと思いますか？」

　答えはない。マドックスはふりむいた。そして飛びあがった。戦慄の声は喉で消えた。すぐ近くにいたなにものかは、友人ではなかった。浜辺にいた、頭巾姿の怪物だった……

　フォスターは、羊皮紙に強く興味をひかれ、もっとはっきり見えればいいのだがと思った。数分の間、じっと目をこらしていたが、やがて司祭館に入って明かりを探すことにした。古風なオイルランプにはいささか手こずった。だが、ようやく灯をともすと、この文書には苦労しただけの価値があると思った。すっかり夢中になってしまったので、われに返ったのはしばらく経ってからだったが、かなり暗くなっているにもかかわらず、マドックスはまだ帰ってきていなかった。彼はいつになく不安になり、急いで外に出ると、狭苦しくて草ぼうぼうの庭へ向かった。

　彼はぎょっとするあまり、ほとんどパニックになった。だれも見当たらないのだ。これといった理由はないが、ひどくいやな予感がした。その直観にやみくもに従い、駆け足でちっぽけな囲い地を出ると、全速力で浜辺を目指した。彼にはわかっていた。あのひと気のない一帯で目にするものがなんであれ、それは古い壁に描かれていたものだ、と。

　残照がいまもかすかにきらめいていて――いくぶん混乱した光を生み出しており、フォスターは、名状しがたい恐れに理性を失いかけていたせいで、実体を持つものと影の見わけさえつかなかった。だが、一度だけ、前方にふたつの人影を見かけたように思った――片方は男だ。もう一方は、長身の揺らめくなにものかで、薄闇にほとんど溶けこんでいた。

砂が足にまとわりつき、鉛のように感じられた。彼は悪戦苦闘しながら進んだ。息があがって、肺が張り裂けそうだ。ようやく砂がごわごわした草に変わり、それから海水を含んだ沼地となった。泥があふれ出して靴を飲みこみ、水が踝《くるぶし》に打ち寄せた。潮だまりがそこかしこにある。彼がもがき、粘性のぬかるみから足を引き抜いているうちに目にしたのは、蝦蟇か膨れあがった魚のような、気味の悪い生物だった。水中の軟泥にまみれて、のろのろと蠢いていた。

ほとんど日が沈み、彼は見覚えのある、細長い浜辺にやってきた。恐ろしい一瞬の間、手遅れだと思った。石の堆積があり、その下には黒い塊がわだかまっている。なにかが——あれは影か?——揺らめいている。長身のおぼろげなもので、石の山の上にいる。その前には得体の知れぬものがうずくまっていて、フォスターは凍りついた——でこぼこして膨れあがった、ばかでかい蝦蟇のようななにかだ……

彼は絶叫して、忌まわしい泥から足を引きあげた。泥はコルク栓が抜けるような音を立てて、息をついた——彼は助けを求めて絶叫した……

そのとき、突然、声が聞こえた——人間の声だ。

「In nomine Dei Omnipotenti（全能なる神の御名において）……」その声が叫んだ。

フォスターはもう一度力をふりしぼったのち、膝をついて倒れた。血流が耳でうなっていたが、脈拍が響きわたっていてもなお、犬の遠吠えめいた音が遠ざかっていくのは聞こえた。

「慈悲深き神の思し召しで、わたしはあそこに居合わせたのです」ヴェティール神父はあとでそう語った。「渚に行くことはそう多くありません——ケルアックの人間はみなそうなのです、ムッシュー。暗くなってからは近寄りません。ですが、遅い時間でしたし、渚のそばの道を通るほうが早いのです。いや、実のところは聖人のお導きだったとさえ思っています……とはいっても、わたしの恐れがもっと強くて、あの道を行かなかったら——本当に恐れていたのですよ、ムッシュー——お友達の命はもうなかったでしょう」

「おっしゃる通りです」フォスターはまじめに答えた。「いや、参った。神父さん、あと少し——あと少しで手遅れになるところでした。sacrificium hominum（生贄にされし人）。あの忌まわしい紙にはそう書いてあった……私は——汚らわしい化け物が待っているのも見た……マドックスは、あのいやらしい祭壇だかなんだかの前に横たわっていた……。それにしても、なぜなんです、神父さん？　なぜあいつは彼に力を及ぼしたんでしょうか？」

「私見ですが、彼が読んでしまったからでしょう――召喚のまじないを――声に出してしまったからです」教区司祭は途切れがちに言った。「彼は呼びかけたのです。おわかりですか、ムッシュー――銘文を口にしたんです。彼が最初に見たものは――しばしば目撃されています。あれには慣れっこなのですよ、ケルアックの人間は。わたしたちはあれを彼奴《セルイ・ラ》と呼んでいます。ですが、わたしが思うに、あれはただの従者です。主は――あのもう片方の……」

「なるほど」フォスターはまじめに言った。「司祭さんは勇敢ですね。できることなら、もう一時間だってここにはいたくありませんよ。かわいそうなマドックスが移動できるようになり次第、いっしょに帰国しようと思います。ここにひとりで住むなんて、とてもじゃないが――！」

「あなたがたは行かれるがよろしいでしょう」ヴェティール神父は厳《おごそ》かに言った。「ですが、わたしは――そうはいきませんね、ムッシュー。ここはわたしの持ち場です。おわかりですかな。それに、ひとは祈ることができます――いつだって祈れるのです」

怪談はお好き？

ウィッティントンの猫

Whittington's Cat

エレノア・スミス　Lady Eleanor Smith

熊井ひろ美訳

エレノア・スミス（一九〇二―四五）は、日本では「船を見ぬ島」一作のみで知られているが、イギリスでは一九三〇年代に活躍したジャーナリストであり、演劇や映画、サーカス、バレエなどのコラムをさかんに書いたことで著名である。創作ではロマンス小説や歴史小説を得意とし、映画化されたものも多い。怪奇小説は短編集*Satan's Circus*（1932）にまとめられているが、本作は同書が二年後にアメリカで刊行されたさいに追加され、イギリスではながらく幻の作品とされていた。作者得意の演劇を題材に、類を見ない怪異を描いた好編である。

マーティンという名の若い男が、ほぼ毎晩、地元のパントマイム（イギリスのパントマイムは無言劇ではなく、主にクリスマスシーズンに上演される家族向けの滑稽劇のこと）を独りで観に行っていた。たいてい二階正面の特等席に座るのだが、一階前方の一等席のときもあり、舞台脇のボックス席に――やはり独りきりで――座る姿も一度ならず目撃されていた。プログラム売りの娘たちは彼の顔を覚えていて、たびたび噂していた。その常連ぶりが、娘たちの目にはいささか風変わりに映っていたからだ。とはいえ、娘たちはいつも、プリンシパル・ボーイ（男性の主役を演じる女優）かプリンシパル・ガール（女性の主役を演じる女優）のどちらかに彼が恋しているに違いないという結論を下していた。ほかにすることがないときには、どちらが彼の目に留まったのかについてしょっちゅう賭けをした。もちろん、その目がほかの誰かに向けられていたのであれば話は別だが——たとえばコロンビーナ（道化役の恋人役）とか、妖精の女王とか……。

マーティン自身は、彼女たちの好奇心にまったく気づいていなかった。また、誰かに恋していたわけでもなく、もし恋する相手がいたとすれば、マレーネ・ディートリッヒ（一九〇一―九二 ドイツ生まれの米国の映画女優、歌手）ぐらいだろう。彼がそれほど足繁くバーフォード劇場に通っていた理由は、実のところ、純粋に審美的なものだった——『パントマイムは時代を超えて』という題をつける予定の本を作ることに没頭していたのだ。

そもそも、いったいなぜそのようなテーマに彼が魅力を感じたのかは、理解不能だ。パントマイムのことはなにも知らなかったし、その方面で手助けしてくれそうな知り合いがいるわけでもなかった。彼がわかっているのは書きたい衝動を感じているということだけで、しかも、ほかならぬこのテーマについて書きたい。ゆえに、こうして夜な夜な、バーフォード劇場に通っていたのだ。

その年の秋の初め、地元の骨董屋を訪れた彼は、パントマイムの人気演目の登場人物が描かれた一連の版画を偶然見つけ、スパンコールが貼られたその小さな絵のきらびやかさと華やかさに魅せられて、まとめて買い込み、寝室の壁に掛けていた。そしてそれらを本の挿し絵として転載しようと心に決めていたので、版画のコレクションへの愛着が本のテーマ選びに影響したのかもしれないと考えられる。

いったいどうしてマーティンがわざわざ本を書くべきだったのか、とくに理由はなかった。金持ちで、働く必要のないご身分だったのだ。バーフォード界隈では格好の結婚相手とみなされていて、適齢期の娘をもつ母親たちの熱い視線がたびたび彼に注がれるのだった。

ご本人の母親は彼がまだ幼いころに亡くなっており、父親は元工場主で、息子がなに不自由なく暮らせるだけのものを遺してこの世を去り、それから一年ほど経ったころパントマイム熱が明らかになったというわけだ。

当時のマーティンにとって、日々の暮らしは単調ではあるが快適だった。先祖代々の家はバーフォード郊外の高級住宅地に建つ住み心地のよい大邸宅で、身の回りの世話はすべてレンショー夫妻がおこなっていた。召使と料理人の夫婦で、長年にわたって彼の父親に仕えていたのだ。彼の暮らしは、孤独なものになりがちだったのかもしれない。まだ二十五歳という若さだった。田舎の社会が退屈に思えることもあり、そんなときはロンドンで暮らそうかとか、世界一周クルーズに出かけようかとか、モンテカルロで一冬過ごそうかなどと考えてみたりした。

だが結局のところ、彼はいつもあまりにも臆病で、あまりにも保守的すぎて、そんな途方もない冒険に乗り出すことなどできないのだった。なんといってもバーフォードは、先代の父親にとっても、その前の代の祖父にとってもじゅうぶん満足できる場所だったわけだし、それに彼は、ロンドンに行けば現状よりもいっそう孤独な気分になるかもしれないという奇妙な考えをもっていた。バーフォードでは誰でも、少なくともバーフォードの有力者は誰でも知り合いで、彼は定期的に外で食事をして、商人たちから尊敬されて、毎週日曜には教区教会に顔を出して好印象を与えていた。

　いつかは自分も結婚し、子をもうけて、家名を継がねばならないのだろうと思っていたが、その考えが頭に浮かぶたびに、いささか落ち着かない気分になった。それというのも、少しでも心を惹かれる相手に出会ったことが――かかりつけ医の姪御さんだけは例外だが――いままで一度もなかったからで、生まれつき内気なせいで、女性の前でくつろいで見せるのが難しいのだ。そういうことを考えたあとは必ず、自分は崇高な禁欲生活を送り、文学研究に生涯を捧げようと決心するのだった。そんなころに例のパントマイムの版画を見つけて、その瞬間から運命は保証されたように思われた。

　残念ながら、かの名高い本は決してすぐ実現する代物ではなかった。彼は前々から、少なくとも五年間は執筆に専念することになるだろうと考えていたが、やるべきことの膨大さとこのテーマに対する自分自身の無知さ加減について思案するたびに、仕事の期限としては十年間でも楽観的かもしれないと思ってしまうのだった。

　そして現在、彼は毎晩バーフォード劇場で「ディック・ウィッティントン」（有名な民話が原作のパントマイムで、無一文の若者が飼い猫のおかげで大金持ちになる話）を観ているのだが、執筆を開始する段階にすらほとんど近づいていないことに気づいて本当に落胆していた。パントマイムの技巧に集中しようとするたびに、あまりにも多くのくだらない事柄で頭が一杯になってしまう気がするのだ。たとえば、プリンシパル・ガールの咽頭扁桃《アデノイド》について推測せずにいられなくなり、なぜ子供のころに摘出してもらわなかったのだろうと思ってしまう。プリンシパル・ボーイの歌の音程が頻繁に下がるので、そのたびにいらいらする。デイム（滑稽なおばさん役で、男優が演じる）は少しばかり酔っぱらっているのではないかと疑うこともあった。

　こういう人々の誰かと、なんとか顔見知りになることもできたはずだとは、彼は思いもしなかった。いずれにしても、臆病すぎて最初の一歩が踏み出せなかっただろうし、実のところ、人間としての彼女たちにも俳優としての彼女たちにも興味はなく、クリスマスのパントマイムの伝統的な登場人物として興味があるだけだったのだ。

一月初めの凍えるようなある日、彼はレンショー夫人に、今夜も夕食は六時にとると告げた。

「かしこまりました」夫人は礼儀正しく答えたが、戸口でなにやらためらっている様子で、まだ話が済んでいないのだなと彼は気づいていた。その憶測は正しく、夫人は少し咳払いをしたあと、さりげなくこう尋ねた。

「またパントマイムですか、マーティンさま？」

ばかげた振る舞いだとレンショー夫妻に思われているに違いないと彼は気づいていたので、そっけなく「ああ」と答えて、この件がこれでおしまいになることを願った。

そしてどうやらそうなったようで、レンショー夫人は話題を変えてくれた。「マーティンさま、ゆうべはあの猫のせいで寝つけなかったのでは？　そうでなければよろしいのですが」

「あの猫とはなんのことだ？　なにも聞こえなかったが……」

「屋根の上で一晩中、遠吠えしていたのですよ。レンショーが靴を投げつけたら、少しの間だけ黙りましたがね」

「いや、なにも聞こえなかった」マーティンは繰り返して言った。

彼はこの話題にうんざりしていた。どんなに調子のいいときでも、猫は嫌いだったからだ。レンショー夫人を追い払いたくて、「じゃあ、六時に」と付け足した。

今度は夫人も立ち去った。

その晩、マーティンは二階正面の特等席の最前列に座り、ディックとアリス・フィッツウォレン（ディック・ウィッティントンの恋人）とバグダッドの皇帝の苦難を見物した。上演中に、バーフォード劇場に通い続けていればいつか起こると最初からわかっていた出来事に出くわした。生まれつき内気な彼はそんな恥ずかしい体験など避けたくてしかたがなかったのだが、多くの人々にとっては、もしかすると彼より度胸のない人でも、彼の恐れていた出来事はそこまで怖いとは思えなかっただろう。

ある場面の最中に、ディック・ウィッティントンの猫が舞台を離れてボックス席によじ登り、そこから二階席のバルコニーにぶら下がった。二階席で猫はいつも観客の誰かをからかい、全員がそれを見て大喜びするのだ。

いま、からかい相手に選ばれたのはマーティンで、おかしなことに彼は、その夜が始まったときからこうなると知っていた。彼が真っ赤になり、手すりを両手でしっかりつかんでいるところへ、猫がまっすぐ這い上がってくるのを見て、少年たちは腹を抱えて笑った。マーティンの真向かいで猫は動きを止め、バルコニーにまたがってバランスをとり、猫のお面を突き出したので、あまりの近さに彼が身をすくめると、間抜けな若者の困惑ぶりを見て観客は歓声をあげた。

猫は黒い毛むくじゃらの着ぐるみを着ていた。とてつもなく大きく見えて、まるで巨人のようなそれが彼をじっと見つめていて、頬ひげがもじゃもじゃ生えたお面に隠れた人間の顔はまったくわからなかった。彼がひるみながらも不気味な作り笑いを浮かべようとすると、猫はさらに近づいてきて、こうささやいた。

「哀れなトムは寒いよぉ……」（シェイクスピア「リア王」第三幕第四場）

そして猫は姿を消し、来たときよりも素早く去っていった。

その晩の残りの時間、マーティンは自意識過剰になっていた。もう二度と二階正面の特等席には来るものかと心に決めた――地元の有名人である彼にとって、こんなあざけりは耐えられなかったのだ。彼は家に帰り、少しメモを書き留めて、ビールを自分でグラスに注いだ。それを飲み終わるころ、脇に置いてある帳面の開いたページが目に留まった。そこにはこう書かれていた。

猫皮の起源

この毛むくじゃらでファウヌス（ローマ神話の林野牧畜の神で、上半身は人間で下半身は山羊）に似た衣装が登場し、猫の化け物がパントマイムに取り入れられたのは、悪魔信仰または悪魔崇拝の時代にまで遡ると考えられている。猫は……

彼はその一節をもう一度読み、首を横に振った。これはまるっきり憶測なのだから。彼は帳面を閉じて、ベッドに入った。

その晩、彼の眠りは途切れがちで、夜明け直前に目が覚めたとき、前にレンショー夫妻の眠りを邪魔した例の野良猫の遠吠えがはっきりと聞こえた。いずれにしても、あまりにも眠くて心地よすぎたので、たいして気にかけることもなく、彼は枕に頭を沈めて、じきにまたうとうとと眠り込んだ。そこで夢を見た。曖昧で困惑するような夢で、その中で彼は再びあの劇場の特等席にいて、あのパントマイムの猫が、お面を突き出して彼の顔に近づけて、耳元でこうささやいたのだ。「哀れなトムは寒いよぉ」

朝になって目覚めたとき、彼は自分自身が寒いことに気づいた。眠れぬ夜の間に寝具が床に落ちてしまっていたのだ。晴れて凍てつくような朝で、窓一面に氷の花が広がっていた。彼は朝食を美味しく食べたあとで、昼食は一番古い友人と一緒にとることになっているのを思い出した。つまり、彼が生まれたときに取り上げてくれた医師だ。

　ブラウニング医師は頭の切れる小男で、見た目はしなびたラセット種の林檎にいささか似ていた。ちょっとした美食家で、グウェンという名の可愛らしい姪もいるので、マーティンは彼と昼食を共にするのをいつも本当に楽しんでいた。

　今日の昼食は二人きりだった。グウェンはロンドンのおばの家でクリスマスを過ごしていたのだ。

「まだパントマイムに入り浸りなのかな、マーティン？」医師がひやかすように尋ねた。

「ええ。ほとんど毎晩行っています」

「あんな安っぽい芝居のどこがそんなに魅力的なのか、ぜひ教えてくれないか？　その子はブロンドなのかね、それともブルネットか、あるいは鳶色の髪の子かい？」

「ですから、先生、この話をするのはもう五十回目ですけど――」

「ああ、例の名高いご本のことならすべて知ってるとも。しかも、言わせてもらえば、実にうまい口実だな。わたしも外科医を開業する代わりに著述業を始めとけばよかった」

　医師がいつものようにマーティンをからかうのに夢中になっている間に、厄介なことが起こった。この家に飼われているものぐさな大型のトラ猫が、なんの気まぐれか、テーブルの下からいきなり客人の膝に飛び乗ったのだ。マーティンは恐怖のあまり絶叫し、手を振り上げて哀れなタビサを膝の上から乱暴に放り出したので、タビサは怒りの金切り声をあげて部屋から飛び出した。

「本当にすみません」マーティンは叫んだ。彼はすでにぱっと立ち上がっていて、ナプキンを振り回さんばかりに剣のように握りしめていた。

「そんなに手荒く扱うことはないだろう！」と医師がなじった。タビサをたいそう可愛がっていたので、彼女が怒るのを見るのがとても嫌だったのだ。「ちょっと神経過敏なんじゃないか？」

「本当にすみません」マーティンは再びそう言った。

　彼は腰を下ろしたが、信じられないほど恥ずかしい気分だった。

　医師は前の質問を繰り返した。

「いいえ」マーティンはそれに答えて言った。「ぼくの神経はちっとも過敏ではないんですよ、本当に。ただ――猫を見ると、いつもぞっとしてしまうので。ばかばかしく聞こえるでしょうが、正直言って事実なんです」

「パントマイム――猫――お次はいったいなんだ？」医師は言い訳にやり返した。「なんとまあ、マーティン、いま見ているだけでも、きみは気難し屋になりかかってるじゃないか！　ちょっとバーフォードを離れてみてはどうかな――旅に出て――世界を見て回って――ほかの若者と会ったらどうだ？　まったく、猫がぞっとするとはね！」

　そして医師はフンと荒っぽく鼻を鳴らし、その結果、客人はむっとして憤りを感じたため、昼食はたちまち台無しになってしまった。

　それでもなお、マーティンはその晩もまたパントマイムへ出かけた。

　彼はたった独りでボックス席に座り、パンタロン（道化の相手役の老いぼれ）の起源を予想してあれこれ考えていたのだが、そのとき恐るべきことが起こった。そしてそれは、まさにひどく恐るべきことだった。舞台の上では、早変わりの場面が進行していた。金ピカの薔薇の花々が次第に金色のあずまやに変わり、小妖精たちが踊り出したとき、彼は突然、首に誰かが触ったのを感じた。その感触は言葉で言い表せないほどおぞましく――実に柔らかく、実にひそやかなのに、接触があったことはあまりにも明白で、触れたのは人の手ではなく、肉球の付いた、クッションのような前足だった。振り返ると、あの猫が上からかがみ込んでいた。ボックス席の暗闇の中で、猫の目がエメラルド色に光っていた。瞬時にマーティンは、ぎょっとするような事実に気づいた――その猫はもはや毛むくじゃらの着ぐるみを着た俳優ではなく、本物の猫、巨大な猫、身長が六フィート近くある猫だったのだ。

　マーティンはぱっと立ち上がった。気が遠くなったが、大声をあげる気は毛頭なかった。猫は、思わせぶりにあの言葉を繰り返した。「哀れなトムは寒いよぉ」そして前足を彼の肩に置いて、明らかになだめるようにぽんぽんと叩き、そのむかつくような滑らかな愛撫を受けると、彼の意志が急に力を失っていった。もう自分の意志はなく、一瞬にしてすべてを明け渡してしまったのだ。

　彼の意志は、黒い波のように速やかに移動して、すでに猫の中に入り込んでいた。

　彼は無言で連れを見つめて、なにを求められているのかわかるまで待った。

　すると猫は、片方の前足で、彼のオーバーコートを指差した。ボックス席のコート掛けに、帽子とマフラーと一緒に掛けてある。この仕草がどういう意味か、彼は漠然と理解した。猫はここから脱出することを望んでいて、その企てを成功させるには、人間の外見に変装するしかないのだ。

　彼はオーバーコートを取って、連れのほうへ差し出した。猫はゆっくりと、蛇のように、コートの中に体を滑り込ませた。マフラーを顎のあたりに器用に巻きつけると、黒い顔の少なくとも一部は隠れて、フェルト帽を耳の上から目深にかぶれば、さらに多くの部分が隠せたので、ボックス席の奥の鏡で自分の姿をじっくり見てから、猫はマーティンに身ぶりで合図をした。

「帰る」猫は手短に命じた。

　するとマーティンは、いまではもうマーティンというより生きている操り人形か、服従することだけを教えられたロボットなのだが、気づけばボックス席の扉を開けて、連れを先に行かせようとしていた。猫は、ほとんど無頓着な態度でこの扉の外に出た。オーバーコートの下からふさふさした黒いしっぽが突き出ていなければ、真面目なバーフォード市民で通っただろう。

　外は雪が降っていた。

　降りしきる雪であたりはかすみ、舗道はすでに粉砂糖をまき散らしたかのようだった。

　猫はマーティンのそばを静かに歩いていた。

　これはぞっとするような悪夢で、ほどなく目が覚めるのだろうか、とマーティンは思った。びくびくしながらも好奇心から、ちらっと後ろを振り返った彼は、猫の足跡を奇妙なほど平然と観察した。雪の上につけられた彼自身の足跡の横に、丸くて肉球の付いた跡がくっきりと残っていて、それは人間ではなく、巨大なけだものの足跡だった。彼は身震いをした。どちらも無言のまま歩き続けた。やがてマーティンの家に到着し、彼は素直に玄関の鍵をごそごそと探しながらも、ここから逃げたいと必死で祈っていた。

　この悪霊を、この妖怪を、快適で平凡で安全な我が家に持ち込むことなど、どうしてできるだろう？　すると一瞬、彼の無気力が野生動物のおびえながらの激しい反抗に変わり、そこで振り返って猫と向き合ったが、舌は上顎に貼りつき、膝は震えていた。

「おまえなんか――」

　だが二つの目が、はめ込まれたまばゆいエメラルドのごとく、彼自身の目をサーチライトのようにじっと見つめ、するとたちまち彼の反抗心は弱まり、そのため再び、自分の想像力が俳優の衣装から作り出したこの化け物の奴隷となってしまった。猫のほうが先に敷居をまたいで足を踏み入れたとき、それがこの奇妙な経験における重大な瞬間なのが彼にはわかった。そのとき、猫が我が家の主人になるということを実感したのだ。

彼は家の中に入り、扉を閉めた。

猫はとてもゆっくりとオーバーコートを脱ぎ、帽子とマフラーを外した。それから伸びをしたので、動きのさざ波が全身に広がり、それを見た彼は、友達の家の暖炉前の敷物の上でまどろむ何匹ものトラ猫がこんなふうに伸びをしていたのを思い出した。

猫はこう言った。「夕食は？」

その声の特徴をはっきりと示すことは、どうやっても無理だった。どんな声かと訊かれても、説明できなかっただろう。しゃがれていたか、猫の遠吠えのようだったか、甲高い声か、どら声か？　もしかすると、声というよりむしろ、猫自身の欲求の不気味な投影で、それを彼が完璧に理解できているのか？　猫の謎めいた心が、解釈できる形で投影されているのだろうか？　彼にはわからなかった。わかっているのは、自分がなにやら忌まわしい催眠状態で動き、話し、考えているということだけ。猫の意志に絶対服従している。胸がむかむかした。もしそう命令されていたら、自分の喉をかき切っていただろう。

「どんな夕食だ？」

そして、さらに言えば自分自身の声も、まったく聞き慣れない声に思えた。きしむようなしゃがれ声で、はるか遠くから聞こえてくるような気がする。もし自分をつねったら、この悪夢の引き起こしたすべてから目覚めるかもしれない……彼は自分をつねってみたが、なにも起こらなかった。悪夢はまだそこにあった。

猫は、じっくり考えているようだった。

「魚、それからミルク」ようやく答えが返ってきた。

彼は自分にこう言い聞かせようとした。「大丈夫。魚とミルク——もちろん、当然さ。こいつはごく普通の猫なんだ。心配することなんて、なにもない」

そして、声に出してこう言った。「食堂に来てくれるか？」

猫はすぐに彼のあとをついて行き、その立派な部屋に入った。マーティンの父親がよく独りでポートワインを飲んでいた部屋だ。猫は席に着いた——一家の主人の席に。ふさふさしたしっぽが椅子の後ろから突き出ていた。猫は次のように言い、その声の抑揚に、彼はまたしても脅しを感じ取った。

「ぐずぐずするな。トムは腹ぺこなんだ」

彼は、いつの間にか食料貯蔵室に来ていた。鰯の缶詰と、半身のロブスターと、ミルク一瓶が見つかった。彼は急いで食堂へ戻った。

猫は食べた――ほかの猫と同じように。ほかの猫と、まったく同じように。それも彼が安心できる点になったはずなのに、そうはならなかった。食べ終わると、猫は念入りに顔を洗った。またしてもほかの猫と同じように、大きな肉球をなめながら。

猫はマーティンを見た。

「哀れなトムの部屋はどこ？」

彼はこの質問に驚きはしなかった。連れが玄関に入った瞬間から、泊まるつもりなのはわかっていたのだから。こんな泊まり客がいたのでは、自分はとても眠れないだろうということもわかっていた。

「案内しよう」と彼は言った。「予備の寝室は三つある」

彼らは無言のまま、寝室のある階を見て回った。各部屋の戸口で猫は立ち止まり、中をのぞき、首を横に振った。一つの部屋は寒すぎて、もう一つの部屋は向きが悪く、三つめの部屋はじめじめしているようだった。

「おまえの部屋を見せろ」

そういうことか！　彼はその瞬間、最後に残ったごくわずかな反抗心が、あるいは勇気が、あるいは自尊心が現れるのを待ち望んだ。だが、無駄だった。彼の意志は、いまもなお猫の意志と同じだった。命じられたら従わねばならない。この憎むべき隷従を捨て去ることはできないのだから。

「ここがぼくの部屋だ」

猫は、大きく燃え盛る暖炉の火を、ふかふかのベッドを、暖かなカーテンをちらっと見て、この心地よい部屋がもたらす贅沢と安心感を垣間見た。

そして、にやりと笑ったように見えた。

「ここでいい」

すると一瞬のうちに、忌まわしい黒の毛むくじゃらがマーティンのベッドの中に滑り込んでいて、彼の絹の羽布団にもぐり込み、彼の枕にひげもじゃの顔を横たえていた。彼は追い出されてしまった。いまや猫が主人なのは間違いない。

彼は一番遠くの予備寝室に戻り、自分でベッドを用意した。その晩はのろのろと過ぎていった。怖すぎて眠れなかったし、たとえ眠りたかったとしても、屋根の上にいる猫たちの物悲しい鳴き声がひっきりなしに聞こえていたので、まどろみを邪魔されていただろう。

翌朝、レンショー夫人はいつになく早い時刻にマーティンに起こされた。彼は真っ青な顔で、紅茶を一杯要求した。それから、ためらうような口調でこう言った。

「ミセス・レンショー、今日は二人ともぼくの部屋に近づいてほしくないんだ」

レンショー夫人はびっくりしたようだった。

彼は話を続けた。

「あの――実を言うと、ゆうべ古い友達に会ったんだよ。彼は――彼は病気なんだ。ひどく寒気がしていて、おまけに隔離中でね――猩紅熱で。ぼくが自分で看病するから、ほかは誰も近くに来てほしくないんだよ」

レンショー夫人は、びっくりした顔のままだった。そして、ようやくこう言った。

「ですが、わたくしは猩紅熱にかかったことがあるのですよ、マーティンさま。ですから、なにかお困りでしたら――」

彼は荒々しく言葉をさえぎった。

「友達の世話はぼくがする。家中に黴菌をまき散らされたくないんだ。さて、朝食に鱈を用意してくれないか？鱈をいくらかと、温めたミルクをグラスに一杯……」

「いったいマーティンになにがあったの？」一週間ほど経ったころ、グウェン・ブラウニングがおじにこう尋ねた。

医師は、クロスワードパズルからわずかに視線を上げた。

「彼になにかあったとは知らなかったな。もう二週間ぐらい会っていないんだから」

「そう、そのことよ」と姪は言った。「わたしがロンドンから戻ったあと、一度も会いに来てさえくれないんだもの。電話をかけて、お夕食に誘ってみましょうか？」

「ああ、それはいいね。ぜひ誘ってみなさい」

医師は、これが初めてではないが、もしマーティンが自分の姪と結婚してくれたらどんなに嬉しいだろうと思ったものの、すぐにクロスワードパズルに没頭し、二人のことなど忘れてしまった。

「マーティンさまはお電話に出られないと思います」その後まもなく、レンショーが慎重な口調でグウェンにこう伝えた。

「どうして？　お家にいらっしゃるんでしょう？　切らずに待つわ」

「お二階にいらっしゃいます。手が離せないご様子でして。ご伝言をいただけますか？」

グウェンは伝言を託したが、肘鉄砲を食らったような気がしないでもなかった。その日の午後、レンショーが電話をかけてきて、マーティンは残念ながら夕食にはうかがえないと言った――ひどい風邪をひいていて家から出られないというのだ。

「一日か二日したら、また誘おう」と医師は言った。「そして、マーティンが風邪なのは不思議ではないと付け加えた――記憶にないほど不安定な天気が続いていたからだ。

　その同じ日の夕方、日没の直前に、医師が往診を終えて家に帰る途中で、反対側の歩道から猫の餌肉売りのおなじみの物悲しい売り声が聞こえた。医師はすぐさま道を渡った。いつでも進んでタビサにごちそうをやっていたからだ。ところが、少し遅すぎた。彼が近づいたとき、餌肉売りが別の客にこんなことを言うのが聞こえたのだ。

「それで全部ですよ、旦那。今日はもう売り切れです」

　その客が振り返り、医師を見ると、すっかりうろたえた顔をした。それはマーティンで、彼のポケットには猫の餌肉がぱんぱんに詰め込まれていた。

「風邪をひいているんじゃなかったのかな？」医師は辛辣なユーモアをまじえて言った。

　マーティンはためらった。そしてようやく、口ごもりながら答えた。「ひ――ひいてますよ」

　医師はそのとき突然、たそがれ時の薄明かりでも若者がやつれて具合が悪そうに見えることに気づいた。

「家にいるべきなんじゃないか」

「ちょうど帰るところです」

「いったいどうして外に出てきたんだい？　こんなに東風が強いのに。まさか、猫の餌肉を買うためだけじゃないだろう？」

　そして医師は、自分の冗談に大笑いした。

「では、失礼します」マーティンがぼそぼそ言った。

「いや、曲がり角まで一緒に帰ろう」

　二人は黙って歩き始めた。

「気分が良くなったら、夕食を食べに来てくれよ。グウエンがこっちに戻ってから、まだ会ってないだろう」

「グウェンは元気ですか？」マーティンが気だるそうに尋ねた。

「元気だとも。でも、きみは前に会ったときより痩せたね、マーティン。診察しなくても大丈夫かい？」

「いやいや、本当に平気なんで」とマーティンは言い張り、あまりにも激しい口調なので、医師はもう少しで気分を害しそうになった。けれども、医師は温厚な人柄だった。若者のことをかわいそうに思い、しばらくしてから別の話題を切り出してみた。

「きみはおそらく、愛しのパントマイムで風邪をもらってきたんだな」

「もう一週間は行ってませんよ」

「ところで、パントマイムといえば、先日あの劇場に奇妙な泥棒が出たという記事は読んだかね？」

「いいえ。なにがあったんですか？」

「ディック・ウィッティントンの猫は覚えているかい？　まあ、もちろん覚えてるだろうな、毎晩通っていたんだから。それが、どうやら誰かが開演直前にあの猫の着ぐるみを楽屋から盗んだらしくて、猫役の俳優はかわいそうに、人間の格好のままで演じなければならなかったんだ。翌日にロンドンから別の着ぐるみを取り寄せたものの、ここからがおかしな話なんだが、もう一着のほうはちっとも見つからないんだよ。きみがそれを見てないとはね！」

　ここで医師は、空気に話しかけていることに気づいてびっくりした。マーティンは角を曲がったところで並外れた素早さで消え失せていて、一言の挨拶もなかったのだ。

「あの坊やはいかれてるな」その後、医師はグウェンにそう言った。「まったくもって、いかれてる。ふらふらさまよい、死人みたいな顔をして、猫の保護施設一軒分以上の餌肉を買って、わたしを、生まれたときに取り上げてやったこのわたしを、実にけしからぬ無礼な態度であしらったんだからな！　わたしから逃げ出したんだぞ、本当に！　すっかりいかれてる！」

　グウェンはこう言った。「でも、マーティンは猫が大嫌いなのよ」

「いかれてるんだよ、本当に」医師は繰り返した。

「でも、彼は本当に猫が大嫌いなの。ひどく怖がってるのよ。タビサと同じ部屋にいることさえできないんだから」

「あの若造のことは、これ以上話したくないな」

　ところが、マーティンの件はこれで終わりでは決してなかった。とはいえ、このとき医師は本当に片付いたと思い込んでいたのだが。

　翌朝、グウェンとおじが朝食をとっている最中にレンショーが来て、いますぐお会いしたいのですがと頼んできた。

「中へ入ってもらいなさい」と医師が言った。「それから、紅茶のお代わりを頼むよ、グウェン」

　グウェンは言われた通りにした。

「わたしは席を外したほうがいいかしら？」彼女は、動揺している様子のレンショーに尋ねた。

「いえ、お嬢さま、別にかまいません。つまり、お話ししなければならないのは個人的なことではありますが、それでもブラウニング先生だけでなくお嬢さまにも聞いていただけるならありがたいですし、家内もきっとありがたく思うはずです」

「インフルエンザだな？」医師はマーマレードを塗ったトーストを食べながら尋ねた。

「病気ではないのです、先生、屋敷の者は誰も。少なくとも、わたしどもの知る限りでは。ですが、このままだと、家内はじきにそうなるでしょう」

　医師は、関心があるような様子を見せ始めた。

「座ったらどうかな、レンショー。なにが心配なのか、ゆっくり話してくれたまえ。あせらなくていい――いまのところ、とくに急ぎの用もないからね。マーティン君の件だろう？」

「ある意味ではそうです」レンショーは慎重な口ぶりで認めた。

　彼は言われた通りに椅子に座り、話を始めた。

「一週間以上前、マーティンさまがわたしどもに、ご自分の寝室でお友達が病気で寝込んでいるので、中に入るなど邪魔をすることのないようにとおっしゃいました。その殿方は古くからのお友達だそうで、風変わりな方で――使用人がお嫌いなので、マーティンさまが運んだ食べ物しか召し上がらないとのことでした」

「その謎めいた友達が来たときに、姿は見たのかい？」

「いえ、見ておりません。ある夜遅くに、マーティンさまと一緒にいらしたのです。その方がお泊まりなのを、わたしどもは翌朝まで知りませんでした。妙なことだとは思いましたが、マーティンさまのおっしゃる通りにいたしました。家内がお食事を作り、それをいつもマーティンさまがお部屋に運んで、マーティンさまは予備の寝室で寝ていらっしゃるのです。とうとうわたしは、わたしどものどちらかがその殿方のところへ行ってはいけませんか、と尋ねました。せめてお掃除をして、ベッドを整えるだけでも、と」

　彼は言葉を切った。

「それで？」

「それがですね、先生、マーティンさまは、恐ろしいほどの癇癪を起こされたのですよ。真っ青になって、わたしを怒鳴りつけて、ののしって、簡単な英語もわからないのか、とおっしゃいました。もしおまえたちのどちらかがあの寝室のそばでぐずぐずしているのを見つけたら、違う手はずを整えねばならない、とおっしゃったのです。そこでわたしは、あの殿方はいつまでお泊まりになるのですかと尋ねたのですが、マーティンさまはまたしてもかっとなりました。おまえの知ったことではないとおっしゃり、部屋から出ていって口出しするなと命じられました」

「それからどうなった？」医師は先を知りたがった。

「ここ数日、マーティンさまはずっとお顔が青白く、すっかりぴりぴりしていらっしゃるご様子なのです――いつもとは大違いです。その上、家内に文句を言い続けていらっしゃいます。あの殿方のお食事のことでして――これでは食べてもらえない、あの殿方のご機嫌をとらねばならない、とおっしゃるのですよ。以前は家内の料理に文句をつけたりなさることは一度もなかったし、ほかの誰も料理に文句を言う者はいなかったのですが」

「ところで、その殿方にはどんな食べ物が運ばれているんだい？」ブラウニング医師が尋ねた。

「だいたい魚です。ときどき鶏肉も少し、あとミルクをたっぷりお出しします。おかしなことに、先生、あの――ええと、骨まで全部召し上がっているに違いないのですよ。皿になにも残っていないのですから。なんだかよくわかりません」

　そこで話が途切れた。このとき初めて、心地よい部屋の中に、ぼんやりとした不安感が入り込んできた。

　やがて医師が尋ねた。「ほかにはないかな、レンショー？」

　男は医師のほうをちらっと見てから、伏し目になった。

「はい、先生、そうおっしゃるなら申し上げます。少し奇妙なことがあるのです。とうてい信じていただけないとは思いますが、家内がわたしの話を裏付けてくれるでしょう」

「それは聞くべきことだと思うよ」医師は優しい口調で言った。「きみの役に立ちたいのだからね。その奇妙なことというのは、なんなのかな？」

　レンショーは唇をなめて、不安げに微笑み、そして話し始めた。

「ええと、こんな具合でした。近ごろ屋敷の近くで猫どもがひどくうるさくて、一晩中金切り声を上げています。あんなにうるさくては、なかなか眠れません。ゆうべ、わたしがちょうどうとうとしたころ、家内に起こされました。誰かが一階で動き回っている音がするというのです。もう二時近くだったので、わたしも心配になりました。耳を澄ませてみると、足音が聞こえました。マーティンさまが眠れなくて一階にいらしたのかもしれないと思いましたが、それでもそのままにしておくわけにはいきません。わたしどもはベッドから出て、できるだけ静かに一階へ下りました。わたしは懐中電灯を持って行きました」

　彼は言葉を切った。

「続けてくれ」医師が先を促した。「それからなにがあったんだ？」

「なにもなかったのです、先生。わたしも家内も、足音を聞いたのに。それでも、客間がおかしなことになっていました――マーティンさまのお母上のものだった大きな金魚鉢がありますでしょう？　あの、それが床の真ん中に置いてあって、水がたくさんこぼれていて、金魚が全部いなくなっていたのです――一匹残らず」

「おかしな話だな、金魚を盗むとは！」

「それだけではないのです、先生。爪先歩きで二階へ戻るとき、マーティンさまの寝室の前を通ることにしました。あの見知らぬ殿方が起きているかどうか、確かめるために」

「そうすべきよ！」グウェンの声には熱がこもっていた。

「そうしたのですよ、お嬢さま。扉の下から光が漏れていました。わたしどもは少し立ち止まり、耳を澄ませました」

　彼は再び言葉を切り、目をそらした。

「それで？」

「ブラウニング先生、あの部屋には、人間じゃないなにかがいたんです。本当にいたんです。わたしは、そうやすやすとはおびえないたちなんですが」

「続けたまえ、レンショー」

「お話ししたように、わたしどもは立ち止まって耳を澄ませました。わたしも家内も、それが動き回っている音を聞いたんです。普通の足音じゃなくて――大きなけだものみたいな、静かな足音でした。それから、うなり声も聞こえたんです。まるで自分に向かってうなり続けているようで、本当に血が凍るような声でした」

「ほかには？」

「いいえ、なにも。ただ、それがまだうなっている最中に、外の猫どもがまた騒ぎ出して、すると部屋の中にいるなにかは静かになりました。わたしどもはベッドに戻り、今朝よく話し合ったあとで、先生のところへうかがうべきだと決めたのです」

「奇妙な話だ」と医師は言った。「なあ、マーティン君はその謎めいたお客が来てから、ぴりぴりして怒りっぽくなったと言ったね。それ以外に、いつもの彼らしくない様子はなにか見られないか？」

　レンショーは簡潔に答えた。「怖そうなご様子です、先生」そして、こう付け加えた。「それから、とても具合がお悪そうに見えます」

　医師は急に立ち上がった。

「レンショー、きみと一緒にすぐ行こう。帽子を取ってくるから待っていてくれ」

「わたしも行っていい？」グウェンが尋ねた。

おじは迷っているようだった。

「ねえ、行かせて！　もしかしたら――もし病気なら――もしかしたら、マーティンがわたしに会いたがるかもしれないし」

「わかったよ、一緒に来てもいい。だが、急いで」

彼らは三人とも黙ったまま、バーフォードのにぎやかな通りを横切ってマーティンの家へ向かった。

家に到着すると、レンショー夫人が中に入れてくれたが、夫人は青ざめた顔で不安そうだった。

「マーティン君はどこにいる？」と医師が尋ねた。

「わかりません、先生。あの殿方の朝食を二階へ運ばれたあとは、お見かけしていないのです」

「それはどれくらい前だった？」

「一時間ぐらい前のはずです」

「見に行ってみよう」と医師はレンショーに言った。「心配しなくていい――すべての責任はわたしがとる。グウェン、おまえは客間に行って待っていなさい」

「でも、おじさま――」

「いい子だから、言われた通りにしなさい。ことによると、二階で狂人が野放しになっているかもしれないんだ。さあ行くぞ、レンショー、そこの傘立てから、頑丈なステッキを持ってこい。わたしには自分のがあるから」

やけに静まり返った屋敷の中で、二人は階段を二階へ上がった。グランドファーザー時計がカチカチと時を刻むしわがれた音だけが、廊下の静寂を乱していた。彼らは寝室の前で立ち止まったが、そこもまた、すべてが静かだった。

「もし鍵がかかっていたら」医師がささやき声で言った。「こじ開けるしかない。覚悟はいいな？」

だが、扉の鍵はかかっていなかった。医師が取っ手を回すとすぐに開いたので、二人はなんの苦もなく中に入った。

室内はおかしな状態になっていた。シーツと毛布がベッドからはぎ取られて、床のあちこちにでたらめに放り出されていて、さらに床の上には、誰かが鶏の羽をむしっていたかのように鳥の羽が積み重なり、かじられた骨や、汚れた盛り皿や取り皿、おそらくミルクが入っていた空のグラスも散らかっていた。窓は閉まっていて、室内は腐りかけた食べ物のにおいがした。もう一つ別のにおいもしたが、こちらはもっと説明しにくいにおいだった――きつくて不快な、動物の体臭だ。

一見したところでは、部屋には誰もいなかった。

だが二人は、ベッドの足元の床に、なにか黒っぽいものが横たわっているのを見つけた。

「あれだ」医師はつぶやいた。

二人はおそるおそる、じっと丸くなっている黒い毛むくじゃらのかたまりに近づいた。一秒後、医師は急に笑い出した。無理して出したような笑い声だった。

「まただまされたな」と彼は言った。

床の上の黒い物体は、毛足の長い着ぐるみにほかならなかったのだ。お面の付いた着ぐるみで、クリスマスの劇で動物の役を演じる俳優が着るたぐいのものだ。少しの間、すべての恐怖が一掃された。もじゃもじゃの毛皮と張り子のお面のおかげで、「ピーター・パン」などの楽しくて子供っぽい家庭的な娯楽の思い出がたちまち呼び起こされ、安心できたからだ。医師は着ぐるみを拾い上げて手に持ち、だらりとぶら下げた。まさに、空っぽでグロテスクでくしゃくしゃになった猫皮にほかならない。

そのとき、ベッドの反対側に移動したレンショーが、突然身の毛のよだつような恐怖の叫び声をあげた。医師は、拾い上げたときよりもそっけなく猫の着ぐるみを下に落とした。

「見てください、先生！」

暖炉のそばの床の上に、マーティンが大の字になって倒れていた。ベッドの陰になっていたせいで、それまで目に入らなかったのだ。

医師はひざまずき、若者の頭をそっと持ち上げた。そのとき、のちに本人が語ったところによれば、凄惨な経験は豊富にあるというのに胸が悪くなった。マーティンの喉からは、おびただしい血が流れ出ていた。切り裂かれ、引き裂かれて——悪魔の仕業のような、深い残酷な傷がいくつもあった。けだものの刻印だ。歯と爪でこれほど激しい破壊をもたらすのは、人間業ではないのだから。

「なんてこった！」レンショーがささやいた。「亡くなってしまったのですか？」

医師はぶっきらぼうに答えた。「たらい一杯の水を持ってこい。急ぐんだ、わかったか？　急げ！」

＊＊＊

それから何週間も経ったころ、まだ幽霊のように青白い顔のマーティンは、首に包帯を巻いた姿で自宅のソファにもたれて座り、ブラウニング医師に向かって、数分ほどお話をしてもいいでしょうかと尋ねた。

「この一部始終についてです」と彼は言った。「いままで先生にもグウェンにもこの話を持ち出す気になれなかったのですが、いつかは向き合わなければならないことですし、ようやくそれに耐えられそうだと思っています。座っていただけますか？」

　医師は言われた通りにした。心配そうな顔だった。この瞬間が来るのを、ずっと恐れていたのだ。

「で、どうなんだね、マーティン？」

「それは僕の台詞ですよ、先生。本当のことを教えてくれませんか？　ぼくはしばらくの間、頭がおかしくなっていたんですか？　動物みたいに暮らして、最後に自殺しようとしたんですか？　それとも、本物の狂人があの毛皮をかぶって、ぼくの家を乗っ取ったんでしょうか？」

「きみ自身は、本当はどう思っているのかな？」医師は重々しい口調で尋ねた。

「ぼくがどう思っているか、ですか？　ぼくの意見は、ずっと変わっていません——当時もいまも同じ考えです。恐ろしいなにかが巨大な猫として現れて、ぼくの家だけでなく頭も心も完全に乗っ取ったのだと、いまだに信じていて、百パーセント完全に確信しているんです。催眠術というか——それ以上、それをはるかに上回るものでした。そいつがなんであれ、ぼくはそいつの意のままにされていました。そいつの命令に従うためだけに存在していたんです。ところがある日、どうやらそいつがなにかの理由でぼくに腹を立てたのか、あるいはここにいるのに飽きたのかもしれませんが、ぼくに襲いかかり、その後に姿を消した。これでは、気が狂った人の説明ですよね？　でも正直なところ、そうとしか説明できません。じゃあ、先生がどう思っているのかを教えてください」

　医師はパイプに火をつけた。

「きみが生きていたのは本当に運が良かった、と思ってるよ」

「ほかには？」

「マーティン、きみが知りたいのなら教えよう。わたしの言いたいことは職業倫理に反しているし、きみに話す内容を聞かれたら、おそらく世間の笑い者になって医学界から追放されるだろうが、それでもやってみよう」そして、パイプを一服吸った。「いいかね、マーティン、若い男がきみと同じくらい孤立して暮らすのは良くないことなんだ。こんな寂しい家で、あんな本を読んで——健全な生活じゃない。きみは想像にふけりがちで、おまけに少々神経症気味だから、それがすべて結びついて、わざわざ危険を招くことになるんだ」

「えっ？」

「単純な話さ。ひとまず、この世界と別の世界の境界線上に汚《けが》れた霊、つまり悪霊が棲んでいて、いわば自分の意志を押しつけるための素直な人間の心を永遠に探し求めていると仮定しよう——いいかい、あくまでも仮定だが、そういうものが存在しているとしたら、きみはそいつらの試みの餌食としてうってつけだったのは間違いない。わかるかね？」

少し間があった。

「わかります」マーティンがゆっくりと言った。「少なくとも、先生はぼくの話を理解してくれて、ぼくの気が狂ったとは思ってないわけですよね」

「気が狂ったとは思わんよ……半年ほど海外へ行って、バーフォードに帰ってきたら、研究よりも独りになりにくいなにかにかかわってみるようにしたまえ。車を買うのもいいが、自分で修理できるようになりなさい。馬を飼うのもいいが、自分で手入れをしなさい。そして、パントマイムに独りでぼんやり過ごしに行くのは、もうやめたまえ。次に行くときは、子供を連れて行くんだな」

「次に行くときなんて、もうありませんよ」とマーティンが言った。

再び独りになったとき、マーティンはある不思議なことにようやく気づいた。

大好きなパントマイムの版画を——もう何週間ぶりだろうか——眺めていたときのことだ。なんて美しく、なんて華やかで、スパンコールがなんてきらびやかに光っているのだろう——パンタロンとハーレクイン（パンタロンの下男の道化役）がいて、魔王がいて、コロンビーナがいて、猫が——いや、これはおかしい——猫の姿だけがすっかり消えていて、スパンコールの貼られた背景は同じままなのに、かつてその小さな絵があった場所だけ、いまは空白になっているのだ。

猫は消えた。永遠に消えたままでいてくれるだろうか？

ショートショート

その屋敷にひそむ者

木犀あこ

嵐は街に静寂を運んできた。迫りくる風雨に人々は門戸を硬く閉ざし、白々とした人工の明かりの下で沈黙の夜を過ごす。未曽有の災害、生命の危機、予測不能の事態――大自然の怪物がひたと忍び寄る日に、なぜ青年はこの「屋敷」へとやってくる羽目になったのだろうか。

理由は単純明快、古くから使い古され、擦り切れてしまった世の定めだ。すなわち、青年にとってこの家の主が圧倒的に強い立場の存在であったこと。老境に至ったその主が頑固で、融通が利かず、目下の者に楯突かれることを蛇蝎《だかつ》の如く嫌っていた男であったということ、この二つからなる結果にすぎない。主《あるじ》は一代で財を成した実業家。青年はその遠縁――血のつながりの薄い、ほとんど他人だ――にあたり、事業を起すためのわずかばかりの融資を主に乞い続けている、という仔細。「屋敷」は都心部に立つマンションの最上階、主はそこに女と二人で住んでいる。家主よりも三回り以上若いその女は、白皙《はくせき》の肌とアーモンド形の目をした美しい人間だった。これもテンプレートというやつだ、と青年は心の中で嘲笑する。金を持った老人とその美しい配偶者。野心を燃やす飢えた若者。これ以上にわかりやすい関係が、他にあるだろうか？

今、三者は屋敷のリビングルームのソファにそれぞれの顔が見える形で腰かけ、窓を打つ雨の音を聞いている。主が「さて、台風はどこにいるかな」と呟《つぶや》き、テレビのスイッチを入れた。高知に上陸した台風は北西に進路を変え、まっすぐに関東圏へと向かっているように見える。

「こりゃあもっとひどくなるな。慶介くん、今日はもう朝までうちにいるといい。途中で足止めを食らったら目も当てられないだろう」

　青年の家はここから電車とバスを乗り継いで三時間、台風が来る方角にあった。青年は微笑み、首を少しだけ縦に振った。この「高層階の座敷牢」のような屋敷には一秒たりとも長くいたくないが、強く否定して老人の不興を買うわけにもいかない。

「ええ、そうですね——ご迷惑にならなければ、ですが。僕の身一つくらい、どうとでもなりますから。駅前のネットカフェで朝まで時間を潰しますよ」

　遠慮がちに、だが、身に余る光栄だということを滲《にじ》ませるように。青年は両手を握り合わせた。不自然にならないようにとの緊張からか、その口から漏れる声は上ずっていた。

「東海道線、東京から名古屋間は明日の朝から計画運休だそうですよ。無理なさらずに、ずっとうちにいらっしやいな」

　女からの柔らかな語り掛けに、青年はまた作り物の微笑みを返す。女は若く、青年と同世代で、しなやかに美しい——同じ空間にいるだけで心に花の咲いたような気分になる相手ではあるが、女が老人の配偶者であることへの嫌悪が青年の浮ついた思いをかき消している。パートナーとも呼べない、まるで愛玩動物じゃないか。青年は心の中で、侮辱めいた言葉を転がす。女は青年の目の奥に潜む憎悪を知ってか知らずか、ふっと目を逸らして立ち上がる。

「温かいお茶を淹れましょうか。急に冷え込んできたようだわ」

　青年は頭を下げ、キッチンへと向かう女を貼りついた笑顔のままで見送った。老人に視線を戻し、それから窓の向こうへ視線を投げる。広いガラス越しの闇が、吹き付ける雨に洗われている。

「これだけ高いところだと、台風のときは恐ろしいでしよう。風や——なにやらで」

　言葉を選ぶあまり、青年の語尾は曖昧に消えていった。年寄りがこんな馬鹿に「高い」ところに住んだって、災害時に困るだけだろう。地上に近い階よりも揺れはひどいし、電気が停まったらどうやって階下に降りるというのだ。嫉妬の混じった偏見がこれ以上にじまないようにと、青年は口をつぐむ。老人はキッチンへと向かった女のほうを気にしていた。なんだ、茶か――そんな言葉をぼそりと呟いて、革張りのソファにますます深く身を沈める。

「風は気にならんよ。ビルそのものが倒れるわけじゃあなし、この年になると多少の雨風くらいじゃ動じないようにもなってくるさ。十日ばかり外に出られなくたって大丈夫なように、バルコニーの防災倉庫には多少の備蓄もしてある。要塞だよ、ここは。水も来ない。嵐の日はこうやって足を伸ばして、ぬくぬくと暖炉の火でも眺めていればいいのさ」

　リビングの片隅には電気式の暖炉があった。アール・ヌーボーもアール・デコもごっちゃまぜの空間で、フェイクの薪《まき》を光らせて何がおもしろいのか……と、青年の中にまたぞろ粘ついた嫉妬の波が広がり始める。女が両手に捧げた盆に、黄金色に輝く茶を満たした湯呑を三つ、音もない足取りですいと運んできた。「朝宮茶《あさみやちゃ》です」女は言う。青年は女の言葉にかぶせるようにして、「ありがとうございます」とまた頭を下げる。女のとび色の瞳が青年を見つめ、青年の濁った黒目が女をひたと見据えていた――両者の視線が逸れる。いや、正確には女の目の光に耐えられなくなった青年が、自ら顔を背けただけであったのだが。青年はやや温い茶を半量ほど一息に呑み、息を整えた。

「まあ……最近は、家の中ですべてを済ませる時代にもなってきていますから」

　この屋敷の者どもに主導権を握られてはいけない。半ば強引に、青年は自らの陣地へ老人らを誘い込もうとする。

「家が快適かどうかというのは、それだけ切実な問題であるということでしょうね。仕事も、プライベートのコミュニケーションも、すべて部屋の中の端末ひとつで済ませる世界です。いずれは、子供たちも学校にいかなくなる日が来るかもしれない」

「それが君のやりたがってる、メタバースとかいうやつか」

　老人は目の前の茶に手をつけず、ソファの脇に差し込んであったツボ押しの道具を手で弄んでいた。そのいかにも手持ち無沙汰な態度が、青年の胸に黒い火をつける。

「とかいうやつ、で済ませる時代ではなくなってきているのですよ、おじさん。コンピュータの中に作られた三次元空間が現実と変わりないなら……いや、現実よりも便利な空間であるのならば、あえて家の外に出てえっちらおっちらと移動する必要もなくなるではないですか。移動におけるコストもかからず、快適で安価です。それこそ、こんな嵐が百日続いたって平気かもしれない。猛暑やら大雨やら地震やら、ひどい自然災害が多いこの時代においては移動しないこと、引きこもることこそ身を守る一番の方法であると僕は考えているのですがね――」

「家が一番安全な場所とは限らないじゃないですか」

「ああ……？　はい」

　唐突に口を開いた女に、青年が困惑顔で答える。女はペンダントライトの明かりを見据えるように天井を見上げ、さらに言葉を続けた。

「風呂での溺死、階段からの転落死。家庭内での死亡事故はそれこそ交通事故よりも多いのじゃないでしょうか。他にもあります。家の中そのものが、地獄だった場合はどうでしょう？　暴力――虐待――そういうものが潜在化したとしたら？　今でさえ、『家庭』という扉一枚隔てた先のことを赤の他人は知りようがないんです。その中が地獄だったとして、中にいるものが外へと出るきっかけ、理由さえも奪われてしまったとしたら？」

　青年はただ口をつぐみ、女の顔を見つめるだけだった。青年の喉ぼとけが静かに上下する。老人はふたりの言葉などまるで耳に入ってもいないような態度で、垂れた瞼《まぶた》をゆっくりとしばたたかせている。しばらくは、雨の音だけが響いていた。

「フリードリッヒ二世の実験というものを知っているかね。生まれたばかりの赤子にまったく言葉をかけずに育てたら、その子が将来どのような言語を話すようになるのか、という悪名高いやつだ」

　老人が唐突に口を開いた。青年は顔を上げ、渇いた唇で答える。

「いえ――昔の話、ですよね？」

「もちろん、現代の話ではないさ。どこまでが本当なのかもわからない。けれど、その実験結果は現代においてもスキンシップの重要性を解くいい例……なんだか悪い例なんだか知らんが、よく引き合いに出されるだろう」

「どうなったのです」

「死んでしまった。そうやって育てられた子供はみな、まともに言葉を話す年齢になる前に死んでしまったのさ」

「エゴ、エゴですよ！　求道を言い訳にすれば、なんでも許されると思ったんでしょうか？　そういう時代といえば時代ですが、ならば現代におけるたとえ話にそんなものを出さなくともよいではないですか」

　鋭く発せられた女の声に、今度は老人も反応した。軽くため息をついた後、柔らかな口調で女へと語り掛ける。

「まあ、落ちつきなさい。今はこっちが話をしているんだ」

女は片眉を上げ、老人がついたものよりも深く重いため息をついた。椅子に背を預け、それから目を閉じてしまう。薄い瞼の向こうで、大きな眼球がぴくぴくと震えているのがわかる。身を縮めてその様子を見ていた青年は、こう思った——こりゃあ、触れないほうがいいやつだ。下手に話しかけないほうがいいかもしれないな。と。

老人は茶を一口飲み、節の浮いた指先で目頭を押さえる。真っ白な人口の明かりの下で、その皮膚と髪のつやのなさが際立って見えた。まるで、触れれば崩れてしまう灰の塑像のようだ。心と魂を燃やし尽くし、渇いた灰のかたまりになってしまった人間の形……。この老人は急に十も二十も老け込んだようだぞ、と青年はひとり考える。その原因が女の態度と行動にあることは、第三者から見ても明らかだった。

「——子供がね、生まれたんだよ。私と妻との間に、かわいい一人娘が」

老人が投げかけた視線の先を、青年も追う。飾り棚に置かれた、木製の小さな箱。観音開きの扉は閉じられているが、それが現代風の仏壇であることは一目見るだけでわかった。箱の前には小鉢に盛られた飯と汁が供えられている。

「生まれたときはそれはもう、可愛くてかわいくて仕方がなかった。小さくて、温かくて、生きていることが奇跡と思えるくらい、弱々しくて——愛おしくてたまらなかった。そして、怖くなったんだ。世の中に存在する残酷な事件や事故のすべてが、怖くなった。娘の存在は、私と妻の考えをがらりと変えてしまった——いや、考えを変えたんじゃない。私と妻を怪物そのものに変えてしまったんだ。ある意味ではフリードリッヒ二世よりも残酷で身勝手で、救いようのないモンスターに」

「お子さん、ですか？　すみません、僕はてっきり、ご夫婦だけで生活をされているものだと——」

「知らなくて当然さ。誰にも言っていない。娘が生まれたことを、私と妻は誰にも知らせていないからね。知っているのは、秘密裏に娘を取り上げた医者と、産後の妻と娘の世話をしてくれたひとりの看護師だけだ」

風が吹きつける。青年の額に、二筋の汗がにじむ。

「誰も……ですって？」

「出生届を出していないんだ。私と妻は、娘を一生家の中で育てるつもりで、医者のもとから帰った後は一歩も外に出さなかった」

老人が言い終わる前に、青年は反射的に席から腰を浮かせていた。なんと恐ろしいことを、と叫びたくなる義憤の前に感じた、本能的な恐怖。出生を隠す？　人ひとりの存在を隠して、屋敷の中で育てる？　青年は唇を震わせ、言葉を探るように目をしばたたかせる。やがて出た声は、風雨の音にかき消されそうなほどに小さなものだった。

「しかし、そんな——そんなことは、虐待です。どれだけ安全であろうとも、家から出さず、親以外の誰ともかかわらせないなんて」

「あら、あなたさっき『家の中ですべてが事足りる時代だ』なんてことを言ってたじゃないですか」

口を挟んできた女に、青年は視線を投げかけるだけで応えた。女は微笑む。薄く硬い陶器の湯呑を手の中で回しながら、言葉を弄ぶように続ける。

「幸せなんでしょう、その方が？　家庭内での事故が多いと言っても、外に出なければ車にぶつかることも、海で溺れることもありませんものね。知ってます？　私の大好きな話に、地下室と少女、というものがあるんです。両親から『地下室の扉を開けてはいけない』と言い聞かされて育った少女が、ある日その扉を開けてしまう。少女が見たものはいったい何か？　わかりますね。少女が見たものは、地下室の外の世界、生まれてからずっと少女が見ることのなかった外側の世界そのものだったんです。少女は両親にずっと地下室に閉じ込められていて、禁断の扉こそが、外へとつながる道であったということ。小話ながら、なかなか気が利いているじゃありませんか？」

「やめなさい。困っているじゃないか」

口を開き、硬直したままの青年に代わって、老人がその長広舌を止めに入る。だが女は黙らなかった。閉ざされたままの扉、リビングルームの片隅にある小部屋のほうを見やって、片頬だけを吊り上げる。

「日本のお家じゃ、地下室はなかなかないかもしれませんね。けれど、窓のない部屋は珍しいものでもないですから。とりわけここくらいの高さになると、窓があっても外からなんて——見えやしませんので」

「おじさん」

青年が言う。目の前の老人ではなく、何か超常的なものにすがるような瞳をして、緩慢に立ち上がりながら。

「冗談でしょう。青二才をからかうのも、たいがいにしてください」

「冗談でも嘘でもないよ。娘はまだ生きている」

老人は答えた。冷蔵庫に卵が残っている、とでも言うくらいの何気ない口調で、あっさりと。

「まだ生きている。一歩も外へ出さなくとも、すくすく育ったよ」

声は、ない。

物音のひとつも聞こえてこない。あの扉の向こうからは。

青年は棒立ちの姿勢になり、片手に自らが持参した事業に関する資料を抱えていた。毛足の長いラグをすべるように後ずさりし、ソファに座ったままの老人から、青年から目を離さない女から、次第に遠ざかっていく。片隅にある扉を見まいとしてか、老人とその向こうの窓にだけ視線を固定して。

「――おじさん、僕は帰ります」

「帰れやせんよ、この嵐じゃ」

雨はますます勢いを増していた。このまま一千日も続くのではないかと思わせるほど、容赦なく降り注いでいた。

「しばらくここにいなさいと言っただろう。何も、危ないところに出ていく必要などないんだからな」

「ええ、そうですよ。お話をしましょう。さっきの話、私もっと詳しいことが知りたいんです。フリードリッヒ二世の実験でしたっけ？　生まれたばかりの子にまったく言葉をかけずに育てたら、どんな言語をしゃべるか、というものですね。私、その答えを知っているんです。子供ってね――すごいものなんですよ。語りかけがなくても、言葉そのものを生活の中からすべて排除するというのは無理な話でしてね。現代の生活であれば、テレビもあるし、そこら中に注意書きや成分表の書かれた文字だってあふれている。初めは子供に言葉すら教えたくない……言葉を覚えることで人は思考し、いらぬ不安や恐怖を抱くようになりますからね……とにかくそう思っていた両親も、懸命に親の声を聴いては真似ようとする我が子の可愛さ、意思疎通を図りたいという欲望に負けて、その子に言葉を教え始める。文字の読み書きも教えて、本くらいは読めるようにしてやる。それでその子は人並みに言葉を話すようになる。けれどね……不思議なものなんです。宇宙語ってあるでしょう、話し始めの幼児が発する、言葉に似ているけれど他の者にはまったく通じないね、あれです。普通は年齢を重ねるごとに消えてしまうものなんですけれど、その子の宇宙語、いや、自分語とも呼ぶべきものは残り続けたんです。両親以外の第三者とコミュニケーションを取らなかった影響なのか、はたまた閉じ込められ続けたその子が無聊《ぶりょう》の果てに産み出した『退屈しのぎ』のようなものであったのか。その子の宇宙語は成長するにつれてどんどん、どんどん明瞭になり、はっきりと意志と意図を感じさせるものになりました。そうして、その子の両親はどうしたと思います？　その子の『自分語』を聞き続けて、どうしたと思います？」

「おじさん！」

青年は叫んでいた。声に涙が混ざっていた。怖くて、怖くて仕方がなかったのだ。自らの意思に反して、まったく動いてくれなくなった足のことが。自分がここに来てからずっと、聞いたこともない言語を喚き散らし続けている、この美しい女のことが。これまでは女の語りかけに対して適当に返事をしていた青年の心は、もはや限界を迎えていた。

「すみません——僕にはわからないんです——奥さんの言っていることが——」

「家内は死んだよ。三年前に、逝ってしまった」

老人は過ぎ去った夏を惜しむような口調で、静かに答える。硬直している青年ではなく、飾り棚の上の仏壇に視線を投げて。

「娘が毎日、ああやってお供え物をしてくれるんだよ。外に出たことがなくても、本やテレビであういう知識を身に着けるんだな」

「そうですよ。二十四年も生きていると、無駄な知識だって増えていくってものです。両親も本だけはいくらでも買い与えてくれましたし」

床に這いつくばり、喉の奥に指を突っ込んでいる青年を見下ろして、女は言う。苦し気な声が深くから漏れるばかりで、青年の口からは何の吐物も漏れては来なかった。ここに来て初めて口にしたのがあの毒で、気の毒ではあったな——と女は考える。死なない程度に人の自由を奪う毒。その粉をどこかから調達してきた日に、老人はこう言っていた。

（まあ、足腰が立たなくなっても別段問題はないだろう）

女の母親であり、老人の妻が死んでから、ちょうど三年が経った日のことだった。

（どうせ家からは出ないんだ。買い物も娯楽も、すべてこの屋敷の中で事足りる）

「ねえ、『フランケンシュタイン』という小説をご存知？」

女は青年を見下ろしたままでそう問いかけるが、青年は応えない。顔を床に突っ伏して、唾液まみれの手でラグを摑むようにして、ぴくりとも動かなかった。

「あの中に出てくる怪物、かわいそうじゃありませんか？　きっと愛されたかったのじゃないかしら。産みの親に拒否されてから、一貫して愛情を求めているように思えたのは、あまりにも卑俗な読みというものかしら」

老人は目を閉じている。目を閉じて、嵐の音を聞いている。雨よ、降れ。降って降って降り続けて、この屋敷のまわりを果てのない大海に変えてしまうがいい。

「でも、私は違うんです。配偶者がほしいとお父さんに願ったのは、別に愛情がほしいわけじゃなかった。ほら。わかるでしょう。誰だって、こんな状況に置かれたらやってみたくなることがあるじゃあないですか」

身をかがめた女の手が、青年の背を優しく撫でた。

「屋敷の中に閉じ込められた人間の子供は、どう育つのか。屋敷という閉ざされた空間の中で、何代くらいこの営みを続けることができるのか」

答えはない。人の叫びにも似た風が、楼上の屋敷のまわりを吹きまわっている。

「探究心ですよ。ただの、好奇心――」

女が青年の首筋に口づけしたその刹那に、闇が訪れた。嵐がもたらすであろう被害の全容を、老人も女も、置物のようになった青年も、まだ知らないでいる。

雨よ、降れ。

この屋敷を大海に浮かぶ孤島と変えるまで。

閉ざされたこの世界の中で、我と我が片割れが安寧のうちに暮らせるように。

ショートショート

メアリーの破片

井上雅彦

女の子がひとり。花を摘んでいる。

お気に入りの場所だ。

木漏れ日の森を抜けた、湖のほとり。

摘んでいるのは、白い花。多弁の花びらを上から見るとお星様の絵のようで、大きさは彼女のてのひらぐらい。

そんな花ばかり無数に咲きほこっているこの「花園」で、少女は時間を忘れている。手籠《バスケット》の中には、すでにたくさんの花々が揺れている。

この花たちは、おはなしをしてくれるのだ。

細くて長い首のような茎に、指をかける。花びらが毀《こわ》れないように、それでも、しっかりと摘まんだ指に力を込めて、ぐらぐら揺らし、注意深く、ぶつりと摘みとる。

刹那《せつな》――ふわりと芳しい香りが、少女のなかを急激に通り抜ける。指のなかでは、しなるような茎が、痛みにも似た吐息を漏らす。そして、てのひらのなかのお星様が、彼女を見あげて、燦《きら》めき、微笑みかける。

その瞬間から、おはなしは、すでに、はじまっている。はじめて聞くのに懐かしいおはなし。聞いたことがないのに、わくわくするようなおはなし。いつの日か、きっと、これから自分が、自分の目で見て、自分の耳で聞いて、自分の五感全体で味わうことになるにちがいない、眩《まばゆ》いような世界のおはなしが……。

ガサリと音がして、少女は我に返る。

森の中から、なにかが近づいてくる。

振り向く少女の顔に、暗い影が重なる。

少女が見あげた。高く。顔をあげる。とても高く。

高い位置にある相手の顔を見た瞬間——少女の目が大きく見ひらいた。

そして、うれしそうに微笑む。

「ねえ……おはなし……して……」


——怪奇談義をしてみようじゃないか——

確かに、誰かが、そう言った。

——お互いに、怖ろしい話を披露しあうのだ——

なぜだか、そういう流れになったような気がする。

でも、いったい、どうして……。

愛する人が、私に呼びかけた……ような気がする。

「面白そうだね、メアリー」

「でも、あたし、なんだか怖いわ」

実の姉妹にも等しい親友が震えるような声で、そう言った……ようにも思う。

でも——何もかも、まるで夢のなかのことのようでもあり……。


冷たい湖水の深みを漂っているのだろうか。

足下がふわふわとしている。

頭のなかには、白い靄《もや》が立ち籠《こ》めているみたいだ。

周囲は暗い。まるで、洞窟の中のように。あるいは、いつか訪れた古城のように。

バチバチと火が爆《は》ぜる。暖炉。ゆらめく炎。光を帯びるのは、騎士の鎧。壁の大剣。

闇を縫うように、うっすらと響き渡る声。寺院の詠唱だろうか。

いや——この声は滔々《とうとう》と語り続けていたのだ。

「……いかにも、奇怪な物語に聞こえることだろう」

あれは、この城館の主人の声ではなかったか。

「……だが、これこそ、この城で暮らす者にとっての真実。忌まわしい呪いすらも……」

主人は、そう言った。「城の世過ぎの伴奏なのだ。我がマンフレッドの家名に相応《ふさわ》しい伴奏ともいえる」

芝居がかったようなセリフだったが、口調は真面目そのものだ。どこか議会の政治家の演説のようでさえある。

「しかし……そのなかには、おぞましさのために筆にすることもままならず、未だに陰でのみ囁《ささや》かれる綺談もある。たとえば……」

城の主人は、声を強めた。「死体を攫《さら》う鬼畜の譚《はなし》」

なぜだか、私の背筋が凍りついた。

「死体を……？」

主人の横で、今ひとりが聞いた。「いったい、どういうことです？」

「礼拝堂をうろつきまわり、墓標を漁り、埋葬された死者を攫っていくのだ」

主人が言った。「墓から遺体を掘り出すのだよ、その鬼畜は」

なぜだか、私は震えがとまらない。

「なぜ、そんなことを？」

さきほどの一人が訊いた。「死体を、いったい、どうしようというんです？」

「わからないのかね？」

城主は言った。「その鬼畜が、なんのために、死体を掘り出すのか……」


「ねえ……おはなし……して」

少女は呼びかける。

相手は――森の木陰から現れて、近寄ってきたものは、少女を見おろす。

「……おはなし……おはなし」

片手で白い花を持ったまま、少女は、もう片方の手を、ねだるように前に出す。

目の前には、大きな手があるのだ。

大きなてのひら。色の無いてのひら。

立っている少女の首の高さに、それがある。

少女は、ゆっくりと前に出した自分の手で、その大きな手に触れる。

冷たい。冬の湖の氷みたいに。

おはなしは、すでに、はじまっている。


「ねえ、話してくださいよ」

聞き手が言った。「その鬼畜が、なんのために礼拝堂の墓から死体を掘り出したのか」

「もう、わかっているくせに、聞きたいのかね？」

城主が暗い声で嗤《わら》った。「墓を荒らした理由は、ただ一つ。死肉を貪り喰うためだ。それ以外、なにがある？腐肉がなによりも好物なのさ、その妖女にとっては」

「妖女？　女ですって？　その鬼畜が！」

「目に浮かぶようだよ」

主人の声に嘲笑が混じった。「そやつは、ペティコートを穿いている」

その言葉に、その口調に――私の肌には、無数の鳥肌が立っていた。

「女の着衣を……？」

「目撃した墓守によれば、死体を掘り出した鬼畜は、うれしそうにはしゃいで、笑い声をあげていたという。甲高い女特有の笑い声だ」

　城主はそう言うと、瞠目する一堂を見据えながら、得意そうに言った。「教養を持つ者だけが、真相に辿り着ける。おそらく、この妖女は暗黒大陸から渡って来た」

「阿弗利加《アフリカ》から？」

「君たちは、かの未開の土地に、腐敗した死肉を好んで喰らうおぞましい獣《けだもの》がいることを知っているだろうか。その名を、鬣犬《ハイエナ》という」

「すると、妖女の正体は！」

「ハイエナの鳴き声は、女の嬌声そっくりだという。『動物誌』を記したアリストテレスによれば、すべてのハイエナが女性器を有しているという。すなわち、ハイエナには雌しかいないというわけだ。だから、人の姿に化けて、主食である死肉を貪り喰う時も、〈彼女〉は女の服で着飾るのだろう。……それだけではない」

　城主は、意味ありげに声を強めた。

「今でも――彼女は、この城のどこかに潜んでいるのだ」

　そして、周囲を見回した。まるで、刀のような冷たい目と目が合った瞬間、私の内部に鋭いものが閃《ひらめ》いた。同時に、頭の中が熱くなり、身体が一気に冷たくなった。

「大丈夫かい、メアリー」

隣から、愛する人が、声をかけた。「疲れてない？」

「ええ。……でも、平気」

　彼にもたれかける格好になる。彼の体温があたたかく伝わってくる。その手が、私の手を握ってくれている。胸の中まで熱くしてくれる彼の手。

「おやおや。退屈させてしまったとしたら、許されよ」

　城主の声が、こちらに向いた。「巷間で流行《はや》っている怪談綺談の競作披露など玉石混淆で評価するもの無し、というのがかねてよりの私の持論でもあるのだが、無聊《ぶりょう》を慰めるには致し方なかろうと思った次第。……さしつかえなければ、芸術家ならではの怪異譚をお聞きかせいただければ」

「いえ……そんな、僕のようなものが」

「絵画のような貴公の言葉を、ぜひとも」

はにかむように彼は私の顔を見た。私は彼に肯《うなず》いた。

「それでは……僕は、前から題材にしようと考えていた、古くから伝わる譚を」

　私の手を握りながら、彼は話し出した。

「この魔物は、僕たち男性には、とても馴染みのある魔物です。いかなる紳士であれ、それが取り憑くと、獣に豹変する。男なら誰でも覚えがあるでしょう。しかし……この魔物にかかっては、天使のような女性でも、その魔力で堕落させられてしまう。女は身も心も奪いとられるのです」

その声が、甘い響きを伴った。

「まるで、血を飲み干されるかのように……」

そう。出会った時から変わらない彼の声。苗字ではなく、はじめて名前でメアリーと呼んでくれた時の彼。

「それは、文字通り女性に〈夢〉を見せるのです。そして、〈夢〉のなかに忍び込む」

彼の声こそ、まるで夢の中に聞こえるように思われた。

「この魔物は、〈夢〉のなかで女性を誘惑し、陵辱する。獣のような正体を現すが、その獣性に女は強く惹かれ、やがては、組み敷かれる」

繋いでいる彼の手が、絡める指と指とが、熱を帯びる。

「覆い被さるもの《インキュバス》と呼ばれるその魔性は、女の内側にある獣性をも呼び覚まして……」

急に身体が、熱くなる。

隣にいる彼の身体が、急にがっしりとたくましく、美しい姿に見えて、私は動揺した。

彼はこんなに筋肉のついた体格だったろうか。大きく盛り上がった肩。いや……片方の肩だけが、不自然に盛り上がっている。というよりも……なにやら大きな瘤《こぶ》のようなものが、しだいに膨れあがっていくではないか。

自分の目がどうかしている。いや、変調をきたしているのは、目だけではない。

「……しかし、本当に怖ろしい魔性というのは、女を誘惑する魔物ではない」

彼の声が変わっている。いや……彼の口から出た言葉なのか。

彼の肩から突きだした大きな瘤が、ぶよぶよと動く度に、声を放っている。

「それは、男を堕落させる女の魔性だ。誘惑されたふりをして、男の心を欺《あざむ》くのだ」

瘤がぐにゃりと角度を変えた。

肉の瘤は、ぐっしょり濡れた黒い毛で覆われていて、よく見ると、小さな光る目がある。赤く裂けた口がある。猿とも猫とも狐ともつかない獣のような顔。それが、私を睨《ね》めつけながら、奇妙な声を発している。

「下に寝るもの《サキュバス》と呼ばれる魔物は、誠実で純情な男を誘惑する。まるで、自分が組み敷かれているかの如きふりをしながら、男を誑《たぶら》かし、男の血も精も命までをも吸い尽くす」

ちがう……。私は声にならぬ声をあげる。

現に今、自分は、彼の身体に抱きかかえられている。身体に大きなものが荒々しく巻きついている。大蛇のように、それは鎌首を擡げる。蛇ではない。馬だ、馬の頭だ。白い両目の虚ろな馬。それが、大きな歯を剝いて、私の身体の奥底に入り込もうとしている……。

「サキュバスは、男の下に寝る。馬の姿となって、男を跨がらせる。そうして、夜陰を駆け抜ける。地獄の果てまで連れ去ろうとする」

私は慄然とした。鎌首をもたげた首は、私の首だ。瞳の無い白い眼窩《がんか》は、私の目だ。彼の身体の下から巻きついているものは――この馬は、私だ。

「そうだ、おまえは、男を乗せて、夜を駆る雌馬《メア》なのだ」

狐猿《きつねざる》のような瘤の貌《かお》が言った。「夢魔というのは、夜の雌馬《ナイトメア》。おまえのことだよ、夢魔のメアリー」

獣の貌が、いつしか、若い女の顔になっている。

「まさか……あなたは……」

「あの時も、そうだった。おまえはヨハンを堕落させようとした」

「ちがう！」

「彼には私という妻がいた。なのに、おまえは彼を連れ去ろうとした。大陸への駆け落ちを申し出た。革命のパリを見ようなどと！　おまえは地獄のサキュバスだ！」

「ちがう！　ちがう！」

「それでも、彼は私を選んだ」

勝ち誇ったかのように彼女は言った。「彼も悪夢から覚めたのさ。ヨハンは私に言ったのだから。知恵の働く女など悪魔のように忌まわしいと」

「嘘よ！」

頭の中が白くなった。

目の前の顔は満面の笑みを浮かべていた。それは無邪気なようにさえ見えた。

私の内部に鋭いものが閃いた。

思わず、その細い首に、私は手を伸ばした。

少女は、目を丸くする。

氷のように冷たかった大きな手が、今度は自分のほうに伸びてくる。

少女の手の中で、摘んでいた花が毀れる。

白い瓣《べん》の破片が、吹雪のように、宙に舞う。

その瞬間――空に雷鳴が轟く。

重たい鉄の刃物が落ちてくるかのような轟音を感じて、我にかえった。

私は目を開けたが、身動きが出来ない。

正面にこの城の城主がいる。

不安と恐怖に駆られて、私は愛する彼の姿を探そうとする。でも、首が動かない。

「死肉を貪る妖女も、夢魔も、怖ろしい譚ばかりでした」

　私の隣で、別の男の声がした。「では、ここで、気分を変えて、非業の死を迎えた後に、再びこの世に甦った美女の物語などはいかがでしょう。論より証拠。ここに、実例をご覧に入れましょう。人智の創りあげた最高の美の実例……死を超越した奇跡の美神《ヴィーナス》です」

「おお……。なんとも、美しい女性ではないか」

　城主は溜息をついた。「君の〈崇高と美学〉理論の賜かね？　エドマンド・バーク君」

「お祭しの通りです。これは、あの忌むべきフランス革命の直後に、造られたもの。醜い愚かな民衆どもにに暴力的に殺された犠牲者——私が最も高貴な存在とみなしていた、あの理想の女性を甦《よみがえ》らせるため……」

　エドマンド・バークと呼ばれる男は喋りだした。

「この堂々とした美しき身体を造りあげたのはフランスの科学者です。フランソワ＝フェリックス・ノガレが一七九〇年に『現代の鏡』に記述したオートマトンの原理。首から下は人工の女体ですが、その頭部は……断頭台で処刑された悲劇の王妃」

「マリー・アントワーネットか……」

　城主たちが溜息をつきながら、崇めるかのように覗き込んでいる——私の顔を。

「実に高貴だ。この王妃こそが、われわれが求め得る理想の女性」

　ちがう！　私は声にならぬ声で叫んでいた。ちがう！

「高貴な血統のなせるわざです」

　バークは得意げに言った。「愚かな民衆は、あの豚のような汚い民衆は、この慎み深い崇高な女性に見習うべきだ。民衆は彼女の美徳のためにこそ仕えるべきだったのだ」

「ち・が・う！」

　私は声を振り絞った。「マリー妃は……腐った貴族政治が造った人形だ……！」

　自分が何を言っているのかさえも、わからなかった。

「もしも、マリー・アントワーネットが、人間としての、男性と同じ教育さえ受けられたならば……彼女だって……」

　バークの顔がみるみる青ざめた。

「ばかな……完璧な美神《ヴィーナス》を造った筈《はず》だったのに……どういう間違いか、この頭の中身は、入れ替わっている！　これは、あの異常な女の……」

　恐怖の表情でのけぞった。「この女は、メアリー！

メアリー・ウルストンクラフト！」

悲鳴があがった。私は、力を振り絞って、立ち上がり、一歩、足を踏み出した。轟く跫音が意外なほどに響く。

「ウルストンクラフトの怪物だ！」

あわてふためき逃げようとするバークの足が縺れ、床に転げて、頭をぶつけ、失禁しながら白目を剝いた。

「化け物め……ハイエナめ……」

マンフレッドと名乗っていた城主も、私の姿におののいていた。それでも、果敢にも壁にかかった大剣を取って、振りかぶるや、

「我が領地から出て行け！　このオトラント城の敷地から」

と、振り下ろしてきたが、私が腕をひとふりするや、壁に吹き飛ばされ、飾りの鎧に激突した。倒れたところに巨大な鉄の兜が落下し、下敷きとなった城主の叫びは掻き消えた。

「メアリー……僕は……僕は……」

愛しかった彼の声がした。ヨハンが――ヨハン・ハインリッヒ・フューセリが、濡れたような目を挙げた。「僕は……いつでも、君のことを……」

甘い声とともに、彼の身体から生えた馬の首が、大蛇のように巻きついてくる。腕にも腰にも胸にも、幾重にも巻きつくと、瞳の無い馬が大きな歯を剝いた。「愛しているんだ」

「さようなら」

歯を食いしばり、私は両腕をふりほどいた。馬の首は八つ裂きにされた大蛇の胴体のように、四方八方に千切れ飛ぶ。霧散する血漿のなかに、狐猿めいた顔が浮かびあがった。

「貴女は、彼に捨てられたのよ。メアリー。……まるで、忌まわしいもののように」

狐猿は、女の顔になった。勝ち誇ったようにも、無邪気にも見える女の顔に。

私は、両手を伸ばして、近寄った。この小さな頭を、むしりとるために。


色の無い、大きなふたつのてのひらのなかに、女の子の顔がある。

てのひらがひくひくと動く。

その時に、少女の唇が言葉を発する。

……ママ……。

瞬間――雷鳴が轟く。空気を切り裂き、凄まじい稲妻の眩《まばゆ》い光軸が、落下する。
私は目を開けた。視界に溢れた眩《まぶ》しい光が刺激する。

「意識が戻りました」

　冷静な、それでも温かみのある声に聞き覚えがある。医師のジョン・ポリドリだ。

「メアリー！　大丈夫か！」と、私の手を握って呼びかけてくれているのは、パーシー・ビッシュ・シェリーだ。

「ああ、神様！」と泣きべそ声なのは、実の姉妹にも等しい親友のクレア・クレアモント。そして「希に見る傑出した落雷だった」と感心しきりなのが、ジョージ・ゴードン・バイロン卿だ。「窓の近くにいただけなのに、魂を奪われる寸前だったのだな。譫言《うわごと》を言っていたが、今、自分がどこにいるのか、わかるかね？　メアリー」

「ディオダティ館です。レマン湖畔の……」

　私は答えた。「でも……さっきまで、私は別の城に居て、私は私ではなかった」

「なんと？　君は、誰だったというのかね？」

「もうひとりのメアリー。私は……私の母になっていたのです」

　一同は顔を見合わせる。女性の権利を主張した思想家メアリー・ウルストンクラフト女史の名前を知らぬ者はいなかった。でも――私には母の記憶が無い。母は私を産んだわずか十一日後に、産褥熱で死亡していたからだ。一年前に私も出産したばかりの娘を失っていたが、それでも娘と一緒にいられた時間は、母よりも恵まれていただろうか。

「それでも、父ゴドウィンの経営する書店には、母に関する著作もありました。私はいつも深い森のような父の本棚で遊んでいたのです。そのなかで……幾つか目にしました。父は私に見せないようにしていたのですが……母に対する世評や中傷も……」

　幻想画家ヨハン・ハインリッヒ・フューセリとの報われなかった恋愛。フランス革命を酷評した論敵エドマンド・バークへの反論として著した『人間の権利の擁護』。そんな彼女を公然と〈ペティコートを穿いたハイエナ〉と嘲笑してみせたホーレス・ウォルポール。

「ウォルポールか」

　バイロンが言った。「彼の書いた『オトラント城綺譚』は比類無きゴシック趣味の文学的建造物なのだが、悲しいかな作者の頭の固さも古さも、石造りの古城並みだな」

「古城といえば……メアリーが夢で見た古い城って」

　パーシー・シェリーが言った。「少し前に見たドイツのヘッセンにある城じゃないかな。ほら、クレアと三人で旅行した時に訪ねた、錬金術師の住んでいたという」

「そうよ。夕べもその話になった」とクレア。「なんで、その話になったのかしら？」

「城の名前についてじゃないですか」

ポリドリが言った。「まず、バイロン卿が吸血鬼の話をした。死体が甦るセルビアの村の話を。そこで私が思い出して、死体が大量に掘り返されて盗まれたポーランドの村の話をした。その村の名前が、偶然にもあの城の名前と同じだった。その名前とは、F――」

「思い出した」とシェリー。「僕の敬愛するフランクリンに似た名前だからね」

盛り上がる彼らの話題を聞き流しながら、私は母のことを考えていた。物心つく前にいなくなってしまった母なのに、なぜだか、私は出会って言葉を交わしていたような気がするのだ。

「まだ、具合悪い？　メアリー」

クレアが話しかけてくれる。私は大丈夫と答え、むしろ、あなたの身体のほうが心配だと言うと、クレアは笑って自分の腹部をさすりながら、順調に育っているからと、言った。

「きっと女の子だわ」とクレアは言った。「あなたにも可愛がってもらいたいのよ。いつでも会ってあげてね」満面の笑みで無邪気に言った。「亡くなった娘さんだと思って」

私は、とっさに声が出なかった。

ただ、朗々と論じ続けるバイロンのほうに目を馳せた。

『オトラント城綺譚』は、そもそも、主人公の名前が、あの小説と噛み合っていない。マンフレッドとは〈自由なる男〉という意味だが、ウォルポール自身が真の〈自由〉を理解しているとは、私には思えない。自由であろうとすることの喜びも、苦悩も」

そう言って、私のほうを見た。「メアリーの夢の話を聞いて、たった今、決めた。次に書くべき劇詩を。〈自由〉の苦悩について考察するためだけに、自らの意志で悪魔を呼び出す男の話だ。この男こそが、マンフレッドという名にふさわしい」

バイロンは、蝙蝠《こうもり》のようにマントを翻した。「マンフレッド……自由なる男」

「自由なる人間……」彼に聞こえぬ声で、私は言った。「その苦悩なら、私にも書けるかもしれない」

女の子は、うれしそうに微笑む。

「おはなし……して……くれる？」

ゆっくりうなずく。白い花が、吹雪のように舞う。

「うれしいわ」少女が言う。「あなたの名前は？」

しっかりと答える。わたしはメアリー。

「二百年後のメアリー・シェリー」

斜線堂有紀

『メアリーの総て』という映画の九割は苦しい。あの名作「フランケンシュタイン」を生み出し、それからの文学史に多大な影響を及ぼした小説家を描いたものであるのに、息を吐ける瞬間はスコットランドに降り立った時とパーシーとの初対面、あとはラストくらいだ。周りからは才能を認められず、渾身の傑作を自分の名前で発表することも出来ず、女性であるが故に時代に翻弄されてしまうメアリーの姿は、見ていると圧迫感すら感じられる。

　メアリーにとって今生きている現実とは閉塞感のある暗いものだ。パーシーと交わした〝自由恋愛〟の取り決めも、女性である彼女とパーシーでは意味合いが大きく変わってしまう。それは丁度、メアリーの名前で小説が出版されることと、パーシーの序文を付けた「匿名」で小説が出版されることの意味合いが大きく異なっているように。同じ『フランケンシュタイン』が世に出るという結果であっても、その二つの間にどれほどの隔たりがあるかは観ていれば伝わってくるだろう。自らの総てである作品を匿名に奪い去られた彼女の苦しみは、観ているこの身を震わせるほど切実だ。

　さて、閉塞的な展開で観客をじわじわとメアリーに同化させ、最後はある種のカタルシスで締めるというこの映画は、伝記ものとしてとても優れている映画だ。同時代で小説家であることはどういうことかや、女性作家が傑作を生み出す過程を知りたい方にはおすすめの一作である……と、あくまで映画の話に終始するエッセイにしておくことも考えた。

　だが、メアリー・シェリーという人物を語るにあたって、私は女性小説家である自分のことも書かなければフェアではないのではないか、と思うようになった。

　なので、敢えてメアリーに捧ぐ文章としてこれを書く。現代においても女性で小説家であるということは苦しいことだ。

　私は今年でデビュー五年目になる。ここ最近は宣材写真が雑誌などに掲

『メアリーの総て』日本公開時ポスター

載されることも多いので、性別を誤認されることはあまりない。そもそも、私はＳＮＳなどでよく音声配信を行っているので尚更である。

だが、デビューしたての頃は「有紀」が中性的な名前であるが故に、よく男性作家と間違えられていた。一部のメディアには間違えられたまま情報が載っていたこともあった。けれど、そういう時に私は敢えて訂正しなかった。何故なら、女性作家であることが明かされることにはリスクがある。駆け出しである今なら、性別が露見する機会は少ない。なら、性別不詳のままで仕事が出来る状況を大切にしよう。そう考えたのだ。

それから二年くらいは、なるべく事が露見しないように立ち回っていた。結構気を付けていた方だと思うのだが、今考えてもあれは最善だったと思う。対談やトークイベントに呼んでもらえるわけでもなかったので、明かすメリットが本当に無かったのだ。

ありがたいことに、少しずつ色々なところに呼んでもらえるようになり、顔と名前が知られるようになっていった。つまり、女性作家として認知される機会も増えていったのだ。

その結果、危惧していたことが起こった。女性作家だと広く知られた結果、ＳＮＳ上で極めて距離の近いメッセージや、女性なんだからこうあらねばならないと指導するようなメッセージ、あるいは露骨に性的なメッセージが送られてくるようになった。まるで恋人のような文章を延々と送られてきたこともある。容姿に対するコメントや誹謗中傷も大量に受けた。見た目が好き、見た目が嫌い、この間していた格好が好みだったからそれ以外は着るな、こういう服を着ろ、整形してるだろう許せない、など、もっと過激なものもあった。

本来、他人に対してそういうことを言ってはいけないはずなのだが、その「いけない」が共通認識であることすらも、まだまだ理想論だ。小説を褒める時に「女性的な感性」という言葉が用いられることが本当にあるのだな、としみじみ思った。今まではそんな言葉で褒められることはなかったというのに。

　残念ながら、今のところ女性作家という立場はメリットよりもデメリットの方が大きいように感じる。もしかすると女性作家であるから特集に呼ぼうと思われたり、アンソロジーに呼ぼうと思われたりして知らず知らずの内に仕事が増えているかもしれないのだが、それにしてもマイナスは取り戻せない。

　大っぴらに言いたくもないことだし、この現実はこれから小説家を目指す人達に対してあまりに希望の無い話だ。確かに、自分の作品を自分の作品とも主張出来ないメアリーに比べれば、状況はいくらかマシだ。だが、あれから二百年以上経ってもなお、女性作家はいくらかマシな、辛い状況に生きている。

　残念ながら、こちらの現実の方にそれらしい結論は無い。辛いなあ、とそれくらいである。少しずつ世の中をよくしていくべくちょっとだけ頑張ったりして、明日が明るいものになることを期待するしかない。

　なので、それを踏まえて『メアリーの総て』に戻ってこよう。

　この映画の色彩は暗い。町の色も暗いし、メアリーとパーシーが暮らす屋敷も暗い。夫婦の寝室も暗い。時代を考えれば当然かもしれないが、観ていると悲しい気持ちになるくらいトーンを落とした世界が展開されている。その中で鮮やかさを感じられるのが冒頭の墓場や、辿り着いたスコットランド。そして、本来はおどろおどろしさを感じさせる要素であるはずの生体電気実験のシーンだ。

　死んでだらりと垂れ下がるカエルの足は、通電されたことでぴくぴくと動き出す。演者は死者蘇生の話をしてから実験を行う為、観客はまるでカエルが電気によって生き返ったかのような錯覚を覚える。この実験を観たことで、メアリーは『フランケンシュタイン』の着想を得るのである。メアリーの脳裏には青い光が閃光のように瞬く。その光が作家としての彼女の人生を導いていく。

　映画において鮮やかなシーンは墓場、スコットランド、そして生体電気実験だ。これらは総て、作家としてのメアリーを育んできたものである。彼女にとっては非日常こそが安息であり、想像力を羽ばたかせる場所だった。それらを繋ぎ合わせて、『フランケンシュタイン』は出来上がったのである。

　思えば、メアリーが小説家としての才の片鱗を見せてから、実際に

『フランケンシュタイン』を書き上げるまでにはそれなりの歳月がある。それまでにメアリーは自分の中に鮮やかな物語のパーツを溜めて、一体を創り上げたのだと思う。

　小説『フランケンシュタイン』は、死体を繋ぎ合わせて怪物を生み出した博士の物語であり、怪物自体には名前が無い。これはかなり意図的に作られた設定である。フランケンシュタイン博士は怪物に大切な人々を殺されていき、精神をすり減らして衰弱していく。だが、彼は殺された友人の名前を聞くことで奮起し、怪物を葬ることを誓う。この物語において、名前は人間と怪物を分けるものである。

　一方、怪物は「この外見に惑わされず、おれという者を知れば伝わるはずのおれなりの長所を尊重してくれる相手に出会いたい」と求めるが、その願いは悉《ことごと》く打ち砕かれる。怪物の孤独が、フランケンシュタインの愛する者達を殺し尽くすという蛮行へと向かわせるのである。

　私はメアリー・シェリーの背景を知った時、『フランケンシュタイン』の物語との符合に震わされた。名前の与えられない怪物の物語を書きながら、作家としての名前を与えられない運命にあったメアリーのことを考えずにはいられなかった。彼女こそ、その肉体に惑わされず作家としての彼女を見る人間がいてくれれば、メアリーはもっと早くに救われていたのではないか。

　私は女性作家として括られている時、名前を無くしている。誹謗中傷も何もかも、本当は私相手じゃなくてもいいのだと理解している。そこに私はいない。尊重されない外側だけが砕かれ続けている。そういった時、私はメアリー・シェリーを思う。そこにいなかった女性作家の切実な悲しみと、獰猛な怒りに身を浸す。

　怪物が人間達を殺していく時のカタルシスは、広義の私達を救ってくれるものではないのか。

　『メアリーの総て』と『フランケンシュタイン』は、合わせて味わうことで真価を発揮する作品だと思う。少なくとも、私のような立場に置かれている人間は、この二百年の間に変わったもの、変わらなかったもの、そしてこれから変わっていくことを期待するものに胸を打たれるはずだ。

『メアリーの総て』(二〇一七　アイルランド・ルクセンブルク・アメリカ) 監督／ハイファ・アル＝マンスール　出演／エル・ファニング、ダグラス・ブース他
配給／GAGA

幻の女たち

青銅の扉事件

The Case of the Bronze Door

マージェリー・ローレンス Margery Lawrence

田村美佐子訳

マージェリー・ローレンス（一八八九―一九六九）は、一九二〇年代から六〇年代にかけて、冒険、ロマンス、ファンタシーなど多岐にわたる長短の小説を発表した。怪奇小説では、アルジャーノン・ブラックウッドの「ジョン・サイレンス」とダイアン・フォーチュンの「タヴァナー博士」に触発されたオカルト探偵「マイルズ・ペノイヤー」の連作で知られている。ペノイヤーは十一作の中短編に登場し、二冊の作品集にまとめられている。ここに御紹介するのは、第一作品集 *Number Seven Queer Street*（1945）巻頭に配された、異国趣味も鮮やかな一作である。

世にも見事なその品を初めて目にしたときには、思わず感嘆と賞賛の声をあげた。ある夜のこと、僕は旧友であるマイルズ・ペノイヤーと夕食をともにするため、テムズ川を臨む、彼のひろびろとした部屋を訪れていた。

彼はブラックフライヤーズの川沿いの古い建物の――かの有名な〝クィア（奇妙）通り七番地〟の――最上階を、人もうらやむばかりの自分だけの空間につくり変えていた。むろん赤の他人から見れば、じつに閑散としたもの寂しい場所であるには違いなかった――階下には何軒かの事務所が入っていたが、夜間はがらんとしてひとけもなく、フリードルという年配の家政婦と、ウルフハウンド犬のハンスがいることを除けば、彼はそこで、ほんとうにひとりきりで暮らしていた。とはいえ彼はその暮らしが気に入っているようで――これがわたしに必要な暮らしなのだよ、とみずから口にしていた。こうして高みから川を見おろすだろう、しかも足もとの高層の建物は空っぽで静まり返っている、だからこそ自由に呼吸ができるのさ、と彼はいっていた。それなら郊外にでも住めばよいものだが、仕事柄、大勢の人間と関わらねばならないような場所に住むのはできるだけ避けたいようだった。そういうわけで、最上階にあるこの快適な空中の住処《すみか》こそが、彼にとってすべての条件を備えた完璧な城だった。

心地よい春の夕方で、長椅子の奥の大きな窓は開け放たれていた。僕は茶色の天鵞絨《ビロード》のクッションの上に身体を投げ出し、ゆったりと寄りかかった。ぴかぴかに磨いた古い床板に陽光が降りそそぎ、暖炉の前に敷かれた、くすんだ色の絹製の豪奢なペルシャ絨毯を生き生きとした鮮やかな色に見せている。見おろせば、川の中ほどからかすかに風の吹き抜ける音がし、まるで人差し指がずらりと並んでいるかのような、何本もの船の帆柱が天を指して立っていた。あたりは明るく、暖かいそよ風が吹いていた。川向こうの、屋根のひしめき合うその先には、美しい空が弧を描くようにひろがっており、羽毛のようなちいさなちぎれ雲が、うっすらとした青に点々と散らばっていた。

ペノイヤーがこしらえてくれたウイスキーのソーダ割りを手に、僕は悠々と室内を見わたした——そこで衝立が目に入った。

それは天井が低く細長い部屋の隅にぴったりと壁ぎわに寄せて置いてあり、新しいものと古いものが混在するマイルズ・ペノイヤーの生活空間に妙に馴染んでいた。焦茶色の天鵞絨のカーテン、クッションの置いてある使いこまれた革製の安楽椅子、部屋の三方を覆う、高さが床から四フィートほどもある本棚——さらに古美術品やらなにやら、ありとあらゆる奇妙な品々がそこらじゅうに並んでいた。きらめく天然石がちりばめられたロシア製の銀メッキの聖像、マントルピースの上にかかったベネチアふうの鏡、割れた木製の板に描かれた聖母マリアのモザイク画の暗い色合いは、まるでぼうっと光っているようにも見えた。泥漿文様《スリップウエア》の陶器の酒杯《ティグ》、トルコ石の中心部ほどにも青い、明《みん》時代の二体の麒麟《きりん》像。柄《つか》に彫刻と琺瑯《ほうろう》細工が施されたトルコ製の偃月刀《シミタール》の刃には、いにしえの血がこびりついたままだ——そして奥の壁にぴったりと沿うように置かれた、あの衝立《ついたて》!

とたんに僕は飛び起きて、もっとよく見ようと側へ行った。

「この衝立ときたら、ずいぶんと見事な品じゃないか。

運のいい奴だな、いったいどこで手に入れたんだ?」僕はいった。

　ペノイヤーは笑みを浮かべ、自分のグラスに冷水を勢いよくなみなみと注いだ。彼は例の特殊な仕事に精を出すようになってから、酒を一滴も飲まなくなった――マイルズ・ペノイヤーはまわりから〝医師《せんせい》〟と呼ばれているが、厳密な意味での医者ではない。つまり身体を診《み》るほうの医者ではないのだ。彼が診るのは、さらに難解で実体のないものだ。かつて、ある女性は彼を〝魂のお医者さま〟と呼んだ。おそらくその説明なら通りがいいのだろうが、まるでどこか胡散臭い宗教のようだ――なにしろ僕は筋金入りの反教権主義者なので、そういうものには怖気《おぞけ》が走るのだ! ともかく話を続けよう……。

　僕は羨望と賞賛のあまり、衝立に鼻をくっつけんばかりに齧《かじ》りついた。よくよく見ればそれは衝立などではなく、歳月によってなんとも深みのある緑褐色の光沢を宿した青銅製の扉だった。この大きな両開きの扉は、高さは七フィート、幅は六フィートほどあり、中央に取りつけられた、巨大な車輪にも似た錠前らしきもので閉ざされていて、さらに両端には、麻雀牌《マージャンパイ》のような形をした、これまた巨大な蝶番《ちょうつがい》がついていた。扉全体に絢爛《けんらん》たる彫刻が施されており、僕の見当では、おそらく宋朝あたりのものではないかという気がした。中国人にのみ伝わる技で組みあげられたその荘厳かつ優雅な佇《たたず》まいに、僕はえもいわれぬ満足感をおぼえた。それはまるで完璧な食事を前にしたときのような、口づけのなんたるかを知りつくした女と唇を重ねたときのような、幾度も読み返してはそのたびに愛着が増す本に出会ったときのような感覚だった。僕はため息をつき、後ろ髪を引かれつつ扉に背を向けて暖炉の側へ戻った。するとそこで待っていたペノイヤーが、深く落ちくぼんだ目で僕をじっと見つめていた。

「いったいどこで手に入れたんだ?」僕は不満もあらわに訊ねた。「貴重なものであることはわかるが、それにしても見事だ!」

　彼は頷《うなず》いた。

「譲り受けたのだよ」彼はいった。「つい先日のことだ。ある――患者からね。手を貸す相手のことをほかになんと呼ぶべきか思いつかないので、とりあえず〝患者〟といっておくが」

　彼は冷水を飲み干すとグラスを置いた。僕は思わず背筋を伸ばして身構えた。

「こいつにまつわる話があるってことだな、ペン!」僕は彼に迫った。

彼は笑い声をあげて頷いた。

「そうとも！　しかもこいつは記録に残す価値のある話だと思っているからこそ、わたしとしても認めざるを得ない。きみに今夜うちへ来ないか、と声をかけた理由のひとつが、まさにこれにまつわる話をきみに聞いてほしかったからだということを」

僕はゆったりと椅子にもたれかかった。

「夕食前に話さずにいてくれてよかった」僕はいい、ペノイヤーが来客用に置いている上等な葉巻を一本取って火をつけた――彼は酒をやらないばかりか、喫煙もしなければ肉も食べない。これらのものを嗜《たしな》んでしまうと霊感が鈍り、彼の〝医師〟としての成功を多分に担っている微妙な感覚が失われてしまうからだ。「でなければ僕は夕食をかきこんでしまって、せっかくのフリードルの料理を味わうどころじゃなかっただろうからね！　さあ話してくれ――拝聴しようじゃないか」

・・・・・・・

「三、四か月ほど前のことだ（とペノイヤーはいった）。ある夜、わたしは〈クラブ〉で夕食をとっていた――〈トラベラーズ〉だ。あそこならわたしを、馴れ合おうとしない少々胡散《うさん》臭い客のひとりだと思って、みな知らぬふりをしていてくれるからね！（と、面白がるように、浅黒い細面の顔にくしゃっと皺を寄せた）伯父のベンボウが貴族だったから、わたしも目こぼしにあずかっているというわけだ。つまり、見た目こそ変わり者だが、たぶん中身はまともなんだろう、とでも片づけてくれているんだろうよ！　きみも知ってのとおり、わたしがときどきあの場所に行くのは、ねじれて絡み合った人間の魂と一日じゅう向き合ったあとに、あそこにしばらく腰をおろして、あの店の従業員たちを含む誰もがみな、美しくも平穏に――単調に、といってもいいだろう！――普通に過ごしている世界でくつろいでいると――その世界の空気を浴びていると、といってもいい――じつに気が休まるんだ。

そういうわけで、わたしはいつものように席につき、〝ウサギのエサ〟にありついていた。これは伯父のベンボウの口癖でね――菜食主義で、おまけに酒も煙草もやらない、などと意固地なことをいっていると身体に悪いんだとさ！　――すると、サタスワイト将軍が覚束ない足取りながら、慌てたようすでこちらへやってきて、わたしの隣の椅子にどすんと座ったんだ。正直をいうと少々腹が立った。ひとりきりにしておいてほしいところだったものでね。ひどく疲れていたし――心の――居眠りをしたかった。

　だが将軍はベンボウ伯父の友人だから、無下に扱うわけにもいかない――彼は鼻息も荒くひとしきり前置きを述べると、急に興味深いことを口にしはじめた。

『あんたは、その――降霊術とやらを嗜《たしな》んでいるのかね？』

〝降霊術〟という言葉を口にするときの、彼の侮蔑まるだしのようすときたらじつに愉快だったね！　わたしはしげしげと彼を見つめただけで、返事はしなかった――正直にいうと、彼がどういうつもりで話しかけてきたのか、まるで見当もつかなかったんだ。

　彼はもう一度鼻を鳴らすと、先ほどよりも大声でいった。

『儂《わし》は信じてなどおらん――断じてだ！　しかしだな……』彼がまた鼻息を荒くするので、思わずわたしは笑いだした。

『あなたがその使い古された〝降霊術〟なる言葉をどういう意味でおっしゃっているのか、という興味深い議論から始めても別に構いませんが』わたしはいった。『わたしとしては気が進みませんな。ですが信じないといいながら、なぜその話題を？』

　彼はまばたきをすると、はぐらかすように咳払いをした。

『儂は信じてなどおらん』彼は不平をこぼした。『断じてだ！　でっちあげやらペテンやらといった、でたらめ話のたぐいなど儂は信じない。しかしだな……』彼は一瞬考えこんだ末、侮蔑と焦りの交ざり合った奇妙な口ぶりで、ひとり離れて隅のテーブルにいるわたしにわざわざ近づいてきた理由を話しはじめた。『しかしだな……どうか儂の甥のジョン・サタスワイトに会ってはもらえんだろうか？　彼はウエストミンスターに住んでいて――法曹界ではそれなりに名も知れている――トレホーウェス家の娘を嫁にもらった。コーンウォールの古い家系で――いい娘だ。じつをいえば、彼女の名づけ親は儂でな。子どももふたり、息子と娘がいる――結婚生活は順調だ――近頃の若者は現代的な結婚だのなんだのとか抜すが、そういう連中とはわけが違う。まったく、今日はこちら、明日はあちらと……』

　彼が白い口髭の内側でふっとため息をついた。わたしは彼を見つめた。

『おっしゃるように、ジョン・サタスワイトの家庭はすべて円満とおっしゃるなら、彼のなにがそんなに気がかりだというのです？』わたしはいった。

彼は鼻を鳴らすと、白い口髭の上にある、赤らんだ肌の深い皺の中に埋もれたちいさな目で、わたしを斜《はす》に睨《にら》んだ。

『ふむ――まったくそのとおりだ！　結婚自体に問題はない――しかしだな、あるもののせいで亀裂が入りかけておる。奥方のほうからそういう知らせが入ったのだ。彼女は心配のあまり――先日儂のところへ相談にやってきた。妙な話をしとった』彼はふたたびため息をつき、鼻を鳴らした。『彼を診てやってほしいのだが。憶えておらんかね。ジョン・サタスワイトだ。きみとは同窓だ――甥のほうが何学年か下だが、きみのことは憶えているそうだ。おそらくきみは彼にとっての憧《あこが》れの英雄だったんじゃないかね？』

それで思いだしたのさ！　マールバラ校の学生だった頃、妙に懐いてきて、しつこいほどわたしにつきまとっていた、痩《や》せっぽちで、夢見がちな小柄な少年を。変わった子だった――彼のことなどすっかり記憶の彼方に去っていた。だが老将軍の話を聞くうちに、突然、現在の彼の姿がくっきりと〝視《み》え〟たんだ。今、きみの姿がわたしに見えているのと同じように、心の中に映像が浮かんだ。確かにあの少年だったが、あの頃よりも歳を取っていて、すっかり大人になっていた。だがこちらを見つめる大きな青い瞳と、神経質そうな口もとは昔のままだった……わたしの目を覗きこんでくるその瞳は苦悩に苛まれていた。懇願するような、助けを求めるまなざしだった……。

わたしは席を立ち、将軍に向かって片手を差し出した。

『ぜひともジョンにはまた会いたいものですな』わたしはいった。『彼の住所を教えていただければ、会いたいので近いうちに訪ねてもいいか、とわたしから手紙を書きましょう』

『よかろう』老人はだみ声でいった。『だが気をつけてくれ――きみが理由があって訪ねたということを本人には悟られないでほしいのだ。なにかがおかしいことに彼自身は気づいていない――少なくとも奥方はそういっている。ただ儂と偶然会って彼の話になったとでもいっておき、手紙は独断で書いたことにしておいてくれんかね？』

わたしはもろもろ承知して――ジョン・サタスワイトに手紙を書き、その夜の便で出した。会わないかと書いたところ、ぜひ夕食に招待したいという喜びにあふれた返事が届いた。そして二日後の夜、わたしはウエストミンスターのスミス通りにある背の高い家の前でタクシーを降りた。

老サタスワイト将軍は甥の家を〝部屋〟といったが、その説明は正確とはいいがたかった。じっさいには、建物の一階を除くすべての部分がこの若夫婦と子どもたちの住居となっており、一階は単身者用の部屋で、この家の大家であり、ジョンの友人でもある年配の弁護士が住んでいた。

　廊下はよくあるように狭く、やや薄暗くて、かすかに家具つや出し剤と防水布《マッキントッシュ》のゴムの匂いがし、傘立てと、外套掛けと、おそらくこれまで誰ひとり腰かけたことのないであろう黒い木製のベンチがあった――とはいえ突き当たりには乳母車が、さらにその傍らには子ども用のキックボードが置いてあり、殺風景な雰囲気の中にも人の暮らしが感じられた。わたしは帽子と外套をかけ、メイドに案内されて、二階の狭い踊り場まで階段をのぼった――のぼりきると扉がふたつあり、いっぽうは階段の正面を、もういっぽうは側面を向いていた――わたしが踊り場に足をかけるやいなや、脇の扉が素早く開き、ジョン・サタスワイトが飛び出してきて、わたしの両手を握りしめ、凄まじく興奮したようすで上下に振った。

『ペン！　まさかお会いできるなんて。いったいどうなさってるかとずっと思ってたんです……さあ、どうぞ中へ！』

　先ほど開いた扉から招き入れられ、家の裏手に面した、本がずらりと並ぶこぢんまりとしたちいさな書斎へ通された――パイプ材の棚に革製の安楽椅子や、さまざまな資料が山積みになった机、伝統的な赤い紙紐で綴じられた書類の数々を見れば、そこがジョンの〝城〟であることは明らかだった。暖炉では炎があかあかと燃えており、側に寄せられた小ぶりのテーブルにはさまざまな種類の酒が並んでいた。ジョンが強いウイスキーのソーダ割りをわたしにつくってくれようとしたので、わたしは急いで止めた。

『きみ、わたしは酒はやらないんだ！』わたしは声をあげて笑った。『仕事柄、飲めないのでね！』

『すみません』ジョンがいった。ばつの悪そうな表情は、マールバラ校にいたあの不機嫌な少年そのものだった。『知らなかったもので……』

『そりゃあ知らないだろうさ』わたしは躍る炎に手をかざしながら、いった。『単にそれが仕事の一部だというだけだ。わたしが酒をやらないのは、霊感を鈍らせないでおくためなんだ。プロゴルファーだって調子を整えておくために、視界が鈍らないように酒を控えるだろう。それと同じことだ』

　ジョンがわたしに尊敬のまなざしを向けた。

『あなたが始められたという仕事については――風の噂にですが――お聞きしています』彼はいった。『あなたはマールバラでも、常に奇妙なものごとに興味を抱いていらっしゃいましたね、知ってますとも――ですがむろん、あの頃の僕にはあなたのことなどよくわかっておりませんでした。ただの情けないチビの下級生だった僕を、あなたはお優しいことに、多少なりとも気にかけてくださいましたね！　それをいうなら、今や素晴らしいお仕事で名を馳せたあなたが、わざわざ僕などに会いに来てくださるなんて、あまりのご親切に恐縮してしまいます』

　わたしは笑いだした。『今にもわたしに〝さま《サー》〟をつけそうな勢いだな』わたしはいった。『もういい、ジョン！　結局のところ、わたしの髪は白髪交じりになり、いっぽうきみのかつらはまだ黒々としているかもしれないが、わたしたちはせいぜい十歳も離れていないんだぞ』

　彼は返事のかわりに、にんまりと笑った――そして五分もしないうちにわたしたちはすっかり打ち解け、えんえんとくだらない話をした。いかにも昔馴染みの友人どうしらしく、すべての話の前置きに〝憶えてるか？〟をつけながら、わたしたちは心ゆくまで楽しく語り合った。

　部屋の外から足音がしたので振り向くと、ジョンが誰かを招くように片手を伸ばし、暖炉の円《まる》い明かりの中に、黒い服をまとった、すらりとした小柄な人物があらわれた。わたしは彼女の手を取り、あからさまなほどしげしげと眺めた。きみも知ってのとおり、霊的な病《やまい》を診るうえで、男の患者が治癒できるかどうかは――十中八九間違いない！――結婚相手の女性しだいだからだ。

　その若く可愛らしい女性は、年の頃は二十五くらいで、赤茶色の巻き毛に、そばかすのある低めの鼻、きらめく灰青色の瞳に、じつに魅力的な、まっすぐで真剣な光をたたえて、少なくともわたしと同じくらいの熱量で、喰い入るようにわたしの顔を見つめていた。わたしは彼女と握手をし、ありきたりな挨拶を交わしてから、ふたたび暖炉に向き直った。わたしはほっとした反面――ほんのすこしだけ気分が沈んだ。彼女が思いやりのある、心優しい誠実な女性で、ジョンに対する愛情も深く、彼を救うためになにかできないかと真剣に思っていることがはっきりと見て取れたからだ……むろんこのことはいずれ大きな強みともなり得るのだが、男の魂を救わねばならないというときに、わたし自身やわたしのやりかたに条件反射のごとく異を唱えたり、かと思えば死ぬほど怯えたり（これもじつに参るんだ！）するような女と戦わねばならないこともけっして少なくはないのでね。最悪なのは、心の奥底では夫の回復などまったく望んでいない妻だ！〈緑の怪物事件〉を憶えているかね？　あれはじつに不気味な事件だったろう？　ともかくわたしは少々気落ちしたのだ。

　頬のこけたジョンの利発そうな顔を見ながら、そういえば彼の本や芸術に対する情熱は凄まじく、こんな貧相ななりをしていながら、彼との議論はじつに深遠で思慮に富んだものだったと思いだし、わたしはふと感じずにいられなかった。彼の結婚相手である、この小柄で感じのよい真摯な女性は、確かに魅力的ではあるが――なにかが足りない、と！　善良で人当たりもよく、性格も優しい――だがジョン・サタスワイトの伴侶としてわたしが思い描いていた、芯の強い女性像とはどこかが違っていた。つまり、ほんとうに深刻な事態に陥ったとき、確かに彼女は精一杯の力を注ぐに違いなかったが――助けとなるだけの力は持ち合わせていなかったのだ！　わたしのいう意味がわかるかね？

　まあいい、とにかく続けよう。わたしたちは夕食をとるため、上の階へあがった。そこはジョンの書斎の真上にある居心地のよい部屋だった――散らかった玩具《おもちゃ》に、裁縫箱や女性向けの雑誌などが置いてあり、生活感のある明るい色の装飾がなされていたので、そこがジョンにとっての書斎のごとく、サタスワイト夫人の〝城〟であることはひと目でわかった。

　食事は素晴らしかった。澄んだスープに魚料理、薄切り肉の野菜添え――これだけでも料理上手なのがわかった――さらにジョンが菓子を好まないということで、新鮮な果物が出された。奥方は楽しそうに子どもたちの話や――どうやら最上階で子守が面倒を見ているようだった――ジョンが最近、ある重大事件において〝勝訴〟を勝ち取った話、芝居の話や流行りの帽子の話をして、ジョンも相槌を打っていた……。

　そして、桃色の頬をしたメイドが、『奥さま、コーヒーはどちらにお持ちしましょう？』と奥方に耳打ちしたときのことだった。夕食の間はじつに和やかで平穏だった空気に、かすかに緊張が走った。マーガレット・サタスワイトは返事をしながら、顔色をうかがうように夫をちらりと見やった。妙に遠慮がちなそのようすに、わたしの心の耳がぴくりと聞き耳を立てた。

『そうね……主人の書斎にお願い、メアリー』

だが彼女がそう口にしたとたん、ジョンが身をこわばらせ、苛立ちをみなぎらせた。

　彼は一気にまくし立てた。鋭い声だった。

『なぜ書斎なんだ、メグ？　ここ最近で、きみがそういいだすのはもう三回めだ――食後はいつも客間で過ごすことにしていただろう!』

『そうだけど、あなた』彼女はばつが悪そうに呟いた。『でもあそこは広すぎるし……隙間風も入るでしょう……書斎のほうが落ち着くんじゃないかしら、ペノイヤー医師《せんせい》も……』

彼は妻のしどろもどろのいいわけをさえぎり、困ったように夫妻の顔をかわるがわる見ながら立ちつくしているメイドに向かって、きつい声でいった。

『いつもどおり客間に運んでくれ、メアリー』そしてふたたびマーガレットに向かい、妙に棘《とげ》のある口調でいった。『寒いだと――馬鹿馬鹿しい! あの部屋では、書斎と同じくらい大きな暖炉が一日じゅうあかあかと燃えてるじゃないか』

彼は見るからに腹を立てており、わたしは奥方が気の毒になった。彼女は腰をおろしたまま、すっかりちいさくなって、つぶらな瞳で夫とわたしの顔をおそるおそる見比べていた――わたしはすぐさま、ふたりの間に割って入った。

『ここや書斎と同じくらい居心地のよい部屋がまだあるのかね、それはなによりだ』わたしはいった。『見たこともないほど素晴らしいお宅じゃないか――あんな美味しい夕食をいただいたのも初めてだ。あなたの料理の腕は最高ですな、サタスワイト夫人、少々時代遅れなご挨拶かもしれませんが!』

この褒め言葉に彼女は口もとをほころばせたが、食堂を出て階段をおり、最初にジョンが迎えてくれた踊り場まで戻ってきて、廊下から階段をのぼった突き当たりにある扉を入る頃には、すっかり笑みは消えていた。

その部屋に足を踏み入れた瞬間、この二階部分が、今はふた部屋に――家の裏手に面したジョンの書斎と、正面に面した広い客間とに――分かれているものの、もとはＬ字形をしたひとつづきの大部屋で、短い横棒が家の正面に横向きに、長い縦棒が家の正面から裏手へ延びていることがわかった。大家か誰かが、大部屋は不便なうえに、もうひとつ別の部屋が欲しいと考えた末、Ｌ字の二本の棒が交わる部分に、壁かあるいは間仕切りをつくり、ふたつの部屋をこしらえたのだろうと思われた。とはいえ正面側の半分は――客間となった部分だ――もとの広さの半分に断ち切られているとはいえ、充分に立派でひろびろとしていた。片側には奥行きの深い暖炉、薄緑色の壁、クロテッド・クリームのような色の、温かみのある漆喰《しっくい》の天井。古い寄せ木張りの床は、まるで褐色の琥珀《こはく》さながらにワックスでぴかぴかに磨きあげられており、また窓は、窓枠の上部から床を覆うほどの長さのある、緑色と金色をあしらった美しいフレンチダマスク柄のカーテンにゆったりと覆われていた。

　カーテンと同じダマスク柄の布張りの、座り心地のよさそうな椅子が何脚か一か所に寄せて置いてあり、暖炉からほどよいあたりに置かれた寝椅子の上にも、緑色と金色をあしらったクッションがいくつも重ねられていた。その傍らの低いテーブルにはすでにコーヒーの支度が調えられており、さらに小型のグランドピアノまであった——ジョンも奥方も音楽を嗜む人たちだったからだ。白い羊皮の敷物が暖炉の前に敷いてあった。クルミ材の本棚と、同じ素材の書き物机、暖炉の両側にそれぞれひとつずつある貝殻形のくぼみの中にも、さらに本が詰めこまれていた。こんもりとした花をつけた赤いクリサンセマムが、鉢にいくつか活けてある。たいへん見目のよい部屋だった。まさにこれぞイギリスふうという、じつに魅力的な部屋だった——外国の香りなどいっさいしなかった、といってもいいだろう。

　ここまでいえば、あのときわたしがどれだけ驚いたか、きみにも想像がつくだろう。わたしは暖炉で手を温め——なにしろ、ジョンは夕食時にはマーガレットの言葉を否定していたが、なぜかその部屋はすこしひんやりとしていたのでね——そして部屋の奥に目をやると、もとの部屋をふたつに分けている壁に、ぴたりと沿うように置いてあったんだ——そう、あれが！」

　ペノイヤーは青銅の扉を顎でくいと示した。

「そいつが壁の半分以上を覆っていた——すぐ隣にはわたしたちが踊り場から入ってきた扉があったのだが、この鈍い光を放つ金属製の、なんとも素晴らしい両開きの扉と並ぶとまるでちっぽけに見えた。じつに見事で——しかもその部屋にはまるでそぐわない品だった。鳩小屋にコンゴウインコを入れるようなものだ！　なぜこれほどのものがこんなところに？　とわたしは疑問に思った——そしてそう思ういっぽうで、ふたつの点が気にかかった。ひとつは、この部屋に入るとき、ジョンがわたしたちの後ろからなかなか奥へ入ってこず、この扉の傍らに立ったまま、艶《つや》やかな金属の表面を愛おしげに撫でていたのだ——さらにもうひとつ、置かれた三つのカップにコーヒーを注ぐとき、マーガレットの手がなぜか震えていた。だがジョンが暖炉に近づき、マーガレットがカップを満たしてひとりひとりに手渡してくれたときには、そんなことはとうに頭から消え去っていた。それでも、そういう印象を抱いたことは確かで、その印象はあとになってふたたびよみがえることになった——それこそがまさに、いうなれば、青銅の扉の奥にひそむ厄介ごとの芽だったのだ。

　絵画さながらに、平らな壁にぴったりと寄せて置いてある扉の〝奥〟だって？　とむろんきみも笑うだろう！　だがまさにそれこそが、わたしの心に浮かんだ言葉だった。それにきみも知ってのとおり、わたしはどれほど些細に思えても、心に浮かんだ言葉をそのまま流してしまうことはけっしてしない癖がついている。そうした言葉たちは抱いた印象を暗示――説明、といったほうがいいかもしれない――している。言葉自体にたいした意味はないが、印象そのものはひじょうに大事なものなのでね。

　わたしは扉のほうへ首をかしげ、まさにきみが最初にこれを目にしたときにいったとおりの言葉を口にした。

『いったいどこで手に入れたんだね？』

　そういったとき、マーガレットが妙に身体をこわばらせたのが、見えた、というよりも感覚として伝わってきた。そのときジョンがほんの一瞬、身構えるような、怪訝そうな表情を浮かべた。それはどこか異様でもあり――明らかになにかを語っていた。彼は噛みつくような、それでいてふてくされたようなまなざしでわたしを見た。

『どこで？　北京《ペキン》のちっぽけな骨董屋ですよ』彼はたいして関心などないとでもいうように、カップのコーヒーを飲み干した。『一年ほど前ですかね、メグが身体を壊しまして、外国で静養したほうがいいということになったところに、僕にもすこしばかり遺産が入ったので、子どもたちを郊外にいるメグの母親に預けて、半年ほど旅行に出たんです。あちこちに行きましたが、北京に立ち寄ったのはたまたまでした。小汚い、狭い通りをぶらぶらしていたとき、あれに出会ったんです』喰い入るような、愛おしげなまなざしは扉のほうに釘づけになっていた。『店の奥に置いてあったんですが、絨毯やらなにやらを上から乗せられて、半分隠れた状態だったんです。あれほど素晴らしい品がですよ！　巨大な物干し竿さながらの扱いを受けたまま、あの場所に置いておくなんてことはできない、と僕が思ったのも当然でしょう？』

『あんなものを欲しがるなんて、あなたらしくないわ！』マーガレットだった。可愛らしい声が、怒りでかすかに震えていた。『今まで骨董品に夢中になったことなんてなかったのに』

　ジョンがすぐさまいい返した。

『理由なんて僕だって知らない、と何度説明すればわかるんだ？　とにかく欲しかったんだ。その気持ちは今でも変わらない。これのない人生なんて考えられない』

　彼はうっとりと扉を見つめていた。奥方の唇は震えていた。

『わたしは嫌なの！』彼女は呟いた。

ジョンは唇を引き結んだ。

『いいかげんにしてくれよ、まったく！』彼は腹立たしげに唸った。『このことはさんざん話し合っただろう？』彼はわざとらしく笑みを浮かべてみせた。『もういいじゃないか？　僕は気に入ってるが、きみはそうじゃない。だが頼むから、気の毒なペノイヤーの前でつまらない喧嘩を蒸し返すのはやめてくれ、二度と来てもらえなくなるだろう！』

奥方は顔をあげてわたしを見た。その目に涙がうっすらと浮かんでいるのに気づき、ふたたび同情の念がかすめて、ついちっぽけで子どもっぽい騎士道精神が疼《うず》いてしまい、この、彼女が本能的に恐怖を感じていながらも、正体がわからずに戸惑っているしろものを、とにかくなんとかしてやりたいと思ってしまった。そこでもう一度ふたりの間に割って入った。

『いいんだよ、ジョン』わたしは笑いながら、いった。『そんなふうに気を遣われるのは心外だ。遠慮なんかしないでくれよ――わたしのことはそこらへんの椅子かテーブルかなにかだと思っててくれればいい』

メグは泣き笑いのような表情でわたしに礼をいうと、子どもたちのようすを見てくるわ、とちいさな声でいいわけをし、今にも泣きだしそうなようすで部屋を出ていった。

ジョンはその背中を見送ると、勢いよくわたしに向き直った。

『マイルズ、みっともないところを見せてしまいましたね！　僕のことをさぞひどい男だと思ったでしょう』彼は哀れっぽい、悔やむようなまなざしでわたしの顔をうかがった。『彼女に当たるなんて可哀想なことをしました――でもああなると、なぜか自分でもどうしようもないんです』

わたしは感じた。診てやらねばならないのはまさにこれだ！　と。

『なんらかの理由で過労ぎみなのではないかね』わたしは言葉を選びつつ、いった。『働き過ぎでは？　疲れていると人は短気になり、つい身近な人々にその矛先を向けてしまうものだ』

彼はため息をつき、無理に笑い声をあげると、暖炉の傍らにある寝椅子に身体を沈めた。わたしは向かい側の安楽椅子に腰かけていたので、ふたりの間には、まるで金を溶かしたようなまばゆい炎があかあかと燃えていた。部屋の奥には例の青銅の扉が荘厳なる美しさで佇んでおり、躍る炎の光を受けて鈍く光っていた。蝶番はしっかりと留められ、二枚の扉が合わさった場所には、古い中国ふうの楔《くさび》形をした見事な錠前が、扉どうしをまるで頑《かたく》なに開こうとしない唇のようにがっちりと閉ざしていた……だというのに、その扉を見ているうちに、奇妙な感覚に襲われた。もしなにかが起これば――それがなんなのかはわからなかったが――この扉は開くのではなかろうか？　そして扉が開いたときには、その向こうは壁に塞がれているのではなく、その奥にはなにか――別のものがあるのではないだろうか？　と。だがまだジョンが喋っていたので、わたしはしばらく自分が抱いた印象を隅に押しやり、彼の話に耳を傾けねばならなかった。彼は見るからに気後れして落ち着かないようすだった――話すのはやぶさかでないが、いいたいことがうまく言葉ではいいあらわせない、とでもいうようだった。

『要は……その衝立の……その扉のせいなんです』彼は、壁ぎわにそびえ立つ、かすかに光る青銅の衝立を指し示した。『ある意味では――彼女のいうとおりなんです。あれのせいで僕らの間には亀裂ができてしまいました。こんなことは今までいっさいなかったのに。僕はあの扉に心を奪われてしまったんです――おかしなものですよね、僕はなにかに対してこんな感情を抱いたことはこれまでに一度もなかったし、収集家でもない。でもただただ惹かれるんです……マーガレットはあれを毛嫌いしてますが……』

『きみがあれを買い求めたときには、奥方は一緒ではなかったのかね？』わたしはいった。

一緒ではなかった、と彼は身振りで示した。

『旅に出て二、三か月ほど経った頃、二週間ほど北京に滞在したんです。マーガレットの伯父があちらの領事館に勤めているので、いってみれば、中国までちょっと足を伸ばしてみたわけです。あの扉と出会った日は、メグとは一緒ではありませんでした――頭痛がするとかなんとかいうので、彼女はホテルの部屋で休ませておいて、僕は一、二時間ほど散歩に出ました。彼女の気に入りそうな翡翠《ひすい》のネックレスを買い求め、琥珀のもないだろうかとあちこち覗いていたときに――あれと出会ったんです！』

彼は顔をあげ、細長い部屋の奥にある青銅の扉に視線を向けた。そのときの彼のまなざしはまさに、近づいてくる情婦に向ける、恋する者の瞳そのものだった。欲に満ち、熱に浮かされた……。

『それで買い求めたというわけかね？』わたしはできるかぎり感情のこもらない声で話した――わざとみずから

を中立の立場に置いて自分を滅し、彼が心を開いて多くを打ち明けてくれることを願った。

　彼は目を剝いてわたしを見た。

『当然です！　手に入れずにいられるとでも？　無理に決まってます。わかるでしょう？』

　わたしにはわからなかった――まだこのときは。だが、こと細かに説明しなくとも、いいたいことは当然わかってもらえるだろうという彼の思いこみはこちらにとってはありがたかったので、わたしは取り立ててなにもいわず、彼が話しつづける横でただ無言で頷いていた。

『むろんホテルに持って帰るわけにはいきませんでしたから、その場で小切手を切り、厳重に梱包してイギリスまで送ってくれと店の者に頼みました。そしてホテルに戻りました。マーガレットはだいぶ具合がよくなっていて――ネックレスを喜んでくれて、扉についての話を熱心に聞いてくれたんです……』

『ということは、旅行から戻るまで彼女がそれを目にすることはなかったのだね？』わたしは訊ねた。

　ジョンは頷いた。

『ええ、戻るまでは――それがたった二か月前のできごとです』彼の声は沈んでいた。『僕らの帰宅よりも先に到着するだろうとは思っていたので、首席助手に――これがじつに役に立つ男なんです――梱包を解いてあそこの壁ぎわに置いておいてくれ、と手紙を書きました。そしてメグがこの部屋に足を踏み入れて、あれを見た瞬間――なにが起こったと思います？』

　わたしはかぶりを振った。彼が最後に口にした言葉に、妙にどきりとした。

『気を失ったんです！　まさに僕の腕の中で』彼は不安げなまなざしでわたしを探るように見た。『苦しげな悲鳴をあげて、そのまま崩れ落ちたんです――そして気がついたとたんにわっと泣きだして、あれをどこかへやってちょうだい、と僕にいうんです！　そんなことがあり得ますか？』

『さあまだ――わからない』わたしは慎重にいった。

『なぜあの扉が嫌なのか、理由は聞いていないのかね？』

　彼はかぶりを振った。

『聞いてません。自分でもわからないんでしょう。とにかく嫌で嫌でたまらないらしいんです。でも僕は……』彼はまたしても恋い慕うようなまなざしを浮かべ、部屋の奥へ視線をさまよわせた。『僕には、彼女の綺麗な青い目を片方えぐり取ることなどできないのと同様に、あれをどこかへやるなんてことは考えられないんです――なのにあれが結局、僕らを隔てようとしているような気がするんです。どんどんややこしいことになっていくばかりで』

　彼はため息をつくと立ちあがり、両手を暖炉にかざしながら、しばし部屋の奥に背を向け、なかばひとりごとのように話を続けた。

『大馬鹿者だとお思いでしょうね、せっかくわざわざこうして初めて訪ねてくださったのに、たかが古ぼけた青銅細工について意見が合わないからって、犬も喰わない夫婦喧嘩の話を聞かされるなんて』ふさぎこんだ、不機嫌そうな口調だった。『でも正直なところ――どうしてもそれだけじゃないように思えてしかたがないんです。マーガレットはなぜあんなにあれを嫌がるんでしょう――そして僕は、なぜこんなにあれが愛おしくてたまらないんでしょう？　僕には……』

　彼の声がしだいにちいさくなった――だがじつをいうと、最後のほうはわたしの耳には入っていなかった。例の扉をじっと見つめていて、ふいにある感覚に襲われたからだ。感覚というには強すぎて、むしろ絶対的な確信に近かった。言葉にするとひどく馬鹿げて聞こえるが、なにかが、扉のすぐ向こう側で、立って耳をそばだてている、そう思ったのだ！　強大で、躍動的とすらいえる、邪《よこしま》だが徹底した悪とはいえないなにか――高みより居丈高に呼びかけてくる、尊大ななにかが！　それは、わたしの傍らにいる男に凄まじい力の波動を送り、彼が耳を傾け従わずにはいられないよう仕向けていた……すぐ近くでわたしにまとわりつき、この身体にあるすべての霊的神経を目覚めさせ、わたしの中に危険信号をともらせたのだ！

　わたしはびくりと背筋を伸ばした――すると部屋の扉が開いた。マーガレットが入ってきて、〝波〟は、その正体がなんであったにせよ、ともかくふっと止んだ。青銅の扉からジョンに流れこんでいたなにかは、霧散して彼からそれていった――とりあえずはありがたかった。わたしはすこしばかり動揺していた。彼女が入ってきたことで内密の話はここでひとまず終了となったが、これもわたしにとってはありがたかった。少なくとも、ひと晩かけて取り組むには充分なだけの材料が収集できたからだ。

　それからはたわいのない雑談に興じ、わたしは十一時半頃に暇《いとま》を告げてタクシーに乗り、このわたしの空中の城に戻ってきた。

　着替えてベッドに入るまでは、あえて集中して考えるまいとしていた。落ち着いたところでようやく、胡坐《あぐら》をかいて両手を組み、身体の中にある霊的な波動を〝鍵〟

でしっかりと閉じこめたのち、心の内でＳＯＳを叫んだ。数分もしないうちに、わたしは深い眠りについた。そのときの夢のなんと奇妙だったことか！　夢の中ではジョン・サタスワイトと――といってもそのジョンは今よりも歳を取っていて、本人とは別人だった――ふたりの女性がおもな登場人物だった。その夢は、血と炎と古い涙に彩られていた。黄金と、いいあらわしがたい栄光に照らされた夢だった。あまりにも複雑に入り組んだとりとめのない夢で、目覚めたときにもはっきりとは思いだせなかった。だが朝になって目が覚めたとき、わたしが常にベッドの横に置いているメモ用紙にはこう書かれていたんだ！　〝マーガレットなる女性に訊け〟とね。

例によって〝彼ら〟が応え、わたしに教えを授けてくれたのだ。

わたしはマーガレットに短い手紙を書き、楽しい夕べに対する礼を延べて、そちらから電話をかけてほしい、と記した――わたしからかけると、ジョンが在宅している時間に当たってしまうかもしれないからだ。ひとりで会いに来てくれないかと訊ねたかったが、理由はいうまでもなく、わたしが彼抜きで奥方と話したがっているなどとはジョンに知られたくなかった。

彼女はふたつ返事で了解し、わたしたちはリッツホテルのティールームで会うことにした――わたしの思いつくかぎり、そこが最も静かで最も配慮に富んだ待ち合わせ場所のひとつだったからだ。

時間どおりに到着したが、彼女は先に来ており、不安と期待に満ちたまなざしで広い入り口をじっと見つめていた。待ちかねたように手を握られて、わたしは目の前の小柄な女性に惹きつけられた。

彼女は洒落た黒のスーツに高級な毛皮を羽織り、粋な天鵞絨の帽子が、褐色の巻き毛と丸みのある顔を縁取っていた。曇りひとつないガラス張りの銀のテーブル越しにわたしと向き合ったその姿は、どこか大人びたふりをしているちいさな子どものようでもあったが、その青い瞳は果敢にもわたしの目をじっと見返していた。

『わたくし――あなたがお電話くださらないかと思ってましたの』彼女はいった。『憂鬱でしかたがなかったんです。どこからお話しすればいいのか……お話ししたいことが山ほどありすぎて！』

わたしは頷いた。

『わたしもお話ししたいことが山ほどあります、サタスワイト夫人！』

『ジョンに嘘をつくのは嫌なんです』彼女は沈んだ声でいった。『けれどあなたに会いに行くとはいえませんでした！　ご存じでしょうけれど、あの人はわたくしをあなたと話させたくないのです——あのいやらしい扉のことで、わたくしがあなたを味方に引き入れては困ると思っているんですわ！』彼女は捨て鉢な笑い声をあげた。『まるで、わたくしの力では、あれを手放せとあの人を説得することなど到底できないといわんばかりに……』

『あなたですら説得できないのなら、わたしにも無理かもしれません』わたしは認めた。『ですが、あなたが心の中に抱えている、例のものを嫌う理由を話してはいただけませんか？　なにか——ほんとうの理由があるのでは？　見た目が気に入らない、という以上の理由が』

　彼女はかぶりを振った。

『見た目ではないんです。豪華で美しい品だとは思いますわ——けれどわたくしとしては、ともに暮らすにはもうすこし質素で、こぢんまりしたもののほうが好きなんです。とはいえわたくしにだって、古いものの美しさを愛でる気持ちは充分にありますのよ』彼女は眉根を寄せた。『そこが自分でも理解できないところなんですの。あれがどれほど見事な品かはちゃんとわかっているつもりです！　あれを見つけたら、ジョンだってお金を出して買い求めるのは当たり前ですわ——ああ、しかもあの品の価値からしたら、びっくりするほどの安いお値段で！　それなのに……』彼女の顔は不安に青ざめた。『あれを見るたびに、わたくしは恐怖のあまりに髪が真っ白になってしまいそうなんです！　わたくしが初めてあれを目にしたとき、なにがあったかジョンからお聞きになりまして？』

　わたしは頷き、意味ありげな表情を見つめた。

『その瞬間にあなたの心によぎったことを話してはいただけませんか？——たとえどれほど些細なことであっても構いません』わたしはいってみた。『参考に……なるかもしれませんので』

　彼女はかぶりを振った。

『いいえ！　なにも——というのは、ただわけもなく凄まじい恐怖に突然襲われただけだったからです。遠い昔に忘れ去ったなにかが——いっている意味がおわかりになるかしら、あまりにも遠くて、知っていたことすら忘れてしまっていたなにかが——目の前に立ち塞がり、わたくしはそれがまだそこにいるのを感じながら、ただただ恐怖に失神したんです！　それは今も消えずに、忘れられぬままあの場所にあるんです、今まで以上に不気味さと迫力を増して……そしてあれがどんどん力を増していくにつれ、お気づきでしょうけれど、ジョンは日に日に弱っていきます。もとのあの人はもう半分も残っていませんわ。まるで麻薬中毒にでもなったかのようにがりがりに痩せてしまって、怒りっぽくなったうえにすっかり神経質になってしまったんです。ですから、こんなことは考えるべきじゃないとはわかっていますけれど、この──なにか得体の知れないものを──壊してしまわないかぎり、あの人はそのうち潰されてしまうのではないかと思うんですの。どのように、とまでは想像がつきませんけれど……わかっていただけます？』

　わたしは頷いた。ところどころつかえながら語る話からは、彼女自身が知る以上のことが伝わってきた。

『続けてください』わたしはいった。

　奥方がためらい、不安げにこちらを見たので、わたしは急いで念を押した。

『どんな話であろうと笑ったりしませんよ。どうぞ続けて』

　彼女はわたしを見つめたが、その灰青色の瞳は、今や恐怖に染まり、濃紫色に見えた。

『わたくし、夕食後にあの部屋でくつろぐのが大好きだったんです。けれど、先日あなたもご覧になったとおり、今では嫌でしかたなくて、できるだけあの部屋に入らずにすむようにしているんです。どういう感じがするのかと申しますと……そう、いつもなんです──扉の奥には、扉などまったくないように思えるんですの！』

　わたしは彼女を見つめた。なんと面白い！　じつに興味深かった。つまり彼女もわたしと同じものを感じたのだ……。

『扉の奥にあるのがなんなのか、なにかしらの印象は抱きませんでしたか？』

　彼女は今一度かぶりを振り、いった。いいえ。いいえ。ただ壁がない、と感じただけなんです。まるで錠前が力ずくでこじ開けられたかのように──ジョンは、そんなことは絶対あり得ないというんです。長いこと錆びついていたせいで、今ではもうべったりとくっついて、無理やり開けようとなどすれば壊れてしまうに違いない、と──けれどもほんとうに錠前がこじ開けられて、もし扉が開いたなら、その奥にあるのは、イギリスの邸宅のなにもない壁ではなく、あの扉が属する世界なのですわ！　わたくしには想像もつかない、想像したくもない世界……思い浮かべただけでもわたくしは恐ろしくてしかたがないのに、ジョンはあの世界を恐れようとすらしないんです！　と。

　わたしは彼女の言葉に飛びついた。

『では彼も──あなたと同じ印象を抱いているのですか？』

彼女は頷き、怯えた青い目をわたしに向けた。

『そうなんです！　でもあの人は、わたくしが気づいていることには気づいていません。あの人――寝言でそのことをいうんです――あ――あの人、とにかくひたすら恋い焦がれていて、それがまた不気味なんです！　闘っているようすすらないのも、ほんとうに恐ろしくてしかたがありませんけれど、これこそが、あの人からはほぼ協力が得られないだろうと思うまさにその理由なんです。わかっていただけまして？　わたくしが扉について異なる意見を口にしたとき、彼が凄い剣幕で怒ったのをご覧になりましたでしょう――夜寝るときや、暖炉の側で居眠りをしながら、あの人はあの扉に向かって、開けてくれ、開けて僕を通してくれ！　と叫んで呼びかけるんです。向こう側にある家のことや、庭について話すこともあるんです……そしてそうなると』――彼女は目を瞠《みは》った――『知らない国の言葉で喋りだすんです！　前に――あの人が夕食後に客間で眠りこんでしまったことがありました。一日じゅう忙しかったようなので、起こさないようにそっと中に入ったんです』――彼女は怯えたようすではっと息を呑んだ――『するとあの人がまた、あの知らない国の言葉で喋っていたんです！　おまけに――途方もない話だとはわかっているんですが、わたくしが戸口で足を止めて耳を澄ましてみると、まさにそのとき、誰かがあの人に返事をしている、と感じたのです！』恐怖に見開いたその目が、わたしの目をじっと見つめた。『誰かがあの人に話しかけていたんです――それも、やはりあの知らない国の言葉で！』

『それはじつに興味深いですね』わたしはいった。『それが何語だったかわかりますか？』

彼女の瞳はそれまで以上に暗い光を帯び、答える声はもはや囁き声だった。

『たぶん……よくわかりませんけれど――中国語のように聞こえました。中国については知らなくもないので――伯父が何年間か中国に滞在していて、中国語もすこしだけ教わったことがあるんです――だから中国語がどんな響きかくらいはわかります。けれどもここが恐ろしいところなんです、おわかりになります？　ジョンは中国語なんてひとことも話せないはずなんですの！』

そういうわけで、彼女はわたしに有益な手がかり以上のものを与えてくれたばかりか――すべての元凶はあの青銅の扉だというわたしの印象を裏づけてくれた。だがいったいその正体とは？　ある日、ジョンが法廷に出ていて留守だというので、わたしは彼らの家を訪ね、あの忌まわしいしろものの周囲を歩きまわって詳しく検分し、彫刻で飾られた部分に刻まれたさまざまな文句を解読したのだが――なにしろわたしは知ってのとおり、東洋の言語はひととおり齧っているし、中国語に関してはさらに詳しいつもりなのでね――ところが、外側から見るかぎりでは、手がかりになるようなものはなにひとつなかった。そればかりか、最初の夜に感じたような〝感覚〟もまったくやってこなかった……扉の奥にひそんでいる〝存在〟はどうやら賢いうえに用心深く、扉の奥から響きわたる霊的な振動を自在に〝断ち切る〟ことができるようだった。そしてその〝存在〟が誰なのかを――あるいはなんなのかを――わたしが突き止めないかぎり、それは一直線にジョン・サタスワイトめがけて向かっていき、彼を捕らえてがんじがらめにしてしまうに違いなく、そうなればわたしとてお手あげだ！　わたしは〈ミン・ユー〉（葉アザミの葉を五枚と、三つ結び目をつくった撚り糸を使っておこなうまじないだ）と〈インガズ・テスト〉という、いずれもたいていは解決の糸口となる方法を用いたのだが、得るものはなにひとつなかった。〈フロウの儀式〉を試してもよかったのだが、必要となる材料が手もとになく、それを揃えるだけでも数か月はかかってしまうので諦めた。だがわたしのたどり着いた結論がとんでもない誤りでさえなければ、ジョンの件はすぐにでも対処しなければ手遅れになるしろものだった。さらにいえば、おそらく〈フロウの儀式〉をもってしても、あの扉には太刀打ちできなかっただろう！　あの、命など持たぬ青銅の分厚い板を通じてジョン・サタスワイトにはたらきかけているなにかが――あるいは誰かが――呪術を操る相手であることは明らかだった。そこで途方に暮れたわたしは、結局、〝彼ら〟ともう一度交信してふたたび助言を請い、前回と同様にそれを受け取って、ベッドの傍らにあるメモ用紙の走り書きを見た。

〝狩人の手の届く場所にいる獅子をおびき寄せるには、獅子の求める肉を餌に罠を仕掛けよ！〟

　これですべきことはわかったので、あとは機会を待つだけだった。ジョンさえ協力的な夫だったならば、ことはたやすく済んでいただろう――だがそれは願ったとて詮なきことだった。彼はすでに、無意識のうちにすべてにおいてあちら側に取りこまれており、わたしにできることといえば、じっと機会を待ってふいうちをかけることのみだった。そういうわけで、わたしはスミス通りの家を足しげく訪ねたが、やはりわたしの懸念どおり、夫も妻も、とりあえずは見た目だけでも幸せな日常を送っているふりをするという、あからさまではあるが涙ぐましい努力をしていたのは明らかだったが、それでも、若夫婦の間にはしだいに張りつめた空気が漂いはじめ、ますます微妙な雰囲気となっていった。それはさまざまな形であらわれ――マーガレットの目の下の隈《くま》は日増しに濃くなり、ジョンの顔にはやつれた皺がますます深く刻まれ、食欲もないようで、日を追うごとに短気で怒りっぽくなっていた。ついにある日の夕食どき、ほんの些細なことで彼が激昂し、奥方はわっと泣きだして部屋を飛び出してしまった。彼は一瞬悔いるような表情を浮かべると、慌てて彼女のあとを追ったが、数分後、打ちひしがれたようすできまり悪そうに戻ってきた。顔を赤くして眉根を寄せ――馬鹿げたことだが、それがまたしても、あの頃の幼い少年の姿と重なった――頑として譲らないとでもいいたげに座りこんだ彼を、わたしはしげしげと眺めた。

『なあ、ジョン』わたしはいった。『マーガレットのことをもうすこし考えてやったらどうだね』

彼は憔悴《しょうすい》した、憂鬱そうな目でわたしを見た。

『僕がわかってないとでも？　自分でも自分が嫌になりますよ――なのにますます険悪になるばかりです。彼女のやることなすことが気に障って――愛してるのに！　可愛くて優しくて、僕が女性に求めるすべてを……』

『ならばなぜ、彼女に対してあんな態度を取るんだね？』わたしは至極もっともな質問を投げかけた。

彼はどうしようもないとばかりにかぶりを振った。

『それがわかれば苦労しませんよ！　まるでなにかに操られてでもいるみたいなんです。なにかが僕に、気難しくてむら気な人間になれとけしかけて、彼女の些細な行動がどれほど癇に障るものかを毎度毎度指摘してくるんです。あくまでも自分のやりかたを通そうとするところだとか、綴りをしょっちゅう間違えるところだとか、浴室じゅうにパウダーをぶちまけたこととか、サラダのドレッシングをつくるときに、最初に酢ではなく油を入れただとか……ああ、全部そういったじつにくだらないことばかりを。結婚当初は気にもならなかったし、むしろそういうところが愛おしいとすら思っていたのに！　けれど今は、まるで心のどこかがねじくれてしまったみたいに、これまでは――たとえ少々抜けているんだとしても――そこが彼女の可愛らしくて子どもっぽくて愛おしいところだと思っていたのに、そのなにもかもが、単に愚かで腹立たしいものに思えてしかたがないんです……』

彼は言葉を切った。だが彼にはなんとしても話してもらわねばならなかったので、ここで終わりにするわけにはいかなかった。

『単刀直入に訊くが……』訊きづらい内容だったので、わたしは一瞬口ごもった。『立ち入った質問で申しわけないが、その新たに感じた衝動の正体がなんであるにせよ、そのせいで奥方としばらく疎遠になっているということかね？　つまり、夜は、という意味だが』

彼は恥ずかしそうに頷くと、ワイングラスの脚を弄んだ。

『ええ——そうなんです。じつをいうと、しばらく前から。た……ただ、ひとりでいなければいけない気がするだけなんです。どうにも妙なのですが、この数日、とにかくひとりでいる必要があったんです。当然……』彼はいいよどみ、顔を真っ赤にしたが、必死に続けた。『ええと——その——マーガレットはなかなかわかってくれません。まだ結婚して数年ですし、おたがいにまだ若いので……しかも忌々しいことに、なぜそうなのか、僕自身にもさっぱりわからないんです！　彼女の可愛い巻き毛の頭が隣の枕の上にあって、僕は彼女の手を握り、ともに眠りにつくのが、世界でいちばん幸せな素晴らしい時間だと、ついこの前までは思っていました。でも今は……』彼はお手あげだという身振りをしてみせた。『僕にわかっているのは、とにかくひとりでいなければならないということだけなんです』彼はどうにもならないとばかりに肩をすくめると、扉のもとへ歩きだした。『近頃、彼女のいうことにも一理あるような気がしてきました——この扉は彼女を嫌っていて、僕の人生から彼女を無理にでも追い出そうとしている、と。なんとも奇妙な話ですがね！　このひどい事態が、僕がこれを手に入れてから始まったことは確かです』

『では、なぜ』わたしは彼について階段をおりながら訊ねてみた。『意を決して扉に立ち向かい、処分してしまおうとはしないのかね？』

彼は沈鬱な顔でかぶりを振った。

『もう遅いんです』

わたしたちは細長い客間を暖炉に向かって歩いていた。寝椅子のところまで来ると、ジョンは気難しい顔でその上に横たわり、重ねて置いてある色鮮やかなクッションの上に頭を乗せた。三十歳にもならない健康な若者の目とはとても思えぬほど落ちくぼんだ、隈に縁取られた目は、あの青銅の扉にじっと注がれていた。

彼は深刻なまなざしで扉を見つめながら、やや声をひそめるようにふたたび話しはじめた。

『もう遅いんです！　あれを手放すなんてできません』

わたしはなにもいわなかった。なにもいうことはなかつた――だがようやく機会が巡ってきたのだということはわかっていた。辛抱強く待つ者には、機会はかならず訪れるのだ。

わたしは腰をおろし、光を受けてちらちらと光る、彫刻の施された巨大な青銅の板に暗い顔でじっと視線を注いでいる彼の姿を、ただ無言で見つめていた……コーヒーを運んできたメアリーが、マーガレットからのことづてをわたしに渡した。頭痛がするので、という女性にありがちないいわけで、階下へおりていかないことへの詫びが記されていた。おそらく上の階の孤独なベッドでひと晩泣きはらしたのであろう彼女に、わたしはまるで哀れな子ども相手のように同情をおぼえたが、とりあえず安堵して、ことづてを暖炉の火に投げ入れた――今夜は、彼女がこの場にいないほうがわたしにとっては好都合だったからだ。そこにいるのは――ジョンだけだった。まさに罠に仕掛けられた餌のごとく……。

このとき、まるで目の前に文字で記されたかのように、すべきことが明確に浮かんだのだ！　これで、なにか深刻な間違いが起こらないかぎり、青銅の扉の奥で待ち受けているなにか、あるいは誰かを明るみに引き出し、対峙して――望みどおりにいけば――打ち破ることができるかもしれなかった。失敗すれば……そう、表向きは、明るい未来が続くはずだった結婚がよくある道をたどり、切なく悲劇的な結果となったように見えるだけのことだろう。だがほんとうはそれだけではない。前途有望な若者が、こちらの世界とあちらの世界の狭間に囚われたままとなり――身動きも取れず、手も足も出ないまま、今世においても、またどれだけ生まれ変わって多くの人生を生きたとしても、二度と自由を取り戻すことは叶わないだろう。このことにかけては、気の毒な、純粋で可愛いマーガレットの幸福を守るという目的もさることながら、わたしは、持てるすべての力と知識を思いのままに振るって闘うつもりでいた……。

コーヒーを飲みながら――ジョンが夕食時にワインのほかにも二、三杯飲んでいたのは知っていたので、おそらくわたしのいうことにもたやすく従ってくれるだろうと考えた。彼が最高級のブランデーを秘蔵していることは知っていたので、わたしはいった。あのブランデーのためなら、固く守ってきた禁酒を一度だけ破ってもいい、と。なんとか彼の目を盗んで自分のぶんをそっと花瓶に注いだが、ジョンはまるで上の空で、マーガレットからのことづての内容を勝手に憶測して不機嫌になり、グラスにたっぷり二杯の酒を飲み干すと、強い酒と、熱い炎と、抱えこんだ憂鬱と、彼が眠くなるようにとわたしが先ほどから慎重に送りこんでいる静かな力の波の影響も相まって、十分としないうちに、どうやら彼は目を開けていられなくなったようだった。彼は何度もまばたきをし、あくびをすると慌てて起きあがり、すまなそうに微笑んだ。

『参ったな——僕ときたらひどいもてなし役ですね、ペン！　やたらと眠いんです——そろそろお開きにして、ベッドへ行ったほうがいいですかね？』

　だがそれは、わたしの最も望まぬことだった！　彼にはぜひともこの部屋の、青銅の扉の傍らで眠りに落ちてほしかった——彼にはそれと悟られぬうちに！　完全に気を緩ませ、眠らせたかった。そこでわたしは内なる力をすべて彼に注ぎつつ、笑みを浮かべて彼の葉巻箱に手を伸ばした。

『いやいや、まだいいだろう！　禁酒の誓いを破ったからには、いっそ禁煙の誓いも破ってしまおう——わたしはもともと葉巻愛好者だったんだ、しかもこいつはいい葉巻じゃないか。わたしがこいつを味わう十分くらいの間、きみはゆったりと横になって寝ていてくれていい、目が覚めたら少々話し合いたいことがあるんでね』

　これがうまくいった！　五分も経たぬうちに葉巻はみるみる——上等なコロナ葉巻だったので、じつにもったいないことをしたが——暖炉の中で燃えつき、ジョンは寝椅子の上でだらしない格好のまま、目鼻立ちの整った、ほっそりとした若い顔を、暖炉の炎の金色の光に艶めかせながら、すやすやと眠りこけていた。これで餌は仕掛け終わった。あとは獲物がかかるかどうかだった……。

　そうして安楽椅子に身動きもせず腰かけたまま、何時間経ったのだろう。家の中は死んだように静まり返り、聞こえるものといえば、夜の静寂を破るように表でタクシーが通り過ぎる音と、途轍もなく大きくて古風な暖炉の中で、積み重ねられた薪の中にある新しい薪を炎がとらえ、パチパチと燃えあがる音だけだった。何度時計に目をやっても、思ったほど時間は経っておらず、真夜中に近づけば近づくほど、針の動きがますますのろくなっていくような気がした。だが待つのは苦痛ではなかった——知ってのとおり、ある意味では待つのが仕事なのでね——それに、待ってさえいればかならず獲物は罠にかかるはずだった。ジョンはそれまで一度も——すでにそのことは突き止めておいたのだ！——扉の側で眠りこんだことはなく、あったとしてもここまでぐっすりと寝入ったことはなかった。この機会を逃す手はなかった……。

　ついにかすかなうねりを感じたとき、成功したとわかった。それはいうなれば、か細い糸のような振動が、眠っている男のほうへそろりそろりと伸びてきているかのようであり――あたかも、扉の向こう側のものがこちら側の空気を探ろうと〝触覚〟を伸ばしているとでもいうようだった。ジョンを眠りに誘《いざな》ったのち、わたしは罠への道筋が開かれるよう、あえて自分の気配を曖昧にし、できるかぎり存在を消していた――ややあって、最初のかすかな振動に次の、そのまた次の振動が続き、やがて、わたし自身が地下の動力室のど真ん中にでもいるかのように、部屋全体が震え、脈打ちはじめた。きみは、全開で回っている動力機関が空気を吸いこむときの凄まじい力をじっさいに感じたことがあるかね？　到底抗えずになす術《すべ》もなく引きこまれるのを？　そう、霊感を鍛えた者でなければ、そういったものを感じたり聞いたりすることは不可能だが、それこそが、わたしがあの部屋で感じたものだった――あの扉の奥からいかなる力がはたらきかけられていたにせよ、ともかくもジョンを扉のほうへ〝引き寄せ〟、彼を渦の中に巻きこみ押し流そうとしていたのだ……だがどこへ？

眠っている男は身じろぎをすると、扉に向かってふいに両腕を差しあげ――唐突に喋りはじめた。ほとんどが支離滅裂な呟きで、わたしは耳をそばだてたが、ほんの断片くらいしか聞き取れなかった……だがマーガレットが正しかったことだけはわかった。彼は中国語を話していたのだ！　ジョンが中国を訪れたことがあるのはたった一度、あの青銅の扉を買い求めたあのときに一週間ほど滞在しただけだったにもかかわらず！　むろん、喋っているのは現在のジョンではなく、歳を取ったほうのジョンだとはすぐに気づいた。それはわたしの知らないジョンだった……さらに、わたしは現代中国語ならば会話に困ることはまずないのだが、彼の話している中国語は、聞いていてもすぐには理解できなかった。ジョンが話していたのは、今では話者も数少ない、かついにしえの偉大なる貴人たちが用いていた、忘れ去られて久しい古代の美しい中国語だったのだ。

禍々しい力が彼の周囲に集《つど》って渦を巻き、その振動が生む、巨大な発電機《ダイナモ》のような唸りがわたしにも聞こえるまでになっていた……だがジョンを眠りに誘うさい、彼の周囲に念を送って結界を張り巡らせておいたので、これを破られる心配はまずなかった。相手はまるで人間そのもののようにまわりを嗅ぎまわったり見えない壁をつついたりしていたが、やがて八方塞がりで腹を立てたかのように身を翻した。だがわが師たちに鍛えられたのが無駄ではなかった証拠に、結界はびくともしなかった！　やがて、未知なる力はついにひとところに集まると、まるで波が引くように、諦めたように扉のほうへ退いていった……おそらく〝力の送り手〟は敗北を認めたのだろう、さもなければ、わたしと対決するために人の姿となってあらわれるに違いない！

わたしは座ったまま身構え、待った——見つめるうち、やがて、音もなく扉が開いた。古い錠前が音もたてずに外れ、まるで今しがた蝶番に油を差したとでもいうように、扉は静かに、軋むことなく向こう側へ開いた——そしてわたしは見た。最初に感じたとおりだった。扉の奥には壁などいっさいなかったのだ！

広く開いた四角い入り口の奥に、中国ふうの部屋が見えた。現代のものではなく、古代中国の部屋——今や記憶の中だけにとどまる、驚嘆すべき文明の時代の部屋だった。床には上等な織物が敷き詰められ、赤褐色の巨大な磁器の壺が、部屋の隅に置かれた黒い木材の台座に据えられており、いっぽうの壁にかかった、刺繍の施された見事な窓掛けには、皇族の色である黄色を背景に、五つの鉤爪を持つ龍が光沢のある緑色で描かれていた。遠景には、レースのごとく繊細な彫刻が施された赤褐色の木製の引き戸があり、それが半ば開けられた向こう側には庭が見えていて、銀色の葉をつけたしだれ柳が、古い石の井戸の奥で日射しにきらめいていた。緑色と紫色の喉もとをした灰色の鳩たちが、白薔薇にも似た牡丹の大きな植えこみの傍らで地面をつついたりクークーと鳴き声をあげたりしている。庇《ひさし》からぶらさがったキングサリの黄色い花房がゆらゆらと揺れ、香りのある木々や花々、香辛料と日射しの匂いがひそやかに漂ってきた。陽光と柳の木々と牡丹の花……いっぽうわたしは薪の暖炉があるイギリスふうの部屋にいて、屋外にはイギリスの冬の夜がひろがっている……。

だが分析している暇はなかった。その中国ふうの部屋の中へ、外の庭からひとりの女が入ってきたからだ！女は開いた扉のほうへ一直線に歩いてきた——わたしがさきに望んだとおり、〝力の送り手〟が人の姿となってあらわれたのだ！

彼女は彫像のごとくぴたりと止まり、濃紫色の金襴繻《きんらんしゅ》子《す》に、緑と銀をあしらった蝶の群れの刺繍が施された上衣をまとい、両手を長い袖口にたくしこんでいた。喉もとまである高い襟は、丸い玉の形をした銀の釦《ぼたん》で上まで留められている。細身のズボンのような下穿きは、こちらも刺繍がふんだんに施された濃紺色の繻子《サテン》だった。高さのある結《ゆ》い髪にまとめられた濡れ羽色の髪は、まるで磨いた黒檀製の兜《かぶと》さながらに艶やかに光っており、そこに挿した金と琺瑯の簪《かんざし》からは、深紅の繭綿《まゆわた》の飾り房がさがっていた。ちいさな足を内股に寄せて立っているが、足は纏足《てんそく》で、それを包む刺繍の施された赤い靴は、三歳の子どもが履く靴とさほど大きさは変わらなかった。わたしは彼女を見つめながら、突如として気づいた。われわれ西洋人は、美についてなんと無知であることか、と。古き世界が死に絶えたときにともに消え去った、幻想的で、異国情緒にあふれ、目を瞠らんばかりの美というものについて……。

　彼女はしばしその場にそのまま立っていた。あたかも、わたしに観察の機会を与えるかのように——だが、艶やかな黒髪の兜の下の動かぬ黒い瞳がわたしを見ていたかどうかは定かではなかった。彼女ならば、顔の筋肉ひとつ動かさずにみずからの命を絶つことすらできるだろう——いにしえの時代、高貴な女性はみずからを制するべく教育されていたからだ。しかもこの女性は高貴どころの話ではない。王家の一族なのだ！　まるで額縁の中の絵画から歩み出てくるように、女がしずしずと扉の外へ足を踏み出し、ゆらゆらと身体を揺らしながら部屋を横切りこちらへ近づいてくるにつれ、またしてもわたしは気づいた。美が死に絶えたとき、風格というものも消え失せたのだと！　なにしろ今日《こんにち》の女性といえば、どれほど高貴な生まれであり、どれほどのものを受け継ぎ、どれほど血筋に恵まれていようとも、あの、三インチにも満たない纏足の足で平衡を取りながら立っている、あの女性の動きの優雅さには到底敵《かな》わないからだ……。

　わたしはそっと椅子から立ちあがり、近づいてくる女性に正面から向き合った。彼女は、ジョン・サタスワイトがぐっすりと眠りこけている寝椅子から三フィートほどのところで足を止めた。だが、彼がもはやただのジョン・サタスワイトではないことはわたしにもわかっていた。わたしはその名を思いだした——この女性のおかげで、多くの記憶が怒濤のように押し寄せてきたからだ。チェン・ウォン——そうだ！　ジョンがこうして暖炉の明かりの中で横たわっている間にも、イギリス人である彼に覆い被さるように、その中国人の姿がわたしには見えた。浅黒い痩せた顔に——おそらく、あの閉じた瞼の奥には巴旦杏《アーモンド》形の目があり、巻き毛は黒々と、頬骨は高く張っているのではなかろうか？　彼を見おろす女を、わたしはしげしげと眺めた。古い象牙の色の完璧な卵形の顔、美しく整えられた黒い両眉と、その下の、軽く伏せられた、夜のごとく黒い切れ長の目。まるで熟した真っ赤な李《すもも》のような、紅を差した小ぶりな唇は固く閉じられ、ぴくりとも動かない——見れば見るほど落胆をおぼえずにいられなかった。というのも、柔らかく光る褐色の巻き毛に囲まれた、感じのよい純粋なイギリス人女性の顔を脳裏に浮かべつつ、この目の前の、孤高にして動かぬ、はるかいにしえの無慈悲なる力にあふれたおもざしを見るにつけ、哀れなマーガレットにはほんのわずかな望みどころか、勝ち目などいっさいないのは一目瞭然だったからだ。

　わたしたちは長いこと向き合って立っていた。やがて女が顔をあげてこちらを見た。わたしは思わず長い息を吸いこみ、片手で両目を覆った。力にあふれた、だと？　それどころではない。ひと目見ただけで全身がわなないた！　先に話しだしたのは女のほうだった——あれを〝話〟と呼んでよければ、だが。むろん声も、じっさいに耳で聞いたのではなく、心の耳で聞いたのだった。

『そなたはなぜ、その男を妾《わらわ》から遠ざけようとするのじゃ？』

　か細く、よそよそしい、ひそやかな声だった——象牙色のおもざしと同様に表情の乏しい、美しい仮面のような声だった。わたしは——その声を知っていた。わたしはこの女を知っていた——そしてなにをすべきかもわかっていた。わたしは静かに、だが断固たる口調で答えた。

『それは、后妃よ、彼にはこちらでなすべき義務があるからです』

　蛾が羽根をはためかせるように、彼女の瞼がかすかに上下した。

『妾は——この男が欲しいのじゃ。はるかいにしえより、妾はこの男を探してまいった。だがけっして見いだすことは叶わなかった。というのも、罪によって妾どもの道は隔たれてしまったからじゃ』

『存じております』わたしはいった。

　彼女は底の見えない瞳で眠る男を見つめ、頷いた。

『この男がこの扉を——かつての日々に、妾のもとへ殿が通《かよ》ってくるさいに用いていたこの扉を——買い求めたとき、妾にはわかったのじゃ！　だから妾は戻ってまいった、殿のもとへ——この扉を通って。その男を寄越すがよい、妾のものじゃ』

『存じております』わたしはもう一度いった。『この男を取り戻そうとなさっているのですな。だが后妃よ、それはなりません』

　わたしを見ていた女がふとためらい——仮面のような顔に、ほんのかすかに笑みがちらりとかすめたのを、わたしは見逃さなかった。

『ならぬ、じゃと？　妾はそのような言葉など知らぬ！』

『お聞きになったこともありませんでしょうな』わたしは落ち着いた声でいった。『ですが、后妃よ、チェン・

ウォンはご自分のものだとおっしゃる前に、これはぜひ学んでいただかねばならぬ言葉なのです。かつての日々を、彼と婚姻を結んでいたミン・タオのことをよもやお忘れではありませぬな？』

『忘れてなどおらぬ』言葉はかすかだったが、まるで底なしの井戸に小石をひとつずつ落としているかのように、遠くに聞こえた。『あの愚かな女！　殿があの女を妻としたのは妾と出会う前じゃ――あの女が妾どもの邪魔を……』

『憶えておりますとも』わたしはいった。というのも、わたしは彼女が話している間に、心の目の前に早送りのニュース映画のごときものを素早く思い浮かべ、記憶をほどいて、とうに失われて久しいかつての日々に、この女性とジョンがいかなる人生を送ったのかを確かめておいたからだ。しかも今になってその代価を支払わねばならぬとは！　そしていかなる代償を支払うことになろうとも、彼女には真実を告げねばならなかった。ほんとうの意味で彼を救えるのはこの女だけだったからだ。

『憶えておりますとも――じつに明確に、タン・シェン！　彼女に割って入られたがゆえに、あなたは彼女を殺したのです！　あなたは使用人に命じて彼女を絞殺させ――いっぽうかの者は盲目なまでのあなたへの情愛ゆえに、彼女を救えたにもかかわらず見て見ぬふりをしたのです！　今、かの女性はふたたび彼のもとにおります。おのれに対する義務を――いにしえの日々に、彼があなたへの愛ゆえに棚あげにした、彼女に対する義務を彼に果たさせるために』

女はかすかに微笑んだ。眠る男を見おろすそのおもざしに浮かんでいたのは、挑戦的でもあり、どこか皮肉で、それでいて絶対的な愛情に満ちた、複雑に入り交じった笑みだった。

『確かにそうじゃ、かつて妾の師であった者よ！　そなたはあいかわらず、ものを知りすぎておるな！』

わたしは頷いた。

『知ることが――ほかの人間よりも彼方を見ることがわたしの仕事でございますゆえ』

女はまだ横たわる男を見おろしたままだった。やがて彼女は、高貴な生まれを示す金色の長いつけ爪のついた、ほっそりとした象牙色の手を伸ばし、彼の頭に触れた――そして思わずちいさく身を震わせ、指が触れる前にその手を引いた。

『結界が張り巡らせされておる』彼女はいった。

わたしは頷いた。

『彼の周囲に結界を張りました。彼をご自分のもとへ引き戻そうとしてあなたが送った力から彼を守るためです。おわかりでしょう、后妃よ！』

『むろんじゃ』彼女はいった。『かつてと同様に、そなたは妾にとって、数多《あまた》の点において強すぎる相手じゃ――だがそれ以外においては、そなたは妾に敵うまい！　そなたが張り巡らせたこの結界ですら、妾とこの男を完全に引き離すことはできぬ……妾がこの男を離すまいとしている以上は』

　わたしの心は沈んだ。彼女のいうとおりだった。わたしが多少なりとも彼を守ることができたとて――それはあくまでも多少にすぎなかった。この女だけが、彼に完全なる自由をふたたび与えることができるのだ。彼が地上における務めをすべてなし終え、束縛から逃れ、名誉ある解放を手に入れる自由を。奇妙にも開いたあの扉を閉じることができるのは彼女だけなのだ！　だが――はたして彼女がそのとおりにするだろうか？　かつてのタン・シェンが寛大であったとはついぞ聞いたことがなかった――しかもそのちいさな口は、差した紅の下に仕掛けられた鋼鉄の罠のごとく、固く閉ざされているではないか！　ともかく――選択権は彼女にあり、たがいのためにも、彼女が正しいほうを選んでくれることを、わたしは心の底から願った。

　彼女はふたたび手を伸ばし、眠る男の額にかざした。金色のつけ爪が炎の明かりを浴びてきらめくと、彼が眠りながらかすかに眉根を寄せ、すすり泣くように息を吸いこんで、ある名前を――彼女の名を呟いた。女は苦しげな暗い表情を浮かべて手を引くと、ゆったりとした袖の内側にふたたびするりと差し入れた。

『妾の夢を見ておる』彼女は声をひそめ、いった。『だのにそなたは――この男から離れよと妾にいうのか！　あの女の……』

『罪は償わねばなりませぬ』わたしはいった。『それが世の理《ことわり》というものです』

　彼女は頭を垂れた。

『世の理とな。だがかつてのように、妾がそのようなものは知らぬと――この男を手放さぬと申したならばどうじゃ？　すでにこの男は妾のものも同然、なにも目に映さず朦朧と現世をさまよっているだけじゃ！　もはやあの女になど愛想を尽かしておろう！　この男にとってあの女は、傍らにいる忌々しい影、現実を曇らせる霧の帳《とばり》を払うがごとくに振り払ってしまいたい影にすぎぬ……』

『あなたの思惑などとうに承知の上でございます』わたしはいった。『すでにあなたがそれを仕掛けていらっしやることも。〈偉大なる者たち〉が授けてくださったすべての知識を備えたわたしですら、かの女性から――そして彼から奪ったものを返すようあなたに強いることはできないこともむろん承知しております。だがこれ以上あなたに奪わせないことはできます！　あなたは彼を完全にご自分のほうへ引きこむおつもりでしょうが、ならばわたしは、彼の周囲に張り巡らせた結界を固く閉ざすまでです』

　細められた彼女の黒い瞳が危険な光を帯びた。

『そなたさえ――あと数日――あらわれなければ！』

　わたしは笑みを浮かべた。

『〝彼ら〟が間一髪でわたしを送りこんでくれたのです！　この者を完全な形で救うことは間に合いませんでしたがね。というのも、彼から吸い取ったものをあなたが戻し、この恍惚の眠りから彼を完全なもとの状態で目覚めさせないかぎり、彼は夢うつつのまま生涯を過ごすことになりましょうから。あなたのものにもかの女性のものにもならず――それどころか自分自身すら失うのです。ふたつの世界の間をさまよい、どちらにおいても生きているとはいえぬ、哀れな迷える影となりはて……ああ、タン・シエンよ、どうか身を引き、彼を手放してはくれませぬか！』

　彼女の唇がかすかに歪んだ。

『三千年じゃ』彼女は呟いた。『殿を失ってから三千年以上の月日を経て、ようやくふたたび手に入るときが近づいたのじゃ！　妾に今すこしの時間があり、この男をこちら側の、妾の側に引きこむことができてさえいれば、いずれ現世の肉体はそれを支える内なる力を失い、じわじわと死んでいき――殿は完全に妾のものとなったはずだったのじゃ！　今ですら、夢うつつで妾の傍らに揺れているその男の影は、わが魂よりも愛おしい……なのにそなたは手放せと申すのか！』

　わたしはふと思案し、あらためて身構えた。今やわれわれの間に漂う振動は強さをいや増し、まるで相容れぬ、御しがたいものとなっており、鍛えられたわたしの内なる平衡感覚ですら、その上でときおり揺らいだり震えたりしていたからだ。わたしに見えている彼女の姿は、いうなればまるで水面越しに覗いているかのように、流れる川の水面《みなも》を照らす光のごとく、ときには力強く鮮明に、ときには歪んで色褪せたり揺らいだりしていた――彼女はいかに無情であろうと、じつに美しく、圧倒的な色香を漂わせていたが、その色香すら霞ませるほどの残酷さが、あたかも玉虫色の絹にもうひとつの色が織りこまれていくかのごとく、わたしの心の琴線を激しくかき鳴らした。というのも、かつての時代に彼女がいかに邪悪だったかを承知していながらも、わたしは彼女の長所や、気高さや、寛大なる強さを思いだしていたからだ――そしてほかならぬわたし自身が、けっして過ちを犯さぬ〝彼ら〟がこのときのためにわたしに与えてくれた力を彼女に用いることのできる機会を、なによりも心待ちにしていたのだ！　彼女がみずから進んで、いにしえの罪を贖《あがな》うための機会を……。

　炎の明かりが揺らめいて弱まり、もはや、わたしの立っている羊皮の敷物の柔らかい白色を、赤みがかった光がぼんやりと照らすばかりとなっていた。だが見やると、彼女の姿はなおいっそう鮮やかに際立っていた。豪華な外衣に身を包み、美しい頭をかしげて耳を澄ませ、両手を袖口の中にたくしこんで、古代中国の女性に与えられた躾《しつけ》に倣い、可憐な足を揃えて立ったまま、わたしとの間に挟まれてうつ伏せで眠る男の顔にじっと視線を注いでいる――完璧な成功となるか、ほんの一部の成功となるかは定かではなかったが、わたしが機会をとらえられるか否かは、まさに紙一重というところだった！

　というのも、わたしが彼女に告げたことは真実だったからだ。その道を選ぶことは不可能ではなかった――そうなればあとは推して知るべしだ。わたしは選ばねばならなかった――ジョンが現実世界から彼女のもとへ完全に引きこまれてしまう前に、彼の周囲に張り巡らせた結界を固く閉ざすのだ。だがそれではすでに奪われたものを取り戻すことはできない。わたしは怖じ気づき、知り合いである、この見目のよい才気あふるる若き弁護士が、先ほどもいったように、今後はふたつの世界の間をさまよう人生を送らねばならないという忌まわしき運命にあるとは、と思わず寒気をおぼえた。夢を見たまま永遠に夢の中で生きる者として……。

『タン・シエンよ！』わたしは揺らめく光の輪の向こう側へ急いで呼びかけた。『この男に拘《こだわ》りつづけたとて――たとえわたしがなにをしようと、なにをいおうと、いかなる結界を張り巡らせようと、ここに横たわる、チエン・ウォンが憑依した依代《よりしろ》にあくまでも執着したとて――いったいあなたはなにを得るというのです？　ご自身が手にかけたミン・タオに対する罪の償いを拒むことになるばかりか、彼がみずからの罪を償うのすら妨げることになるのですぞ――しかも来世においてふたたびこの厄介なやりとりを繰り返すことになるであろうことは、あなたとて充分ご承知のはず！　幾度生まれ変わろうとも、すべての罪は漏らさず償わねばならぬのです！　わたしがお教えしたことなどすべてお忘れか、タン・シエンよ？』

彼女はかぶりを振り、ほんの一瞬、果実のように赤い唇を開いて、自嘲するような笑みをかすかに浮かべた。

『いいえ、わが師よ。忘れてなどおりませぬ！』

わたしは両腕を大きくひろげた。

『ではその学びの記憶を実らせるがよろしいでしょう！ ああ、チュン王家の者たるタン・シェンよ、かの女性に、あなたのチェン・ウォンとの数多の人生における長くもわずかな物語に関わるその者に雅量を示すのです！ かの女性になど構わず、学ぶべき教えと、果たすべき義務さえお心にかければよいのです――三千年前のあの日に逃れた義務、たとえその場は逃げおおせても、けっして逃れることなどできない義務を。おのれの義務に向き合うのです、后妃よ――チュン家の女性はいつからそのような小心者になったのです？』

『小心者じゃと……？』

炎の明かりが消えゆく中、目の前の影の中できらめく女の向こう側にある、大きく開け放たれた青銅の扉の間に見えていたきらびやかな中国ふうの部屋がしだいに霞み、ぼやけはじめた。力が衰えつつあった――急がねば！ わたしは全身全霊をかけて最後の追い打ちをかけた。

『恥辱に耐えるくらいならばとおのれの胸にナイフを突き立てたハン・ルーを思いだされるがよい！ 父親の名誉を守るため入水《じゅすい》したツァン・リー・シェンを。弟の身代金を払うため、みずからの身を奴隷として外国に売ったウェン・チーを。いにしえの王家の女性たちほどの勇気を、あなたは持ち合わせておられぬのですか、タン・シェンよ？』

ここで初めて、瞼の厚い切れ長の目が、わたしの目とまっすぐに合った――黒硝子のごとく陰鬱な、底知れぬ瞳だった！ 女が濃紫色の、厚手の紋織り生地に包まれた細い肩の上にある頭をそり返らせ、片手をあげた――別れの挨拶ということなのか？

『妾はあの者たちほど強くはないのじゃ！ あの者を返すなど……さようなことをすれば妾は……』

『あなたさえそうすれば』わたしはすかさずいった。『かつて命を奪ったささやかなる魂に対してあなたが犯した罪も、そして彼が犯した罪もまた相殺されるのですぞ！ 彼をここへ残し――おのれの世界へお戻りなされ、タン・シェンよ、そしてそこで再会の日を辛抱強く待つのです！ 彼をかの女性と添い遂げさせ、おのれの罪を償わせてやりなされ。いずれ――彼は境界を跨ぎ、一直線にあなたのもとへ向かうでしょう、そしてすべての罪が償われ、あらゆるものが浄化されたあかつきには、〝彼ら〟は〝門〟を開き、あなたがたふたりを迎えてくれましょう……』」

・・・・・・・

「それで終わりなのか?」言葉を切って新しいグラスに炭酸水を注ぎはじめたペノイヤーに向かって、僕は訊ねた。

　彼は頷いた。

「これで終わりだ。少なくとも大事な部分は全部話した。あと憶えているのは、まるで巨大なたいまつが部屋を素早く横切ったかのように、燃えるような熱さが突然よぎったことくらいだ! ジョンが、絶望と、声にならない苦悶と喪失のにじむ声で、意味不明の言葉を叫ぶのが聞こえた。目の前が霞み、息も絶え絶えにまばたきをしてあとずさったとき、扉が閉まった。扉はぴったりと閉じ——そのときはっきりとわかった。その向こうにはただの壁しかない、と! タン・シェンはおのれの血族とおのれの言葉に忠義を尽くしたんだ。彼女は去った——在《あ》るべき場所へ」

　彼はふと黙り、考えこむように炎を見つめた。

「素晴らしい女性だった。希有な女だった。男を愛することのできる女はどこにでもいるが——男を愛していながら、その愛と愛する者にあえて背を向けることができる女はまずいないだろう。だが彼女は常にそういう希有な女性だった。あのタン・シェンという女は」

「彼女とは知り合いだったんだな?」僕はいった。「少なくとも僕はそう思ったがね。しかも〝師〟と呼ばれていたんだろう?」

　ペノイヤーはぎごちない笑みを浮かべ、頷いた。

「ああ、知っていたとも——そして向こうもわたしを知っていた」彼は立ちあがって部屋を横切り、壁ぎわに置いてある青銅の扉のもとへ歩いていった。背の高い、くすんだ色の金属製の衝立の、雷文模様の表面に照り返す光が、朽葉色や深緑色、紫や青銅色、暗金色に輝いている。彼は感慨深げに指を滑らせた。

「扉がバタンと閉まると、ジョンは最後に悲痛な叫び声をあげ、目覚めた……だがやはり、自分がなにを叫んだのかすらも憶えていなかった。なぜ叫んだのかもわからない、と。悪夢を見ていたのだが、おかしなことに、すっかり気分がよくなり——頭の中がすっきりした、といっていた。彼はもう一杯ブランデーを引っかけると、夕食のときにひどい態度を取ってしまったことをマーガレットに謝らねば、と慌てて部屋を出ていった。部屋を出て上の階へ向かうさい、彼は扉を一瞥すらしなかった。タン・シェンはものごとを中途半端にはおこなわなかったというわけだ……数日後、ジョンはこの扉をわたしに寄越した。なぜこれが気に入ったのか、自分でもさっぱりわからないといっていた——結局、かさばるうえにイギリスの邸宅には不似合いだし、メグも嫌がっているから、と。そういうわけで——この扉は今、置き土産としてここにあり、メグとその夫はささやかながらも幸せな日々を過ごしている。ジョンの奥深くにある本性はふたたび眠りにつき、彼は妻のことを、夢にまで見た最高の女性だと思っている。だが——いつか彼とタン・シェンがおのおのの罪を償い——なにもかもけりがついて、ふたりがあちらの世界で手に手を取ることができたあかつきには、ぜひともその場に居合わせたいものだ！」

幻の女たち

秘密の池

The Pool

ダフネ・デュ・モーリア
Dame Daphne du Maurier
植草昌実 訳

ダフネ・デュ・モーリアは『レベッカ』『レイチェル』などサスペンスやロマンスの長編小説で著名だが、短編の巧手としても知られている。その中に純粋な怪奇幻想小説と呼べるものは二、三を数えるほどだが、映画の原作として知られる「鳥」や「いま見てはいけない」のように、恐怖を主眼に置いた作は多い。本作は、短編集 *The Breaking Point*（1959）に収録されたが、同書の邦訳『破局』からは割愛された、作者には珍しく幻想色の濃い一編。別世界に憧れる少女の心情を鮮やかに描いている。

1

子供たちは芝生に駆けだした。庭は見渡すかぎり明るく、木立は限りなく広がっている。芝は庭師が刈り揃えたばかりだった。暑い日差しの下、その固さが足に心地よい。だが、物置小屋のまわりの草は丈高く、細い茎は霜がおりたように露に濡れていた。

子供たちはものも言わなかった。庭は見るたび驚きに満ちている。自分たちがいないあいだ、ずっと驚きをとっておいてくれているのだ、とデボラは思った。学校に通っているあいだも、おばさんたちとハンスタントンにいるだけで終わった春休みも、父さんとバスに乗ってロンドンに観劇に行った冬休みも――この庭が待っていてくれるのは、デボラだけが知っている奇蹟だ。一年は長い。冷たい雨が降る十一月を、そのあとに来る雪の季節を、庭はどうやって堪え忍んでいるのだろう。おじいちゃんがゆっくりとテラスを行き来するとき、庭はそのさまを笑っているようだが、おばあちゃんが老犬パッチを呼ぶときもだろうか。子供たちが去ったあと、庭は来る月も来る月も、静寂を堪《こら》え続ける。春も、五月と六月も徒《いたずら》に過ぎ、蝶が舞い鳥が飛び交う朝も、そのさまを見るのは平たい石の上に寝そべっていても暑さに喘いでいるパッチしかいない。庭は美しく、淋しい。

「わたしたちが忘れるなんてことはない」心に決めたことを言うとき、デボラはきまって静かな口調になる。「学校にいるあいだも、フランス語の授業のさなかだって、わたしは忘れない」だが、草に触れようと屈んで伸ばした手が、机の木の天板に当たったときの、痛みに似た感覚には我慢がならない。世界には草と砂とどちらが多いのか議論したことがあり、そのときロジャーは、海の底にもあるから砂のほうが多い、海がどんなに深くても、底には砂があるから、と言った。でも、砂があるなら草も生えているはず、とデボラは主張した。アメリカの家の庭や、平原に生えているよりもずっと暗い色をした草が、海の底で揺れているだろう。木よりも高く延びた草が、風を受けた麦の穂のように。

誰か大人をつかまえて聞いてみようと、子供たちは走った。「この世界には草と砂のどっちが多いの？」議論のうちに二人とも気が逸《はや》っていた。でも、パナマ帽を頭に載せたおじいちゃんは、生け垣を剪定する鋏《はさみ》を探すのに忙しいようで、螺子《ねじ》でいっぱいの引き出しの中をいじりながら、いらだったように「どうなんだろうな、まったく」と言った。

ロジャーの顔が赤くなったのは、ばかばかしいことを尋ねているように思ったからかもしれないが、弟にはもちろん、自分にもわからないことだったので、気持ちは同じだとデボラは目で伝えた。そのあと、おばあちゃんに尋ねて、「砂だと思うわ。砂粒は数えきれないでしょう」という現実的ではっきりした答えに、ロジャーは得意になった。「ぼくが言ったとおりだ！」砂の粒。デボラにはその考えがなかった。世界中にぎっしり詰まり、海の底まで限りなく覆う砂粒を思うと、具合が悪くなりそうだった。ロジャーの勝ちだが、結果はもうどうでもいい。風になびく草のほうが少なくてよかった。

この夏休みの最初の晩、デボラは芝生に座り、それから腹ばいに寝転がると、十字架のイエスのように両手を横に伸ばして、堅信式（洗礼後にキリスト教への入信を完成させる儀式）を受けるときに覚えた言葉を何度も繰り返してつぶやいた。「欠くことなく、完璧で十分な犠牲……欠くことなく、完璧で十分な犠牲……世界中の罪をあがなうために捧げられる供物」わが身を大地に、この庭に、去年の夏から何カ月も辛抱強く待ち続けていたこの庭に、彼女が最初に捧げる仕草だった。

「行こう」とロジャーは言うと、庭師のウィリスが芝生をクリケット（英国の伝統的な球技）をするのにちょうどよく刈ってくれたのに感謝している様子で、姉の返事も待たずに小屋に駆け込み、丈の高い用具入れの前に立った。扉を開くと、彼は笑みを浮かべた。馴染み深い匂いがしたからだ。古いワニスも、ひび割れたペンキもそのままで、巣をかけた蜘蛛まで変わっていないのかもしれない。三柱門《ウィケット》の柱《スタンプ》と横木《ベール》（柱の上に渡し、ボールで落とすと得点になる）を、それからボールを取り出した——なくなってはいないか、気がかりだったのだ。すり切れていたが、灰色を帯びた赤さはそのままで、歯を当てると古い革の味がした。取り出したものを抱えて運び出すと、ウィケットを作りはじめた。

「ピッチ（ボールを投打する長方形の区画）を計るのを手伝ってよ」と声をかけ、姉に目を向けると、草の上でうつ伏せになっていて、今はクリケットどころか心ここにあらずなのだと気づき、ロジャーの気は沈んだ。

「デボラ」彼は心配げな声をかけた。「クリケットしないの？」

　彼女はロジャーの声を、大地の音と自分の鼓動の合間に聞いた。耳を地面につけていたら、蜂の羽音か、ハンスタントンの波の音くらいにしか聞こえなかったことだろう。気まぐれな風の音にも似ている。風に比べると、大地の声は我慢強い。弟の気持ちとは正反対だが、同じくらいに気が沈んだデボラは、身を起こした。一人でいたい時間を、したくもないゲームに割きたくはない。

「どのくらいするつもり？」彼女は答えた。

　気乗りのない姉の返事に、ロジャーは落胆した。無理に付き合ってもらっても楽しくはない。だからといって、引き下がりたくはない。少しでも譲れば、デボラは自分の言い分を通すだろう。

「半時間くらい」答えを後押しするように言い足した。

「姉さんが先攻だよ」

　デボラは膝の匂いを嗅いだが、まだここの匂いは移ってはいなかった。どんなに草や地面に擦りつけても、町育ちの白い膝頭は変わらない。

「わかった」彼女は答えた。「半時間だけね」

　ロジャーがすぐにうなずいたのは、早くピッチを計ってウィケットを立ててしまいたかったからだ。デボラはバットを取りに物置に入った。小さな木造の小屋に踏み込むや、彼女は弟と同じようにうれしくなった。もう何年も前からずっと、夏になるたび、姉弟はここに来て遊んでいる。小屋の中に壊れたデッキチェアでさらに小屋を作りもした。庭と同じように、小屋も一年のあいだ待っていてくれたが、外をうかがう目のような窓は汚れ、蜘蛛の巣がかかっていた。デボラは自分で決めたことに従い、窓に向かって二度、礼をした。最初に入ったときにこれをしないと、不運を招くことになる。

小屋の隅に、クロッケー（木槌でボールを打ち門を潜らせる球技）の門《フープ》と一緒に立てかけてあったバットを二本、手に取った。ロジャーは握りにゴムを巻いてあるほうを使いたがるだろうし、同じバットを同時には使えないから、デボラはいつも小ぶりなほうを先に取るようにしていた。門《フープ》の目印につけるクリップが、床に落ちていた。一つ拾って、鼻をはさんでしばらく立ち、このままパンチ（古典人形劇の道化師）みたいな声で生きていかなくてはならないとしたら、と考えた。みんな可哀想に思ってくれるだろうか。

「早く」とロジャーが声をあげたので、デボラは小屋の隅にクリップを放り投げたが、外に出る前に拾い上げ、もともとあったところに戻した。夜にふと目覚めて、クリップを仲間から離したのを思い出したら、眠れなくなるだろう。クリップは恨んで、化けて出てくるかもしれない。彼女がクリップを他の二つと一緒にすると、物置小屋は平穏を取り戻した。

芝生に引いた線のそばにデボラが立つと、ロジャーは「そこにいて」と声をかけた。腕まくりをした弟が駆け足で離れていくのを、彼女はじっと目で追った。飛んでくるボールをたやすくバットで捉えた。手応えがあった。ロジャーは打球をわざと取り逃した。二人とも何も言わなかった。

「今の、誰みたいだった？」デボラが声をあげた。

ロジャーが役を与えないと、姉はゲームに飽きて、あっさり終わりにしてしまう。ここは選手ではなく、国にしよう。

「インド・チームの打球みたいだった」と弟が言うのを聞いて、デボラは痩身で浅黒い肌の自分を想像した。彼女は虎になり、聖なる牛になった。丈高い草に囲まれた物置小屋は、ジャングルにそびえる寺院の塔になった。

三十分がたとうとする頃、デボラは守勢になったが、ボールは投げるたびに大きく逸れた。祖父がテラスに出てきて二人を見ていたので、それを気にしたロジャーは、顔を赤らめて怒った口調で「ちゃんと投げてよ」と言った。

デボラは集中しなおし、祖父の姿を空想の中に組み込んだ――おじいちゃんに叱られるかもしれないと、ロジャーはいつも気にしている。だから姉に強い言葉をかけてみたのだ。おじいちゃんはインドの神様で、ボールは捧げ物にする黄金の林檎。勝利を得るためには林檎を投げなくてはならない。彼女が祈るようにつぶやいて投げると、ボールは速く、正確にロジャーのウィケットを倒した。だがその瞬間、祖父は中に入ってしまい、少ししてのんびりと居間のフランス窓から出てきた。

　ロジャーは素早くあたりを見まわした。失点の瞬間はおじいちゃんに見られなかったようだ。「うまいな」彼は言った。「姉さんが打つ番だよ」

　だが、もう時間切れだった。時計のベルが六時を告げた。ロジャーはおとなしく柱《スタンプ》を集めた。

「これからどうする」彼は尋ねた。

　デボラは一人でいたかったが、夏休みの最初の晩にそう言ってしまったら、弟がかわいそうな気がした。

「果樹園の林檎がどれだけ実ってるか見てみない？」彼女は言ってみた。「そのあと菜園に行って、ラズベリーがまだついているか見てもいいし。でも、まだ御挨拶が済んでいないんじゃない？　ウィリスさんにも他の人たちにも、猫にだってしておかないと、失点になるよ」

咄嗟《とっさ》の思いつきが効を奏した。自分から庭師のところに行くという考えに弟は乗るだろうとは思っていた。目的もない果樹園の散策よりも、相手のいる課題だ。

「一緒に行く？」ロジャーが尋ねた。「一人でどれだけできるようになったか、確かめなよ」

　そう言われて納得したのか、弟は果樹園のほうに向かって駆けだし、足を止めたのは竹の棒を拾ったときだけだった。

　ロジャーが見えなくなると、デボラはすぐに芝生を囲む森の一角に向かい、木々に囲まれて心を静めた。足音をひそめて、小道を池に向かう。夕日は木の間《こま》を抜けて小道に差し、昆虫たちがそのあいだを、ヤコブの梯子《はしご》を昇り降りする天使たちのように飛び交っている。いや、本当に昆虫なのだろうか。空気に漂う塵か、砕けて飛び散った光そのものではないのか、とデボラは思った。

　静かだった。森は秘密を守るためにあるようだった。森はデボラを、庭が見るようには見ていない。彼女が学校にいても、ハンスタントンやロンドンにいても、気にもとめはしないのだ。デボラがいなくても、森は淋しがりはしない。森は暗い陰に力を秘めている。

　デボラは五つの分かれ道を正しく選び、森のはずれまで歩くと、池があった。そこからすぐに踏み出さず立ち止まったのは、聖なる場所に入る前には罪をつぐなわなければならないからだ。胸の前で腕を組み、目を閉じる。靴を蹴って脱ぐ。「すべての荒々しきものの母よ、我が身を思いのままに」と叫んだ。自分の声にちょっと驚いた。そしてひざまずき、額を三度、地面につけた。

　第一の贖罪はなされた。だが、池が求める捧げ物を、デボラは用意してきた。学期のあいだじゅう、幸運のお守りとしてポケットに入れていた、すっかり短くなった鉛筆だ。軸には歯形がつき、片端の消しゴムにも噛んだ跡がある。これまでの捧げ物、おもちゃの水差しや紋章つきのボタン、陶器の豚と同じように、池に捧げなくてはならない。彼女は鉛筆を手に取り、先端にキスをした。淋しい何カ月ものあいだ、大切に持ち歩いていたこの鉛筆との、別れのときが来たのだ。池を拒んではならない。目を閉じたまま右手で投げると、鉛筆が水に落ちる小さな音がした。目を開くと、池に波紋が広がっていた。鉛筆はもう見えなかったが、睡蓮が静かに揺れていた。池は捧げ物を受け入れたのだ。

　デボラはまたひざまずき、手を握りあわせると汀まで歩み寄り、屈んで覗きこんだ。水面《みなも》に映るのはただの鏡像でしかないはずなのに、暗くおぼろげな姿が揺らぎながら見上げてきた。睡蓮の花びらのような手は、蠟の白さではなく、緑に染まっていた。毎日くしけずり、リボンでまとめた髪も、かぶせた覆いのようだった。笑みを浮かべてみても、ゆがんで見えるばかりだ。握りあわせていた手を離し、屈んで枝を拾うと、水の上に三度円を描いた。波紋が広がり、彼女の影はうねり、揺らめいて、目も口も見分けがつかなくなった。

　水面が静まった。アシナガバエや甲虫が、羽音を立てて飛び交っている。百合の葉の上で威儀を正していた一匹のトンボが、楽しげにあたりを飛びはじめた。だが、デボラが目を離したすきに、どこかに行ってしまった。池の向こう岸、睡蓮の群生の下に緑のかたまりが広がっているのは、水の中で根がもつれあっているのだろう。見るからに厚く、長年のあいだ池のほとりに積み重なって、人がうっかり踏み込んだら、はまってそのまま沈みこんでしまいそうだ。だが、昆虫たちには危険なところではなく、心安らぐ場所となる。池に小石を投げこむと、波紋のリズムに揺れる植物のかたまりは、虫たちの舞踏場となる。

　さらに遠くには枯れ木が立っていた。樅《もみ》か松か、あるいは唐松なのか、歳月《としつき》を経て何の木だったのかわからない。特徴もなく、ただ枝を空に伸ばしている。傾いた幹のてっぺんには、蔦を頂いていた。去年の冬に折れた枝は、先が池に沈み、そこから上は苔が緑に染めていた。鳥には都合のよい枝なのか、デボラが見ていると、厚く茂った枯れ木の下草から雛鳥が飛び出してきて、苔むした枝にとまった。何かに驚いたか、怖がっている様子だ。木陰の安全なところから、親鳥が呼び寄せるように声をあげると、雛はその声を聞いて、一時的な避難場所だった枝から下りた。池から離れ、遠回りはしたものの、親のもとにたどり着いたようだ。下草からさえずりが聞こえるのは、親鳥に叱られているのだろう。雛が見えなくなると、あたりはまた静まりかえった。

　祈りのときだ、とデボラは思った。睡蓮の花は閉じはじめている。池も静まった。まんなかに黒く開いた水面はただ黒く、暗い穴のように深く、水底《みなそこ》の王国に通じているにちがいない。彼女が沈めた捧げ物も通っていった。あの短い鉛筆も池の底に届いた頃だ。これまでの捧げ物と同じように受け取られたことだろう。池に定められているのはそれだけで、他には何の掟もない。飛びこんだときは冷たくても、水のやさしい歓迎は怖れを打ち消してくれると、デボラは知っていた。水に顔を撫でられ、目を洗われると、向かう先が闇ではなく光に満ちているのが見える。池の水は黒くはなく、金色を帯びた緑に輝いていて、泥は外からの侵入を防ぐためだということもわかる。池のものたちはそれを知っていて、湧き出る水の源へと向かう。そこには洞窟があり、虹色の海がある。その浜辺の砂は真っ白だ。そして、音のない音楽が響いている。

　デボラはまた目を閉じ、池に身を屈めた。唇を水面に触れるほど近づけた。静けさの中、何も考えず、ただ池に受け入れられていた。波のように押し寄せる静寂に感覚を失い、脚も、ひざまずいている体も、握りしめた冷たい手も、自分のものではないようだった。静謐が彼女を包みこんでいた。大地に耳をすましていたときよりも、深く受け入れられている。大地からは、この世界の鼓動が聞こえる。だが、池に受け入れられると、聞こえるのはほかの音になる。水に身を任せ、睡蓮の花が閉じていくように、心を深く沈めていく。

「デボラ……？　デボラ……？」なんてこと！　今はだめ、呼ばないで！　急に背中を叩かれたかのように、曲がり角から誰かが飛び出してきたかのように、生あるものによる突然の喧噪が、ひそやかな静寂を打ち砕いた。カウベルの音《ね》が響く。家に入るようにという祖母の合図だ。遊んでいる子供たちを教室や礼拝堂に呼び集める、威圧的で耳障りな学校の鐘とは違うが、時間はもっとも重要であり、生活には規則があり、大好きなこの別荘でも、子供たちは大人に従わなくてはならないと思い出させる音だった。

「わかった、わかった」デボラは立ち上がり、しびれた足を靴に押しこんだ。「デボラ?」と呼ぶときの声が高く、昔スイスで買ってきたというカウベルの音が間をおかなかったから、普段どおりのあれこれ訊いてこないおばあちゃんではなく、子供を従わせようとするほうになっているのがわかった。夕食の用意はとうに済んでいて、下手をするとスープが冷めはじめているのだろう。手を洗い身なりを整えて、髪もとかすという馬鹿げたことが最優先される時間だ。

「帰ろうよ、デボラ」右手から声が聞こえてきた。もう一人ではいられない。竹の棒を振りながら、弟が小道を近づいてくる。

「なにしてるの?」その声は問いかけるというより、踏みこんできて脅しているかのように聞こえた。弟が一人でいたいときに声をかけようとは思わないのに、当のロジャーにはそのような考えはなかった。人といるのが好きだし、こんなふうに声をかけるのには、怒りや苛立ちもあるとはいえ、姉がどこかに行ってしまうのではないかと、心底怖れているからだ。

「なにも」デボラは言った。

ロジャーは訝《いぶか》しげな目で姉を見た。機嫌が悪そうだ。今日はこのままずっと口もきかないかもしれない。夏休みにデボラと過ごしていて楽しいことの一つに、眠くなるまで話していることもあるのだが。

「帰ろう。ベルが鳴ってるよ」弟は祖母の前で、姉を個人から〝孫〟の一人という人格のない存在にしようとしている。自分の側に着いていることがわかっていない、とデボラは思った。遊びを終えて帰るだけで、姉も同じだと思っているのだろう。

森を出て芝生を駆け抜け、テラスに着いた。祖母はもう家の中に入っていたが、窓辺に掛けられたカウベルはまだ震えていた。

子供たちの夕食は七時と決められ、食堂の焜炉の上に料理が用意されている。それを自分たちで盛り付け、食べる。祖父母の食事は八時十五分前からで、二人とも〝晩餐〟と呼んでいる。料理は子供たちと同じだが、おじいちゃんには食事の締めにセイボリー（コースの最後にデザートとは別に供される甘くない料理）がつく。子供たちが食事の時間に五分遅れると、料理人のアグネスの仕事も遅れ、おじいちゃんの前にスープ皿が出るのも五分遅れになる。時間がきちんと決まっているのだ。

子供たちはバスルームに駆けこんで手を洗い、階段を下りて食堂に入った。祖父は玄関に立っていた。孫たちと一緒に食事したいのではないか、とデボラはときどき思うのだが、おじいちゃんがそれを言いだすことはない。おばあちゃんは遅れたことをたしなめたが、おじいちゃんと一緒なので、苛立った様子を見せたり声を大きくしたりはしない。おじいちゃんが大声になりがちだからだ。

「明日は暑くなりそうだ」おじいちゃんが言った。ラジオのニュースで聞いたのだろう。

「あすの昼食《おひる》は外になるかな」すかさずロジャーが言った。昼食は祖父母と一緒にとることになっているが、ロジャーには気の重い時間だった。祖父が学校のことばかり尋ねてくるからだ。

「遠慮しておこう」おじいちゃんが言った。「蜂が多いからな」

　ロジャーは安心した。明日の昼は庭の小さな丸テーブルで、デボラと二人で済む。居間に入っていく祖父を見て、デボラは淋しくなった。明るい外で食事をすれば、おじいちゃんの元気づけになるのに。歳をとった人たちには楽しみが少ないような気がする。

「一日のうちで楽しいことは?」と、祖母に尋ねたことがあった。

「ベッドに入る前に湯たんぽにお湯を入れることね」と祖母は答えた。デボラにはどう受け止めたらいいのかわからなかった。

　食堂に入ると、子供たちは暑い日にはなにをするのがいいのかを話しあった。クリケットには向かない、とデボラは言った。牧草地のそばに小屋を作ろう、とロジャーが言った。ウィリスから古い板をもらえたら、釘を打って組み立てて、果樹園の果物とオレンジ・スカッシュの瓶を持って立てこもれば、ウィリスが仕事するのをそこから見ていられる。

　遊びたくない、とデボラは言うつもりだったが、思いとどまった。ロジャーが板を集めて組み立てるのに、お昼までかかるだろう。完成するまでは熱中しているはずだ。「それ、いい考えね」と言うと、スープをたいらげるまでのあいだに、弟に小屋造りに必要なものを書き出させては確認していった。今日の時間を稼ぐために、彼のすることを理解したふりをしたのだ。

　食事をすますと、二人は厨房に食器を下げ、アグネスが祖父母の食事を支度するさまを少しのあいだ見ていた。同じスープだが、ちょっと違っていた。小さなパンをトーストしたクルトンが添えてある。バターは切ったままでなく、丸めてある。今晩のセイボリーはチーズストロー（チーズ入りの細長い焼き菓子）だ。アグネスは焦がしてしまった分を二人にくれた。それから、居間に行って祖父母におやすみの挨拶をした。二人ともきちんとした身なりに着替えていた。おばあちゃんは何年か前にロンドンであつらえたドレスを着ていた。カーディガンをケープのように肩にかけている。

「お風呂のお湯を無駄遣いしないように」おばあちゃんは言った。「雨が少ないと、水が足りなくなるから」

　おじいちゃんとおばあちゃんは、デボラのすべすべした頬におやすみのキスをした。おばあちゃんは薔薇の葉の匂いがした。おじいちゃんの顎の骨が顔に固く当たった。おじいちゃんはロジャーにはキスをしなかった。

「二階ではおとなしくなさい」祖母は小声で言った。子供たちはうなずいた。部屋が食堂の真上なので、足音や笑い声は邪魔になる。

　デボラは二人の年老いた人に好意を覚えた。日頃はなにも起きない、淋しい暮らしをおくっているのだろう。

「ここにいられて嬉しいです」それを聞いて、おばあちゃんは笑みを浮かべた。この人は、ほんのわずかな慰めを頼りに生きているんだ、と彼女は思った。

　居間を出るや二人ははしゃいで、階段を駆け上りながら、わけもなく笑った。着替える間に風呂の注意を忘れてしまい、浴室に入ると――先に踏みこんだのはデボラだった――お湯が浴槽から溢れていた。二人があわてて栓を抜くと、お湯は音を立てて配管を流れ落ちていった。ラジオを聞いていなかったら、アグネスはその音を聞きつけたことだろう。

　二人とも船のおもちゃなどで遊ぶ歳ではなくなっていたが、浴室は互いの好きなものを共有する信頼の場で、喧嘩したときは黙りあって過ごすところだった。そんなときは、先に口をきいた方の負けだ。

「ウィリスの自転車が新しくなってた」ロジャーが言った。「納屋の外に停めてあったよ。ウィリスがいたから乗れなかったけど。明日は乗ってやろう。ラレー（イギリスの老舗自転車会社）のだよ」

　弟は手先を動かすことならなんでも好きで、庭師の自転車は明日の午前中いっぱい、第一の関心事になるだろう。ウィリスは革の鞄をサドルの後ろにくくりつけている。鞄からは潤滑油の匂いがしたから、中にはスパナなど、面白い形と用途の道具が揃っているのだろう。

「もしウィリスが死んだら」デボラが言った。「何歳になるのかな」

　こういう返答をロジャーは嫌う。死ぬことと自転車はなんの関係がある？「今は六十五歳だよ」彼は言った。

「だから、今死んだら六十五歳で死んだことになるよ」

「そうじゃない」デボラは言った。「そのあと、何歳になるのかってこと」

ロジャーは議論したくなかった。「サドルを低くして乗ったら、厩舎のまわりを走れるよ。倒れずにね。賭けてもいい」

だが、ロジャーが死の話に乗らないように、デボラも賭けには乗らなかった。「どうでもいいよ」彼女は言った。

ロジャーは冷たいものに触れたように感じた。どうでもいい……。周囲からすべてが消え失せていくような気がして、彼は気を取り直そうと濡れたスポンジを摑み、窓の外に投げた。下のテラスに濡れたものが落ちる音がした。

「おじいちゃんが踏んだら滑っちゃうよ」あきれた口調でデボラが言った。

そのさまを同時に思い浮かべて、二人は笑いだした。止まらなくなった。ロジャーは浴室の床を転げまわった。デボラは先に笑いやみ、笑いが痛みに似ているのはなぜなのか、と考えた。ロジャーの顔は笑っているようにも、心臓が止まりかけて苦しんでいるようにも見える。

「もう上がろう」彼女は言った。「床を拭いてからね」

タオルでリノリウムの床を拭いているあいだに、弟も落ち着いた。

それぞれの寝室に入ったが、部屋のあいだのドアを開いて、空がゆっくり暗くなっていくのを眺めた。日が暮れても、風は昼間と変わらず温かかった。おじいちゃんが聞いた予報は当たりそうだ。明日は暑くなる。デボラは開いた窓から身を乗り出し、太陽のあったところにおぼろな靄《もや》のかかる空や、食事のあいだはまだ昼間と変わらなかったのに、今は翼を広げた夜鳥《よどり》の群みたいに見える、芝生の向こうの木々を眺めて、思いを巡らせた。庭は暑くなるのを知っていて、それを喜んでいる。雨が少ないのはたいした問題ではないし、暖かい夜風は眠気を誘うだけだ。

階下の食堂から、祖父母の声がぼんやり聞こえてきた。なにを話しているのだろう。声は子供たちを起こさないようにひそめているのか、それとも別の世界から漏れてくるのか。やがて話し声は止み、椅子を動かす音がしたあとに客間からまた聞こえてきて、祖父の煙草の匂いもかすかにした。

弟を小声で呼んでみたが、答えはなかった。部屋に入ってみると、もう眠っていた。話している合間に、急に眠りこんでしまったのだろう。デボラは安心した。一人でいられるし、話を続けなくてもいい。すっかり日は暮れて、空は暗さを増していた。「おじいちゃんとおばあちゃんが眠ったら」デボラは考えた。「一人になれるんだ」なにをするかはもう決めていた。窓辺で待っているあいだに、夜空からは靄のヴェールが消え去り、星明かりがきらめきだした。光の下には動くものはなく、大地は匂いで語りかけてくる。植物の気孔から露が湧き出す。芝生は白く輝いていた。

　普段はおじいちゃんのベッドの、格子模様の毛布に寝そべっている老犬パッチが、テラスに出てきてかすれた声で吠えだした。デボラは身を乗り出し、折り取った蔦の枝を投げた。犬は振り向いた。よたよたした足取りでテラスの端の植木鉢に近づくと、片足を上げた。パッチの夜の習慣だ。もう一声吠え、警戒するように木立を見据えていたが、じきに家の中に戻っていった。そのあとすぐ、窓を閉める音がした。おばあちゃんだ、とデボラは思った。そっと閉めたからだ。「窓は閉めておいたほうがいい。どんなときでも」と、おばあちゃんは自分に言い聞かせるように、子供たちによく言っていた。パッチは犬だけれど、聞かせておいたほうがいいと思っているだろう。番をするなら外の犬小屋にいたほうがよさそうだが、歳をとって太ったパッチは、祖父のベッドの上が気に入っているようだった。秘密はとうに忘れてしまったのだろう。老人たちのように。

　階段から祖父母が上がってくる足音がした。まず早い足取りで祖母が、そのあとを祖父が、息を切らせているパッチに声をかけながら、重そうな足取りで続く。明かりを消し、ドアを閉める音がした。それから、静まりかえった。カーテン一枚隔てただけなのに、祖父母の世界はどれだけ遠いのか。生活のパターンが変わらないまま、長い年月《としつき》がたっている。変えたらなにがどうなるか、わからないのだろう。「耳のある者は聞きなさい」（マタイ書一一・一五）デボラは口に出してから、教会では話してもらえないイエスの冷淡さを考えた。死人を葬ることは死人に任せておくがよい（同八・二二）。この村だけではない、世界中の町や大きな都市で今、着替えて寝支度をしていたり、眠っていたりしている人たちが、それぞれ真実から目を背けて、死人たちを葬っている。わけもなく声を殺して。

　時計が十一時を告げた。デボラは服を着た。日中に着ていた木綿のワンピースでなく、おばあちゃんが嫌いなジーンズのショートパンツを穿き、裾を膝の上で折った。それからスウェーターを着る。運動靴にあいた穴は気にしない。裏階段から下りるだけの知恵はあった。表階段は祖父母の部屋のそばを通るし、パッチに吠えられるだろう。裏階段はアグネスの部屋のそばを通る。アグネスは果物を食べないのに、部屋にはいつも林檎の匂いがする。アグネスはいびきをかいていた。最後の審判のときでも来なければ起きそうにない。デボラはふと、この伝説を疑った。そのときが来ても、お墓の下にいる人たちは、そのまま眠っていたいのかもしれないのだから――たとえば、おじいちゃんは同じことを続けていたいから、いきなり喇叭《らっぱ》など吹かれたら怒りだすだろう。

　デボラは食器室から使用人控室――アグネス一人だけが使う小部屋だが、その呼び名にふさわしく、きちんと整えてあった――を抜け、勝手口の重い扉の掛け金と閂《かんぬき》を外した。外に出て、砂利を踏みながら、家の正面を大きくまわって芝生の向こうを目指した。

　夜気は暖かかった。自分の体の一部になったかのように。芝生を踏んで歩くと、すぐ靴に水が染みた。デボラは両手を空に挙げた。指先に力が伝わってきた。自分の帰りを待っていた木々の、果樹園の、牧草地の高揚が届いたのだ。その密やかな力を受け、彼女は駆けだした。普段のわくわくする思いよりも、誕生日プレゼントやクリスマスの靴下よりも強い、磁石に引き寄せられるような感覚――おじいちゃんが見せてくれた、磁石を近づけた針がぴょんと飛ぶさまに似ていた。夜空は広大な磁石、その下のものは針で、大きな力を受けて浮き足立っている。

　母屋のように眠らずにいて、秘密を共有していてくれる物置小屋に、デボラは向かった。煤《すす》けた窓が光を受け、蜘蛛の巣が輝いていた。中に入って、古いエアマットと、一昨年の夏におばあちゃんがお払い箱にした、虫食いのできたカーマットを出して担ぐと、池に向かった。おぼろに浮かぶ小道をたどり、今夜の試練の厳しさを思って、デボラの緊張はさらに高まった。行く先の影が怖くて、足がすくんだ。なにか動いたら、恐ろしさに飛び上がってしまうことだろう。だが、くじけてはいけない。勇気とはなにかを森は知っているのだ。年老いたラマ僧のように。

　試練のさなかに、木々が自分を見ていると彼女は感じた。怖がって引き返そうとしたら、そうはさせるかとのしかかってくるだろう。節くれ立った枝は腕になって捕まえようと伸びてくるだろうし、梢の葉は傘を開くように大きく広がるだろう。下生えは木々に従って茨《いばら》のような刺《とげ》となり、その陰ではこの世のものならぬ、燃えるような目の獣が唸りをあげるだろう。怖れを見せてはならない。森は容赦はしないから。

　デボラは小道を池へと向かい、エアマットを左手で抱え、カーマットを背負ったまま、右手を挙げて挨拶した。敬意を示すしぐさだ。池のほとりに着くと、彼女は立ち止まり、かたわらに荷物を置いた。エアマットはベッド、カーマットは毛布のかわりだ。靴を脱ぎ、エアマットに横になる。カーマットを顎の下までかけると、夜空を見上げた。試練の時は終わり、もう怖れてはいない。森はデボラを受け入れ、池は安らぎの場となり、入口であると同時に、鍵となった。

「眠らない」とデボラは胸のうちで言った。「このまま夜明けを待って、朝は生命のはじまりだということを確かめるんだ」

星はさらに空を埋めつくしていった。空一面に太陽が出ているほど、隙間なく。中には生まれたばかりの白熱した星も、冷えて落ち着いた星もあるのだろう、とデボラは思った。宇宙の法則は星を支配しているが、落ちるのも壊れるのもそれぞれの星の運命だ。まったき静寂の中、彼女の心も静まっていった。今や木々は邪悪なものではなくなり、彼女を守っていた。池は原初の水に満たされていた。

デボラが境界の門の前に立つと、女の人が一人、入場券を受け取ろうとするかのように手を差し伸べていた。近づくと、その人は「お通りなさい」と言った。「わたしたちは、あなたが来るのを見ていました」門は回り木戸に変わった。押すと木戸は回り、デボラを通した。

「ここはどこ？」デボラは尋ねた。「わたし、とうとう来られたの？ ここ、池の底？」

「そうかもしれない」女の人は笑みを浮かべた。「ここに続く道はたくさんある。あなたはその一つを選んだ」

他にも大勢の人たちがここに来ていた。が、見えるのは影ばかりで、顔もはっきりしない。デボラが脇によけると、その人たちは影のまま通り過ぎていった。

「どうして夜なら来られるの？」デボラは尋ねた。「午後もここに来ていたのに」

「約束事があるの」女の人は言った。「あなたはここまで来られる時に来た。わたしたちは午後にもいた。いつでもここにいる。わたしたちはいつもあなたのそばにいるけれど、誰にも気づかれない。今夜は約束事が少し簡単だった、ただそれだけ」

「夢かな」デボラが言った。

「いいえ」女の人が言った。「あなたは眠っていない。死んでもいない。秘密の世界に来ているの」

秘密の世界……デボラがいつも心にとめていたことが、今はっきりと形をもって現れた。その世界の記憶が心の中で湧きあがり、押し寄せて、彼女を安堵で包みこんだ。

「そうだった……」彼女は言った。「そうだったんだ……」すべてが一つにつながった。合わないものはない。言葉にできない喜びと、さらに大きく沸き立つ感情に押され、彼女は翼を得て舞いあがったかのように、回り木戸を離れて女の人に近づいていった。すべてがわかった——たった今、わかったのだ。

「これまで、自分じゃなかったんだ」彼女は思った。「わかってた。自分じゃなくて、役割なんだって」見下ろすと、小さな子供が目を閉じたまま、あたりを手探りしていた。かわいそうに思い、屈んでその子のまぶたに触れると、両目が開いた。二歳の頃のデボラだった。彼女は思い出した。ロジャーが生まれて、母が死んだときの自分だ。

「大丈夫」デボラは幼い自分に声をかけた。「一人じゃないからね。泣かないで」幼児は彼女の中に融けこみ、その姿は大気と水の中に消え、胸の内には喜びがさらに大きく、たとえようがないほどに湧きあがった。感じられるが、言い表せない。表すなら、翼で羽ばたくほかない。そう、羽ばたくしか。

「放さないで！」という自分の叫びが聞こえ、木戸の前で女の人が彼女を捕まえようと手を伸ばしているのが見えた。あたりは暗くなりだしたかと思う間もなく闇に閉ざされ、体じゅうが痛みだし、心は沈み、涙が溢れてきた。「だめ！」と自分の叫び声が響くとともに、木々の影が空を覆った。気づくと、片手が池の水に浸っていた。

デボラは泣きながら立ちあがった。濡れた手は冷えきっていた。カーマットで手を拭う。突然、心の底から怖ろしくなって、彼女はマットを放り出して小道を駆けだした。森の木々に嗤《わら》われ、木戸で迎えてくれた女の人にだまされたような気がした。家の中なら、カーテンを下ろしているから安全だし、祖父母はベッドで眠っているから安心だ。風に舞う木の葉のように、デボラは森から飛び出し、夜露で銀色に光る芝生を駆け抜け、テラスをまわって勝手口から中に入った。

家は深く眠ったまま、彼女を迎え入れた。幾多の試練を乗り越え、その経験から大きな学びを得た、実直な老人のように。家は「あのものらに気づかれぬように」と言い、森に顔を向けたようだった——家に顔があるのかはわからないが。「あれらは文明社会には用のないものども。私とは違います。私は人の手が造った、人の子のいるところ。私の中にいれば安心です」

デボラは階段を上がって自分の部屋に入った。なにも変わってはいなかった。出たときのままだった。開いた窓から見える森も芝生も、どれだけたったのかわからないが、窓辺に立って池まで行こうと決めたときと変わりないように見えた。変わったのは彼女の胸の内だけだった。高揚も緊張もない。最後に感じて、家に駆け戻るまでの恐怖さえも、今は本当に感じたとは思えなくなっていた。

祖母がいつもしているようにカーテンを閉め、ベッドに入った。池の岸辺に置いたエアマットとカーマットが見つかったら、どう説明しようかと考えながら。ウィリスが見つけて祖父に知らせるだろう。枕と毛布に包まれて、デボラの心は静まっていった。馴染み深い感触。そして、疲れも馴染み深いものだった。跳んだり駆けたり、クリケットをしたりしたあとの、痛みを伴う疲れ。眠るまでのあいだの最後に残った問題の答えを出すのは、朝まで延ばそう——安全なこの家と、秘密の世界の、どちらが現実なのかは。

2

目覚めたとき、デボラの気分は最悪だった。今日は一日、こんな気分なのだろう。目は痛いし、首は凝っているし、口の中は苦い。ロジャーが満面の笑みを浮かべ、部屋に駆けこんでくると、ベッドに飛び乗った。

「来たよ」彼は言った。「熱波が来た。日陰でも九〇度（華氏。摂氏で約三二度）はいくよ」

弟がはしゃぐのを止める一番の方法はないか、とデボラは考えた。「一〇〇度（同、約三八度）は行くかもね。お昼まで部屋で本を読もうっと」

ロジャーの顔が沈んだ。とまどいが目に浮かんだ。「小屋は？」彼は言った。「森に小屋を作る約束、覚えてないの？　ウィリスに板をもらいにいこうと思ってたのに」

デボラは仰向けになり、膝を立てた。「作ればいいじゃない」彼女は言った。「つまんないから、わたしはしない」

目を閉じて眠ったふりをすると、弟が自分の部屋に戻る足音のあと、壁にボールをぶつける音が一度だけした。音が何度も続いて、おじいちゃんがベルを鳴らし、アグネスが階段を上ってくればいい、とデボラは意地悪く想像した。お仕置きを受ければいい。叱られたロジャーは文句を言うだろうが、やがてみな黙りこんで、静かになるだろう。いつものように。

子供たちが朝食をとるキッチンは西に向いているので、朝日は入らない。蜂が飛びこんでくるからと、アグネスが蠅取り紙を下げている。小麦のシリアルは牛乳の中でふやけていた。デボラはぶつぶつ言いながらかたまったシリアルをスプーンでほぐした。

「新しいシリアルよ」アグネスが言った。「好みがよく変わるのね」

「デボラは寝起きが悪いんだ」ロジャーが言った。

どちらの物言いも気に障った。デボラはすぐ手元にあったナイフを摑むと、弟に投げつけた。目からはかろうじてそれたが、その先が頬を切った。驚いたロジャーは頬に手を当て、血が出ているのに気づいた。傷の痛みではなく姉への怒りと驚きで、彼の顔は赤くなり、唇が震えた。デボラはキッチンを飛び出し、音を立ててドアを閉めた。自分のしたことを悔やんだが、衝動の強さに圧されてしまった。テラスに出ると、さらに悪いものが目に入った。池に置いてきたマットをウィリスが見つけて、芝生に広げて干していたのだ。ウィリスは祖母と話していた。家に戻ろうとしたが、遅かった。

「デボラ、忘れてしまったのかしら」おばあちゃんが言った。「夏休みのたび、あなたたちには、物置のものは自由に使っていいけれど、あとでちゃんと元に戻しておくようにって言っているでしょう」

謝らないと、とデボラは思ったが、今の気分がそれを許さなかった。「カーマットは虫食いだらけじゃない」馬鹿にしたような口調になった。「エアマットは防水してあるから、出しておいてもかまわないでしょう」

二人はまじまじとデボラを見た。祖母の顔は、ナイフを投げつけられたロジャーのように赤くなった。それから、祖母は彼女に背を向け、庭師との話を続けた。

なんでもないふりをして、デボラはテラスを通り抜け、芝生の端を果樹園のほうに向かって歩いた。落ちた林檎を拾って歯を当てたが、甘くもなく固いばかりだった。すぐに投げ捨てた。果樹園の門に上って、目の前に広がる風景を、なにを見るでもなく眺めた。見た目のごまかしはどこにでもある。酸っぱい林檎は悲しい味。楽園を追われたアダムとイヴもこんなふうに思ったのだろうか。エデンの園はもうない。どこかすぐ近くで、あの回り木戸の女の人が待っているし、秘密の世界は自分のものなのに、あの門を開く鍵がない。なぜ、こちらに戻ってきてしまったのだろう。なにに連れ戻されたのだろう。

誰もが自分のことをしはじめていた。週に三度、ウィリスの手伝いに来る老人が、道具小屋の裏で草刈り鎌を研いでいた。庭の外の、通りに続く道に、郵便配達の頭が見えた。自転車で村のほうに向かっている。ロジャーが自分を呼ぶ声が聞こえた。姉を許しているのだろうが、デボラは心が揺らいで、答えなかった。思い切れないのが自分への罰となる。釘を打つ音がするのは、弟がウィリスから板をもらって、小屋を作りはじめたからだろう。ロジャーは祖父に似ている。決めたことはするのだ。

デボラは哀れんだ。門の上にうずくまる自分だけではなく、あの鍵を手にすることなく自分のことをしている、世界中のあらゆる人々を。あの鍵は自分のものなのに、なくしてしまった。たぶん、一日しっかり自分のことをすれば、夜にまた魔法の世界に戻れるし、そのときに鍵も見つけられるだろう。いや、今でも。今、池のほとりに行けば、手がかりがある――何か見つかる。

デボラは門から下り、歩きだした。日中なのに、森に着くまで誰の姿も目にしなかった。小麦は力強く茂り、茎は固かった。風に揺れる穂に打たれないように、彼女は枝のからまった生け垣に身を寄せて歩いた。伸びすぎたキツネノテブクロは、花がすっかり落ち、茎だけがなびいていた。いたるところにイラクサが生えていた。森に入るにも目の届くところに門がないので、有刺鉄線を張った垣を乗り越えたが、ニッカーズの裾がひっかかり、破れた。森は静かだったが、こちら側には草刈りの手は入らず、小道は丈高い茂みに埋もれていた。泳ぐような手つきで、草をかき分けながら踏みこんだ。

葉の落ちた、骨のような枝を四方八方に伸ばす巨木の向こうに、池があった。こちら側のほとりは緑のかたまりに厚く覆われ、睡蓮の花は日差しに誘われて大きく開いていた。石塀で日に当たるトカゲのように。水の中のピンクや白の茎はもつれあい、静かに揺れていた。「眠っている」とデボラは思った。「森も眠っている。まだ時間が来ていないから」すぐそばに回り木戸があり、あの女の人が笑みを浮かべて待っていてくれる気がした。「いつも、昼間でもここにいると、あの人は言っていた。でも、明るいあいだは見えないんだ。どうすれば見えるのかは、わからない」

池に両手を浸すと、褐色の水は温《ぬる》かった。指先を舐めてみると、長らく澱んだ水の味には、塩気があった。水の底には……そう、底にはあの女の人がいて、それだけじゃなくて秘密の世界があると、デボラは知っていた。知らぬ間に、彼女は祈っていた。「また行けますように」とつぶやいた。「また行けますように。今夜にも。怖がりはしません」

池は返事をしなかったが、その沈黙は祈りを受け入れ、約束してくれたように、デボラには思えた。対岸まで行くと、昨夜エアマットを置いた跡が、苔の上に残っていた。自分の髪から落ちた髪留めがあった。捧げ物に加えようと、彼女はそれを池に投げこんだ。暗い気持ちが明るくなってきたので、熱波の中を普通の時間へと戻っていった。果樹園までロジャーを探しにいった。弟は台を作るのに忙しい様子だった。三枚の板はすでに組み立てられ、さらに釘を打つ音が響いて、完成に向かっているのが見てとれた。ロジャーは近づいてくる姉を見て、様子が変わったのに気づいたが、いつもの喧嘩のあとと同じで謝りはしないだろうな、と思った。「気分はよくなった?」と言われて気に障ったし、今日このあとの時間を一緒に過ごそうとも思わなかった。自分のそんな気持ちに、弟は気づいた様子もなかった。なにか言わなくては。

　デボラはしばらく木の下に立っていたが、屈んで林檎を一つ拾うと、ロジャーに渡した。まだ青いが、仲直りのしるしに。弟はためらいもなく齧りついた。姉は彼の隣まで踏みこむと、釘の箱に手を伸ばした。関係は修復された。どちらにも良い結果となった。

3

太陽がほぐれて落ちてきているような暑さだった。灰褐色に澱んだ熱い靄が、空から降ってくる。林檎の木のあいだの、日の当たる板にもたれて、姉弟は手にしたタデの広い葉で自分をあおぎながら、ジンジャーエールを飲んでいた。それでも暑い。カウベルを聞いて昼食に戻ってきた二人が気づいたのは、祖母が一階の窓のカーテンをすべて引いていたことで、居間は地下室のように暗く、不思議なほどに涼しいことだった。二人ともテーブルに飛びついた。空腹だったわけではない。ピアノの下ではパッチがよだれを垂らして寝転がっている。おばあちゃんは二人が見たことのない、袖なしの麻のドレスに着替えていたし、おじいちゃんは凹んだパナマ帽を頭に載せ、何年も前にエジプトで買ったという蠅叩きを手にしていた。

「九一度（摂氏三二・八度）だ」おじいちゃんは沈んだ声で言った。「空軍省の観測だ。一時のニュースで言っていた」

　空軍省の屋根を、棒や紐や見慣れない道具を手にした人たちが、せっせと上ったり下りたりしているさまを、デボラは想像した。おじいちゃんの他に、そんなことに注意を向ける人なんて、いるのだろうか。

「外で昼食《おひる》にしてもいい?」ロジャーが尋ねた。

　祖母はうなずいた。口をきくのもだるそうで、食堂の椅子に身をもたせかけている。昨夜に摘んだ薔薇も、花瓶でしおれかけていた。

子供たちは骨付きチキンを携えて果樹園の小屋に戻った。中に入ると暑いので、陰にくたびれたクッションを置いて寄りかかり、手足を伸ばした。飛行機が一機、遙かな空の高みを銀色の小さな魚のように横切り、消えた。

「ミーティア（一九四〇年代前半の英軍戦闘機）だ」ロジャーが言った。「もう古いって、おじいちゃんが言ってた」

デボラはイカロスの神話を思い出した。太陽に近づきすぎて、蠟で固めた翼が熱で溶けはじめたのに、彼はいつ気づいたのだろう。気づいたとき、なにを思ったのだろう。翼に見立てて両腕を広げてみる。指先から縮れてきて、軟らかくなり、崩れていったにちがいない。空にいて飛ぶ力を失ったとき、イカロスはどんなに怖かったことだろう。

ロジャーは新しいゲームが始まると思ったのか、姉を見ていた。きれいに齧ったチキンの骨を花壇に投げると、勢いよく立ち上がった。

「ほら、ジャヴェリン（四〇年代後半の英軍戦闘機。ミーティアの後継）だとこんなふう」弟も両腕を広げると、円を描いて走り、体を傾けた。歯のあいだから出す声はジェットエンジンの唸りなのだろう。デボラは腕を下ろし、弟が捨てた骨に目を向けた。ロジャーがすっかり肉を齧りとったあとは白かったが、今は土にまみれている。ここに捨てておいても、叱られはしないだろう。何年も過ぎ、自分たちも死んでしまったあとで見つかったとき、化石だと思われるかもしれないが。誰も気にはしない。

「行こうよ」ロジャーが言った。

「どこへ？」デボラは尋ねた。

「ラズベリーをもらいに」弟は答えた。

「行ってくれば」姉は言った。

ロジャーは一人では食堂に行きたがらない。自分のことを気にしすぎている。デボラは大人の目を避ける術《すべ》を心得ていた。お茶のあとはクリケットをしてもいい、と姉が言うと、弟は一人でラズベリーを取りに行った。お茶の時間はずっと先なのに。

クロテッド・クリームとラズベリーを載せた盆を手に、ロジャーがゆっくりした足取りで戻ってきた。その様子を見たデボラは、ふと弟に悪いことをしたように思った。これまで、まわりの人たちにしてきたように。弟は盆を運ぶことに懸命になっている。だが、それも今だけのこと。すぐに弟は年老い、庭は忘れ去られ、今日という日は昔になる。

「おばあちゃんが、家に戻りなさいって」ロジャーは言った。「嵐が来るかもしれないから」

そんな。こんな悪い知らせもない。『眠れる森の美女』の廷臣たちよろしく、みんな魔法で眠って、なにも気づかず目覚めもせず、髪にも指にも蜘蛛が巣をかけて、家じゅう蔦に覆われてしまえばいいのに。

「早く食べないと」とロジャーに言われ、デボラはラズベリーにスプーンを入れた。弟は先に食べ終え、得意げな顔をした。

午後は静まりかえり、なにも動かなかった。おばあちゃんは自分の部屋に入った。カーテンを閉じるのが子供たちにも見えた。おじいちゃんは居間で、顔にハンカチーフをかけて横になっていた。パッチはいつもいるピアノの下から動こうとしない。ロジャーはあきらめず、することを探した。勝手口にたわんだ籐《とう》椅子を出し、気楽そうに掛けたアグネスのそばで、彼女を手伝って夕食に出すえんどう豆の莢をむいた。それが済むと、屋根裏部屋に行き、子犬の頃のパッチを洗うのに使った金盥《かなだらい》を見つけた。芝生に運び出し、水を張った。そして水泳パンツに着替えると、上には雨傘を広げて日よけにし、真顔で盥に浸かった。

デボラは裏手の日陰で仰向けに寝転がって、イエスと釈迦が出会ったらなにが起きたかを考えた。挨拶をし、議論し、国際会議の政治家のように意見を交換したのだろうか。あるいは、この二人は生まれた時代と場所が違うだけの、同一人物だったのだろうか。おかしな考えで、面白いけれど、秘密の世界に行けばなんの意味もなくなる。ゆうべ、回り木戸を通ったとき、あらゆる疑問が消えるのを感じた。向こうには疑問というものがない。あるのは知恵と喜びだけだ。

いつしか眠ってしまったらしく、目を開けたときにはロジャーはとうに盥を出て、クリケットの柱《スタンプ》を芝生に打っていたので、デボラはうろたえた。五時十五分前だ。

「早く」姉の姿を見て、弟は声をかけた。「ぼくはもうお茶を飲んじゃったよ」

眠気が抜けきらないまま、ふらふら居間に入っていった。祖父母は長い午睡で元気を取り戻した様子だった。おじいちゃんはオー・デ・コロンの匂いがした。パッチは餌皿に注がれた冷たいお茶を飲んでいた。

「疲れちゃったのかしら」おばあちゃんが気遣わしげに言った。「気分が良くないんじゃない?」

どう答えたらいいのか、デボラはわからなかった。頭が重い。ふだんはしない昼寝などしたからだろうか。

「そうみたい」彼女は答えた。「ロースト・ポークは食べられないかも」

「お茶の時間にロースト・ポークはないわ」祖母はあき

れたように言った。「胡瓜《きゅうり》のサンドイッチをおあがりなさい。冷たくて、しゃきっとしてるわ」

おじいちゃんは蜂を狙っていた。敵がティーカップの上に飛んでくるのを、じっと待っていた。手にした蝿叩きが空《くう》を切った。「仕留めたぞ」と得意げに言うと、絨毯に落ちた蜂を踵で踏みつけた。そのさまを見て、デボラはエホバを連想した。

「まだ暑いから」おばあちゃんが言った。「外には出ないほうがいいわ。あなたもロジャーも、部屋で静かに遊んでいたら」

「静かにできる遊びなんてあるの？」デボラは尋ねた。

だが、祖母からの提案はなかった。クロッケーの木槌はみな壊れていて、使えるものはない。「小人《ドワーフ》になってみるとか」小さくなったつもりで、しゃがんでするクロッケーを想像してみた。膝が痛くなりそうだし、とても難しそうだ。

「御本を読んであげてもいいわ」おばあちゃんが言った。

祖母の申し出は渡りに船だった。クリケットを始めるには遅い。芝生に出たデボラは、ロジャーがこの提案に同意するよう、伝え方を考えた。

「遊ぶのはあとにしない？」姉は言った。「アグネスが、冷凍庫のアイスクリームをくれるって。それから、寝る前にはお話ししようよ」

弟は考えた。もともと慎重な性格だ。この選択には迷わざるをえない。

「おじいちゃんから赤い封蝋をもらったよね」

「うん」

「あれ、くれる？」

今度はデボラが迷うことになった。太く、色鮮やかな赤い封蝋は、手放すには惜しい。

「いいよ」条件をしぶしぶ呑んだ。

ロジャーは柱《スタンプ》をそのままに、姉と居間に入った。おじいちゃんは朗読に乗り気そうだったのに、パッチを連れて外に行ってしまった。おばあちゃんはお茶を片付けた。眼鏡と一緒に持ってきたのは『黒馬物語《ブラック・ビューティ》』（アンナ・シューウエル著。馬の視点からその生涯を一人称で語った物語）だった。この家にある本は新しいものではなく、大人にも子供にも馴染み深い本ばかりだった。おばあちゃんは、走って汗をかいたビューティに、厩舎《きゅうしゃ》の少年が冷たい水を飲ませ、毛布は掛けずに休ませる章を読みあげた。暑い午後に似つかわしい章だった。ロジャーもじっと聞き入っていた。祖母の穏やかな顔を見、心を込めて読む声を聞くうちに、デボラはかつておばあちゃんが黒馬だったような気がしてきた。肺炎にかかり厩舎で苦しんでいるところを、手慣れた厩番《うまやばん》に救われたことがあるかのように。

朗読のあとは、クリケットなんかどうでもよくなっていたが、デボラは約束を破りたくはなかった。『黒馬物語』は馬が書いた本であることが、頭から離れなかった。読んだ子供の誰もがそれを尋ねないし、前足の蹄にペンを持った馬の絵を描いたりしないのは、それだけ良い本だから、とおばあちゃんは言った。

「今どきの馬ならタイプライターを使うかも」とデボラは思い、ロジャーに投球していても、二十世紀の黒馬が蹄でキーを打っているところを想像して、笑いを堪えていた。

晩になっても暑いので、いつもと順序を変えた。炎天下のクリケットで汗をかいたので、まず風呂に入った。それから、寝間着の上にカーディガンをはおり、テラスで夕食をとった。おばあちゃんも今晩は寛大だった。この暑さでは体を冷やす心配はないし、夜露がおりることもない。寝間着でテラスに出るという、普段しないことに二人はわくわくしていた。よその国にいるみたいだ、とロジャーが言った。南太平洋の島で、高貴な身分を捨てて浜辺で暮らしているの、とデボラが言った。晩餐のために白い上着に着替えたおじいちゃんは、高貴な身分のままだった。

「貿易王だ！」デボラが小声で言った。「真珠でひと山当てたの」

ロジャーは笑いを堪えた。祖父は怖いだけに、冗談の種にしたときにはひときわ可笑しいようだ。

「今、温度計は何度？」デボラが尋ねた。

祖父は尋ねられて嬉しかったのか、温度計を見に居間に入った。

「八〇度（摂氏二七度）を切りそうにないな」祖父は楽しげな口調で答えた。

食事のあとで歯を磨いているとき、洗面台の鏡に映る自分の顔があまりに白いのに、デボラは気づいた。一緒に太陽の下にいたロジャーは日焼けしているのに、顔色は悪いくらいだった。リボンで髪をうしろにぎゅっとまとめると、顔が引っぱられて鼻と顎が尖ったような気がした。日曜の午後にアグネスが厨房でするように、彼女は大きなあくびをした。

「お話する約束を忘れちゃいやだよ」すかさずロジャーが言った。

話……今となっては重荷だ。今は疲れ果て、枕に頭を預け毛布をはねのけて、白いシーツの上に手足を伸ばしたいのに。だが、互いの部屋のあいだのドアを開けたロジャーは引き下がらなかった。笑わせるのがいちばんの解決法で、ロジャーは笑い疲れて眠くなるだろうから、ウィリスの一日を燻製鰊《キッパー》の朝食から夕方の村の酒場のビールまで創作して聞かせた。ガリヴァーの冒険旅行さながらに。ロジャーの大笑いに、一階の年長者から抗議があった。アグネスが階段を上がってきて、デボラの部屋のドアから顔を出した。

「おばあさまが、お静かにとのことです」

　話のねたもつきたので、デボラは横になって目を閉じた。もう起きてはいられない。姉弟はずっと前からしているおやすみの挨拶を交わした。自分の名前と住所からはじめ、地球、銀河系、宇宙までを続けて唱えた。最後に「おやすみなさい」と言い、そのあとは黙っていないと、悪いことが起きると信じていた。

「起きないと」とデボラは思ったが、眠りの力はあまりに強かった。だが、何時間かあとに目が覚めると、風はカーテンをはためかせ、稲妻が天井にひらめき、木々は枝を震わせてむせび泣いていた。すぐにベッドを下りた。あたりがざわめいている。星はなく、夜は荒れすさんでいた。光の罅《ひび》が空に走った。庭がうめいた。雨の恵みを希《こいねが》って木々は身をたわめ、芝生は雨を待ち望んで、炎に照らされる金属の薄板のように光を帯びた。雨よ降れ。滝のように。

　突然、またも稲妻が夜空に走り、その光で回り木戸の向こうにいた女の人が身じろぎもせず立っているのが見えた。家の窓を見上げているのに、デボラは気づいた。女の人のかたわらには回り木戸があり、芝生の向こうの森からひしめき出てきた影の群が、次々に入っていった。秘密の世界が待っている。長い一日のあいだ、見えなくてもデボラのそばにあったのだが、夜になって嵐が吹き荒れ、稲妻が境界を開いたのだ。光の罅が命《めい》を下すかのように走ると、回り木戸は開き、女の人は笑顔で手招いた。

　デボラは部屋を駆け出し、階段を下りた。どこかで誰かが呼んだ――ロジャーかもしれないが、かまうものか――パッチが吠えた。だが、身を隠そうともせず暗い居間を抜け、テラスに向かったフランス窓を開いた。稲妻にテラスと敷石が浮かぶ中、デボラは外に出て、回り木戸が立つ芝生に踏み出した。

　急がずにはいられなかった。走らなければ、回り木戸は閉まり、女の人は消え、聖なる世界のあらゆる神秘に手が届かなくなってしまう。間に合った。女の人は待っていてくれた。彼女が入場券を受け取ろうとするように手を差し伸べたので、デボラはかぶりを振った。「なにも持っていないんです」女の人は笑って、法律も規則もない秘密の世界へと、彼女を通した。顔の見えない影たちが風に乗るように、彼女の前を森に向かって走っていく。雨が降りだした。暗褐色の空を稲妻が突き抜け、水の粒が音を立てて地面を叩き、撥ねた。森の小道には入れない。羊歯《しだ》は木に、木は巨人に変わっていった。影たちは我を忘れたように、乱れたリズムで蠢《うごめ》き、嵐のとどろきに身をよじらせ、空を裂く雷光の下、風に吹きなぶられる下生えに飛びこんでいった。

デボラは走りながら笑い声をあげていた。こちらの世界は誡《いましめ》、秘密の世界は賜《たまもの》。まわりを走る影たちは波のようだった。それぞれ一人一人でありながらつながりあい、泣きも笑いもする群となり、デボラもその中に入っていった。群の行く手を稲妻がさえぎり、雷鳴の轟きにかれらは空を見上げた。

池は生き生きとしだした。睡蓮は葉を掌《てのひら》のように掲げ、緑に澱む隅のほうでは、水面《みなも》に広がった泡が吸いこまれていくように流れていた。影たちは池に群がった。かれらは岸辺にひざまずいて頭を下げ、女の人は池のまんなかに立ち、そのかたわらの回り木戸にかれらを招いた。デボラは心のどこかで、こちら側に踏みとどまろうとする声を聞いた。

「でも、もう入場券を買ったの」と叫んだが、なくても入れると思い出した。これは繰り返しなのだろうか。秘密の世界は虹のように繰り返し現れ、その下に着いたと思ったら先に行ってしまうものなのだろうか。いや、考えている暇はない。影たちは回り木戸を通り抜けていく。夜空を白い稲妻が横切り、てっぺんに蔦を頂いた、怪物めいた巨木を照らした。枯れてしまっているので、他の木や下生えの羊歯のように揺れることができず、十字架のようにただそこに立つばかりだった。「今……すぐ……行くから……」デボラは叫んだ。荒々しいまでの願いに突き動かされ、なにも怖れてはいなかった。彼女は池に飛びこんだ。足の裏に、泥と折れた枝と、枯れ草のかたまりを感じたかと思うや、脇の下あたりだった水が顎まで深くなった。デボラは睡蓮に包みこまれた。雨でなにも見えない。回り木戸は消え、女の人ももういなかった。

「連れていって」少女は叫んだ。「置いていかないで！」心の中に落胆が広がっていった。約束は破られ、彼女はこちら側に取り残された。秘密の池はすでになく、暗く澱んだ水があるばかりだった。

4

「柵で囲むって、おじいちゃんが言ってた」ロジャーが言った。「何年も前からするつもりではいたんだって。ちゃんとした柵を立てて安全にするんだ。その前に、砂利を底に敷きつめるらしいけれど。池が貯水池になる。貯水池なら危なくないね」

　ロジャーはベッドに横になったデボラを見下ろしていた。すでに二階の子供部屋ではなく、一階の一員となり、良いことも悪いことも知らせる仲介者となっていた。デボラは二日は安静にしているように言われた。

「水曜日になれば」弟は言った。「クリケットもできるさ。怪我もなかったしね。眠りながら歩くなんて、おかしなことをしたね」

「眠ってなんかいなかった」姉は言った。

「おじいちゃんがそう言ってただけさ」ロジャーは言った。「パッチに起こされて外を見たら、姉さんが芝生を歩いているところだった……」安心した、と言いたげに、彼は両手を上げた。

　ベッドにいても、窓からは空が見えた。どんよりと曇っていた。嵐が過ぎたあとの、夏の空だった。アグネスがジャンケット（甘味をつけた牛乳を固めたデザート）の盆を大事そうに支え、真顔で部屋に入ってきた。

「もうお行きなさい」彼女はロジャーに言った。「あんまり話していると、お姉さんが疲れてしまうでしょう」

　ロジャーが言われたとおりにしたのに、デボラは驚いた。アグネスはベッドの脇のテーブルにジャンケットを置いた。「今は食べたくないかもしれないと思うけれど」彼女は言った。「気が向いたときに食べればいいから。痛いところはない？　我慢しなくていいのよ」

「大丈夫」デボラは言った。

　彼女自身のことだ。学校に戻る準備を気にしているのだろう。自分が受けたショックは大きいけれど、アグネスに話すことでもない。アグネスはしばらく返事を待っているようだったが、デボラが黙っているので、部屋を出ていった。

　デボラは頬杖をついて、窓の外の空を見上げた。知ってしまったことは重く、悲しかった。

「もう行けないんだ」彼女は思った。「鍵をなくしちゃったし」

　池にはもうすぐ砂利が沈められ、柵で囲まれるだろう。彼女はもう、秘密の世界には行けなくなった。

幻の女たち

彫刻家の天使――愛の奇跡の物語

The Sculptor's Angel:
The Story of a Love-Miracle

マリー・コレリ　Marie Corelli

圷香織 訳

マリー・コレリは十九世紀末から二十世紀初頭にかけて、ヴィクトリア女王や時の宰相ウィリアム・グラッドストンにもその作品が愛読される人気作家だった。三十作近い長編の中には、*The Sorrows of Satan*（1895）や*Ziska: The Problem of a Wicked Soul*（1897）など怪奇幻想の分野に入るものも多く、キリスト教と心霊主義、神智学が併存する彼女独自の思想を反映している。本作は小説誌*Nash's Magazine*の一九一三年一二月号に発表後、短編集*The Love of Long Ago*（1920）に収録された、副題そのままの「奇跡の物語」である。

「おまえは素晴らしい芸術家だ、息子よ」修道院長が、愛情を含んだ笑みを浮かべながら言った。「それにも増して、気高く純粋な心を持っている。だからこそ我々は、空《から》のまま残っている教会の壁龕《へきがん》を平和と祝福の天使で埋めるという崇高な仕事を、おまえにまかせたく思うのだ。すべての時間を自由に使ってくれて構わないから、クリスマスの前には完成させてもらえるだろうか。主の降誕を祝う日には、なにとぞ御心《みこころ》にも叶って、おまえの天使が教会の内陣で見られることを願っているのだ」

　イギリスでもとりわけ古く有名な修道院のひとつを統《す》べる者として、高名で聖人のごとき修道院長は権威と威厳をもって話しかけ、口調こそ優しかったものの、その言葉には命令の重みがあった。それを従順に押し黙ったまま聞いているのは修道士のアンセルムスだ。ふたりは、修道院の壮大な教会にいくつか付属している礼拝堂の片側に立っていた。この教会は、献身的な信心深い男たちが創造主たる神を讃え奉仕するために、崇高な思いと、労苦をいとわぬ熱意を傾けた努力の結晶である。当時、神の力は絶対だった。正しき者を守り保護する存在として、民にとっては最大の救い手だった。そしてまた神に対する絶対的で粗野な情熱は、教会の霊的な力と神聖さによって適切に制御されていたから――聖職者にしろ平信徒にしろ、神の栄光をあがめるために大変な忍耐をもって築き上げられた尊い聖堂が、畏れを知らぬ手により汚され、略奪されたあげくに、壮麗な過去の遺物として放置され――それ以上に損なわれた信仰の、哀しい象徴になるなどとは想像もしていなかったはずだ。

「おまえは」修道院長は続けた。「自由に時間を使うといい――もちろん、礼拝の時間を除いてということだが。また我々としても、まことに神聖なる霊感の導きを妨げぬよう、できるかぎりの手配をしよう。そうとも、息子よ、すべての仕事は神聖なのだ。また最良の思考は神によってのみ与えられるのだから、自分の功績だなどと思ってはならない。天使の似姿を彫るとなれば、当然、天使が彫り師の手を操り、究極の作品となるように導いてくれることだろう！　違うかね？　聞いているのか？話は理解しているのかね？」

　アンセルムスは黙ったまま、垂れていた頭を上げた。もう若くはない。若さは彼の前を急いで通り過ぎ、年よりも早く老いるにまかせたかのようだ。ほっそりした顔はやつれ、苦悩と哀しみによる深いシワが刻まれている――が、落ちくぼんだ目だけはまだ明るく、いっそ熱っぽいほどの輝きをたたえており、押し消され、消えかけながらもくすぶっている火のように閃いていた。

「聞いておりますし――理解もしております」アンセルムスはゆっくりとこたえた。「ですが、どうしてもっと適任な――より有能な彫刻家を選ばれないのでしょうか？　わたしにはふさわしくないかと」

　修道院長が、アンセルムスの腕に優しく手を置いた。

「我々のひとりであるほうが、よりふわさしいのだ！」修道院長は言った。「おまえは才能という宝を、我々のために使わぬとでもいうのかね？　この聖堂の美も、とくに素晴らしいところはおまえの設計に負うところが多いではないか。息子よ、謙虚さは、我々のすべてにとってそうであるように、おまえにも似つかわしい――人は誰しも、自分に拘泥しているかぎりは無価値なのだ――しかし、おまえの才能は神より与えられしもの。ゆえに、その価値については、おまえやわたしなどが疑うべきではないのだ！　おまえはその才能を、崇高な目的のために与えられたのだよ。まだ何か言う必要があるかね？　引き受けてもらえるだろうか？」

「修道院長がそうおっしゃるのであれば、わたしとしては従うほかありません」アンセルムスは言った。「それでもやはり、うつろう夢にも似た天使に形を与えるなど、わたしの手には余る仕事だと言わざるを得ないのです！――が、修道院長と兄弟たちに満足していただくために、最善を尽くしてみましょう」

「最善を尽くしてさえくれれば、満足な結果が得られるであろう」修道院長が言った。「それからその作業をするあいだは、おまえが自らに課している厳しい鍛錬を少し緩めなさい。断食の期間が長過ぎるし、睡眠時間も少な過ぎる――もう少しきちんと食事をとって、休むようにするのだよ、アンセルムス！　さもないと魂の鋭い歯で肉をそがれ、最後には頭にも体にも災厄をもたらす。安寧と自由こそが、芸術家にとっての空気であり光なのだ。我々の規則に反しないかぎりで、おまえには、その両方を与えよう。好きなときに作業をし、それを楽しむのだ。おまえの作業場に邪魔の入らないようにすることを、我々の神聖な義務としよう――好きなだけ、天使と差し向かいで過ごすがよい！」

修道院長は慈愛に満ちた笑みを浮かべてうなずきながら、空《くう》で十字を切り、ゆっくりと礼拝堂を出た。そのまま身廊を進んで奥にある回廊に出ると、いくつもあるアーチ道のなかに、背の高い、堂々たる姿が長衣をひらめかせながら消えていった。

アンセルムスは、その後ろ姿を見つめながらしばらくたたずんでいたが、うめき声に似た大きなため息をつくと、振り返って礼拝堂の奥の、隔離された暗い場所へと進んだ。そこまで来ると、アンセルムスは絶望になすすべなしという様子で、大きな十字架の前に膝をつきながら身を投げ出した。この十字架は、最近、ローマ教皇から修道院に贈られたものだった。

「ああ、神よ、神よ！」アンセルムスは口のなかで祈った。「このわたしに、主の、よこしまで不誠実なしもべにどうかお慈悲を！　秘められた罪の重荷を、この魂から取り除いてください！　どうすれば主の許しを勝ち取れるのか、失った心の平安を取り戻せるのか、どうかお示しください！　わたしの闇に明かりを灯してください。犯した罪の影が、この目にはあまりにも暗いのです！　魂の救い主よ、どうかお許しください！　これほどの良心の呵責には、とても耐えられそうにありません！」

アンセルムスは両手で顔を覆うと、十字架にかけられたキリスト像の前に、跪《ひざまず》くというよりもうずくまった。抑圧された苦悩が、現実の痛みをもって肉体を苛《さいな》んでいるかのごとく身を震わせている。彼自身の思いが鞭《むち》となり、アンセルムスを際限なく打ちのめすのだ。その思いは、どんな些細な点も見過ごすことなく過去のすみずみにまでおよび、ほとんど狂気の淵にまで無慈悲に彼を追い立てるのだった。アンセルムスは自分の少年時代や、ローマでの青年時代を思い返した。若く情熱的な美術学生として当時の大彫刻家のひとりのもとで学び、心を持たない大理石から力強く完璧な形で命を彫り出しては学友たちを驚かせたものだった。アンセルムスは覚えていた。自分が名声の花輪を勝ち取り、持ち続けることができるだろうと思った瞬間、ふと、より崇高なものに対する熱狂的な信仰と高揚に打たれたことを。それによって、彼は人生と才能を教会に捧げたのだ。自分の天命を確信した彼は、ごく自然な愛情のしばりを自主的にすべて断ち切って父や母や生家に別れを告げると、修道誓願（貞潔、清貧、従順の三項を守る修道士の誓願）を立て、神への奉仕に自らを捧げたのだった。その後は、ローマからイギリスに送られてきた熱心で献身的な兄弟たちとともに、イギリスの歴史においても最大規模の大修道院を完成させ、磨きをかけることに喜んで尽力したのだった。アンセルムスははじめてこの素晴らしい教会と大修道院を目にしたとき、情熱的ともいえる仕事への愛が胸を満たし、手に力を与えてくれたことを思い出していた。それは、建築的な壮麗さと純粋さを絵にしたような建造物だった。平和に満ちた美しい景観の中央ではいくつもの塔が天へ向かって伸び、周りは立派な木々と、広々とした芝地に囲まれている。さらには水晶のような水をたたえた小川があちこちを流れており、それはまさに、天国の夢を地上に移したらかくやと思わせる景色だった。アンセルムスは心を込めて忍耐強く、聖堂を飾り、高貴さを加えるために尽力したので、修道院長も彼のことを特別に思うようになった。修道院長は、アンセルムスに彫刻家としてのたぐいまれな才能があり——信仰の世界に入らずに俗世で生きることを選んでいれば、そう簡単には忘れられることのない名声を築くこともできただろうことを見抜いていた。だがアンセルムスは現実にすっかり満足しているようだった。信仰に関してと同様、芸術的な作業に関しても慎重に規則を設けていた。修道院を支えている石壁から誰の手も借りずにひとりで彫り上げた見事な内陣の仕切りでさえ、彼にしてみれば、長年平和のうちに自分を捧げてきた規律と従順ほど完璧には思えなかった。そこへ突然、大きな苦難——灼熱の試練が訪れたとき——アンセルムスは無傷で切り抜けることができなかった。それはこのようにはじまった。

　修道士としての多くの勤めのひとつとして、アンセルムスは週に二度、病人や貧者に必要なものを聞いてまわるため、教会の管轄する村のあちこちに派遣されていた。そんななかで彼は、すべての男が遅かれ早かれ落ちる運命に見舞われた――恋に出会ってしまったのだ。それはほんの一瞥や、ささやかな手の触れ合いにより、突然に圧倒的な情熱の嵐を起こして、それまでの人生で築き上げた防壁を押し流してしまう。不幸にも、それがアンセルムスにも起こった。しかも相手はとても愛らしい、愚かで疑うことを知らない少女だった。無邪気で純真な彼女は、自分でもそうとは知らないうちに、修道誓願を立てているアンセルムスを誘惑した。野薔薇のような頬と、夏の海のように青い目をしたその可愛らしい田舎娘は、ひとりきりで、年のいった病んだ祖母の面倒をみていた。不平も言わずにかいがいしく世話をしながら粗末な小屋をそれは清潔に保っており、まるで婦人用の居間のように快適に整えていた。それでいて、食べる物にも事欠くような苦しい生活をしていたのだ。こんなにも若く美しい娘が、おそろしい困窮の日々を当たり前のように受け入れながら穏やかに耐えているのを見て、アンセルムスは心を打たれた。そこで修道院から必要な物資――年老いた病人のための薬とワインのほか、娘が体力を養いしっかり動けるようにと、パン、新鮮な牛乳、卵、鶏を届けたのだ。だがそれは決して娘が頼んだわけではなかったし、母教会（洗礼を受けた教会）からの施しでさえ、受け取らせるには説得をしなければならないほどだった。それからアンセルムスはまた娘に会いにいき、さらにまた会いにいき――ふたりは多くを語り合った。ときにはアンセルムスの誘いにこたえて小屋を出、散歩を共にすることもあった。修道院まで続く、枝をたっぷりとつけた木々が濃い影を落としている長い並木道を――そしてついにある運命の夕べ、彼と連れ立って歩いたあとで帰ろうと彼女が背を向けたとき、アンセルムスの胸のなかで長年押しつぶされていた男の心が目覚め、見境のない衝動から、両腕に娘を抱き締めていたのだった。唇と唇が出会い、そのやわらかさを味わうと、唇に染みついたはじめての口づけのぬくもりによって、アンセルムスはふいに、それまでは経験をしたことのない幸福感に包まれた。その恍惚感はあまりにも強烈で、彼は夜な夜な、長い祈禱の勤めを果たしながら夢に見てきた天国の高みへと引き上げられるかのように感じた。

　これが、そのあとに続く秘密の逢瀬――恐怖と喜びをはらんだ密会——のはじまりだった。禁欲的な修道士であり、学者であり、宗教上の戒律を正しく守ることに対して極めて厳格だった彼が、激しい情熱にあふれた利己的な恋人に変わったのだ。そのいっぽうで哀れな娘は、じれたような愛撫や、甘い言葉の熱に焼かれながら、ただただアンセルムスに愛されることだけを望んだ。そうして彼女も、優しくか弱い心と魂の持てるすべてを捧げて彼に愛を返したのである。その禁じられた愛の、田園詩風の夢のような時は短かった。アンセルムスも男のご多聞に漏れず、簡単に手に入ったものには間もなく飽きてしまい、自分からあれほど求めてつないだ優しい絆から逃れるため、一日の遅い時間になると、背徳的な行為によってもたらされる危険について考えるようになった。自らの安全と便宜のほうが、彼が征服し、かつ汚した愛すべき魂の平和と幸福よりも、よほど重要なものに思えてきたのだ。関係は続けば続くほど苛立たしく、耐えがたいものになるばかりだった。そしてある日、彼の態度の変化を感じていた娘が、優しく憂慮と困惑を表すのに耐えかねて、アンセルムスは、もう会うのはやめにしようと冷たく言い放ったのだ。

「わたしは」アンセルムスは言った。「きみとのかかわりを自分に許したことで、恐ろしい罪を犯してしまった。これから何年も罪を償うために自分を罰し、断食を続け、祈り続けなければならないだろう。きみがわたしを誘惑したんだ！——わたしではない——きみが、その訴えかけるような瞳と微笑みで——わたしに誉《ほまれ》ある純潔の道を踏み外させたんだ。わたしよりもきみに罪があることは神もご存知なはず！　気の毒なことをしたとは思っているんだよ！」ここで彼は声をやわらげ、どこか父親のような口調になった。「どうかこれまでのあやまちを許し、わたしのことは忘れてほしい！　きみは若いから——まだ幸せになれるはずだ！」

アンセルムスとしては充分に理を尽くして話をしたつもりだったし、自分を愛しているか弱い心にとって、その言葉が致命的なまでの残酷な衝撃を与えたことに気づくには、心が頑《かたく》なになり過ぎていた。そこで、ひどい捨て方をされた哀しみと絶望、涙と非難が来るものと身構えた。だが娘が、その手の面倒や苦痛を彼に与えることはなかった。海のように青く美しい瞳を上げると、二度と忘れることのできない色を浮かべて彼を見つめたのだ。哀しみ、憐れみ、許しをその目にたたえたまま、娘は彼の手を取ると、そこにくちづけをしてから背を向けた。

「待ってくれ？　行ってしまうのか？」アンセルムスは

声を上げた。「ひと言もないままで」

娘はこたえなかった。落ち着いた足取りで歩き続け――たわんだ木々の落とす影のなかに小さな体を白っぽく煌《きら》めかせながら、一度として振り返ることなく消えていった。

それっきり、アンセルムスが娘に会うことはなかった。だがその同じ週、いつものようにその地区を施しのために回っている途中で、娘が溺死したことを知った。修道院の敷地を、煌めく透明なリボンのようにゆったりとくねる川の、葦《あし》のなかで溺れているのが見つかったという。献身的な世話を受けていた年老いた祖母にとっては、それこそ太陽以上の存在であったから、孫娘の死を知っても信じることができないまま、彼女が夕食の支度に帰ってくるはずの時間まで、一日中腰を下ろしたまま支離滅裂なことをつぶやき続けていた。さらには水を吸い、葦のからんだ壊れそうに小さな遺体が雫《しずく》をしたたらせながら小屋に運ばれてきたときにさえ、そこには目を向けようとしないで、孫の遺体であることを認めようともせずに言った――「いいえ、まさか！　これがあの子であるものか――あれは神様があたしに授けてくれた子どもなんだし、お優しい神様が――この年寄からあの子を奪うようなことをなさるはずがない――あたしがあの子をどれほど必要としているか、神様はよくご存知なんだから！」

修道士アンセルムスは、精神的な慰めを与えようとしながらも内心では震えていた。彼の良心が、死んだ娘を殺したのは自分だと訴えている。だがその秘密は胸に隠したまま、内心の苦悩はかけらも表に出さなかった。そして哀しいこと嬉しいこと、滑稽なことみじめなこと、世の中のすべてのことがそうであるように、ひとつの死というささやかな悲劇はまもなく忘れ去られた。溺死した哀れな少女に恋人がいたことを知る者はなかったし、ましてやその相手が修道士――しかも禁欲的だと評判で、周りの修道士からも〝我らの神聖な彫刻家アンセルムス〟と呼ばれている男――などとは、夢にも想像するはずがなかった。

年月が流れても――その罪がアンセルムスを捕らえることはなかった。ただし秘められた時々に、あの小さな恋人の、最後のまなざしを思い出すときだけは違う。そのまなざしは亡霊のように恐怖で彼を放さず、手の上には最後の口づけが、火のついた石炭のように感じられた。そしてその頃には娘のことがますます頭を占めるようになり、アンセルムスは心の休まる間を失っていた。どういうわけなのか、あの海のように青い瞳とあどけない笑顔が絶え間なく思い出されて、彼女の思い出を胸から締め出すことができないのだ。彼女に対して取り返しのつかない罪を犯したという後悔の念が胸に巣食っていたため、もう少しで修道院長に告白をするところだった。自分は仰せのような、内陣の最後の壁龕《へきがん》を飾る天使を彫るという仕事にふさわしい人間ではありませんと。秘められた罪の重みと、さらにはどれほどの厳しい断食や自己処罰を行なおうと神の目には偽善者としか映らないだろうという思いを抱えつつ、アンセルムスは祈りと涙をもって自分自身と戦ったが、すべては無駄であった。そしていま、許しを請うて十字架の前に頭《こうべ》を垂れながらも、希望や慰めの喜びが訪れる気配はなかった。アンセルムスが膝をついていた姿勢から立ち上がったとき、その心にあったのはある種の絶望的なあきらめだった――与えられた仕事はやり遂げるしかないのだ。誇りや喜びは感じられずとも、贖罪への道として。このような、頭に描いたものを自分の手で形にできるという芸術家の喜ばしい高揚とはかけ離れた精神状態で、アンセルムスは仕事に取りかかったのだった。彫像を置く壁龕の寸法を丁寧に計ると、同じ寸法の生木《なまき》を作業場に据えた。その高さと幅を吟味しつつ、〝天使〟にふさわしい姿とポーズを見出すためだ。生木と向き合い、その中を満たしている空間を見つめているうちに、天使は等身大に仕上げるべきだと確信した。それからチャコールで紙に、姿と顔の下絵を描きはじめたが、どの案もいまひとつしっくりこなかった。

「わたしに神聖なものなど見えるものか！」アンセルムスは苦々しく言った。「かつて持っていたそのような閃《ひらめ》きは、罪によって完全に死んでしまった！　女の瞳によって道をあやまつとは、ああ、なんと弱き魂よ！　もしも彼女がわたしを見なければ――あの笑顔があんなにも甘やかでなければ！――もしもわたしの情熱をはねつけてさえくれれば、彼女はわたしたちの両方を救うことができたはずなのに！」

だからアンセルムスは――彼の前にはアダムもそうだったように――こう主張した。「あの女が自分を誘惑したのだ」と。男という生き物は、その非情なエゴイズムのなかで、この世の時が尽きるまでそう主張し続けるのだろう。

作業をはじめた最初の午後は、困惑したようなくたびれた顔で、空っぽな壁龕と、意味のない線が引かれているだけの画版の上をかわるがわる見つめているうちに過ぎていった。日が沈みはじめ、禁欲的な作業場にある幅の広い縦仕切り窓の向こうでは、西側の空が溶かしたルビーのように輝き、その上にはサファイヤブルーの空が帯のように伸びていた。まばゆい光が目に入って痛みを覚え――一分ほどは片手で両目を覆っていた。それから手をどけると、夕日のほうは見ないようにしながら、一日中眺め続けた壁龕に目を向け――見つめ――恐怖と歓喜の混じる押し殺した叫び声を上げつつ膝をついた！　壁龕はもはや空《から》ではなかった――天使が立っている！　繊細で、輝かしく、そのたとえようもない麗しさときたら。光の束のような両の翼を折り畳み、顔はまばゆいばかりの美しさで、死すべき運命の者には決して見られぬであろうかぎりなき優しさに満ちあふれている。アンセルムスは畏怖の念に圧倒されて言葉を失ったまま跪くと、温かな慈悲をたたえた、星を思わせる神々しい瞳でこちらを見下ろしている麗しい姿を差し仰いだ。日没の輝きがさらに深い赤味を帯びると、天界を思わせる光が作業場を染め、壁龕の高みで輝いている純白の〝奇跡〟を神々しく包み込んだ。それこそ目には見えない淡い炎にでも照らされているのか、白い百合のように輝いている。そこで、アンセルムスはほとんど機械的に鉛筆と画版を手繰り寄せると、畏敬の念におののきながら、美の化身のような優美な姿を慌てて写し取ろうとした。その姿は、まるで美しい夢のように目の前にあったが、日没の光が灰色の陰へと移ろうにつれてかすみだし、闇がゆっくりと目に見えるもののすべてを包み込みはじめると消えてしまった！　アンセルムスが恍惚と苦悩の混じり合ったような思いで膝をついていた姿勢からゆっくり立ち上がると、アンジェラスの祈り（一日に三度、朝の六時、正午、夕方の六時に祈る）の鐘が鳴っていた。作業はここまでにし、夜の祈りを捧げなければ。アンセルムスは深い眠りから突然揺り起こされた人のように、ぼんやり物思いにふけりながらゆっくりと歩いた。晩禱の鐘が鳴り響くなかで自分用のクワイヤ席（修道士や聖歌隊員が礼拝のあいだ座り、立ち、跪く椅子のついた仕切り）につくアンセルムスを見た修道士たちは、いかにも訳知り顔に目を見交わし、うちの何人かはこうささやき合った。「我らのアンセルムスが仕事に取りかかったぞ！　天から閃きを受けたときの顔をしているからな！」

　その次の朝がすっきりと晴れやかに明けると、光があたりを満たすのと同時にアンセルムスは作業場に向かった。そして浮かされたように熱っぽく慌てた手つきで昨日試みたスケッチ――幻のように現れた天使の絵――をつかんだ――ところが、ああ！　そこには、さらなる手を加え、完成を目指すべきものなど何ひとつありはしなかった。アンセルムスは苦々しい失望のため息をつきながら絵を放り出した。煌めく日差しが窓の隙間から差し込み、光の筋となって石の床を照らしている。アンセルムスは作業をするときの定位置に腰を下ろすと、そろそろと、半ば恐れるように壁龕のほうへ目を上げた。昨夕見たものは、脳が生みだした幻影に過ぎなかったのだろうと思いながら。しかしそこで息を呑むと、身動きさえためらうかのように体をこわばらせた。なぜなら――そこにはまた――あの天使が立っていたのだ！　日差しに包まれた姿は、太陽に触れられた真っ白な雲よりもさらに白い。折り畳んだ翼と、神々しくも謎めいた笑みを浮かべた顔はまるで命令でも待っているかのようで、繊細な両手と腕は、守護を与え祝福を授けるかのように広げられている！　今回はアンセルムスも跪かなかった。この天使は自分の心により生み出された幻視なのだと確信し、であればそれを利用しようと決めたのだ。

「あれはわたしの創造物なんだ！」彼は独りごちた。「この頭と、修道院長からの務めを果たしたいという願いが生み出した幻視なんだ。それならば、どうか昼間のうちに――」アンセルムスの言葉が途切れた。「夜が来れば、作業は不可能になってしまう」

　描きはじめると、若かりし頃の技術と力を取り戻したかのごとく、何もかもがやすやすと意のままになった。軽やかな素早いタッチで、天界からの客の姿と、内から発光しているかのような、ひだのたっぷりした着衣のスケッチをざっくりと取った。それから――震える手で神々しい美貌をなんとか写し取ろうとしたのだが――何度も何度も見返すうちに、ハッと胸が押しつぶされた！　あの瞳は見たことがある！――憂いを帯びた、いとけない笑みも！　彼は、氷に触れられたかのように身震いしながらつぶやいた。

「神よ、どうかお慈悲を！　わたしの頭をお救いください！　せめてこの仕事が終わるまでは、正気を奪わないでください！　これは罰なのでしょうか？――最後の審判を待たずに死者が蘇るとは。まだその時ではない！――その時ではないはずです！」

　彼はこらえた涙で痛む目を壁龕の天使のほうに向けた。その姿は光そのもののように静かでありながら、優しさと忍耐を余すところなく表現している。それこそ真のモデルのようにじっと動かずにいてくれるその姿に目を据えて、アンセルムスはまた作業をはじめた。すべてをむさぼる炎のように、体力を吸い取っていく情熱に身をゆだねながら。

　来る日も来る日も、休むことなく作業を続けた。食事も睡眠もまともにとらず、生まれてはじめて、修道院の勤めのためにさかねばならない時間がうとましくなりかけた。来る日も来る日も、天使は奇跡のように忠実に、壁龕に立ったままピクリとも動かなかった！　アンセルムスは天使の出現をあくまでも幻覚、あるいは想像の産物とみなしたまま、それが自分の創り上げようとしている理想的な〝天使〟の完璧な表出であることを確信し、着々と作業を進めた。そして下書きが出来上がるとそのまま、粘土で型を取りはじめたのだ。ゆっくりと、だが確実に、粘土は彼の手のなかで美の極致へと近づいていく。そして天使のほうも相変わらずそばにいて、甘やかで揺るぎないまなざしを、かたどられつつある自分の似姿の上に注いでいた。

　こうしてひと月ほどが過ぎ、壁龕の天使がすっかり自分の人生と仕事の一部になるなかで、アンセルムスはその輝かしい存在なしには、自分が何によせ良きことを成し遂げられるとは思えなくなってきた。秋が深まって冬が近づき——しなびた木の葉が砂利敷きの小道に落ちてはカサコソと積もり、修道院の周りに延びる滑らかな芝のなかの小道の姿を損ね、北東からの厳しい風が、突然のみぞれや雪の嵐を連れてくるようになった。アンセルムスが作業をしているむき出しの空間も冷え切るようになり、ときには湿った粘土で〝天使〟の姿をかたどりながら、死に触れられたような寒気を覚えることさえあった。それでも壁龕には、神々しい天使が変わることなく姿をとどめ、この世のものならぬ光を放散させている。それはぬくもりさえ感じられそうな光で、アンセルムスはその場を離れるくらいなら、いっそ死んだほうがましだとさえ思った。修道院長が寛容にもアンセルムスの体を気遣って、修道院にもっといい部屋を準備してはいたのだが。

「おまえが何をしているのか穿鑿《せんさく》するつもりはない」修道院長は言った。「完成して見にくるように言われるまで、作品を見るつもりもない。だが、ずいぶんくたびれているようではないか——まるで人の影に過ぎないかのようにすり減ってしまって！　頼むから、息子よ、もう少し自分を大事にして休みを取るか——しばらくは作業を中断して——」

「いいえ、いけません！」アンセルムスが高ぶる声で遮った。「作業をやめることはできません。そんなことをしたら死んでしまう！　わたしなら大丈夫——全然大丈夫ですとも！　どうか心配などなさらずに——仕事を最後までやらせてください。さもないとあの天使は——」

ここで彼は奇妙な、当惑したような笑みを浮かべた。

「——そう、あの天使はわたしを置いていってしまうかもしれない！」

修道院長はアンセルムスの様子に困惑したものの、それ以上は強く言おうとしなかった。だが修道院長も修道士たちも、彼らの〝神聖な彫刻家〟が、何か奇妙な死の病に冒されているのではと心配しつつ哀しんでいた。本人がなんの不調も訴えてはいないとしても、その病によって神経を病んでいるのは明らかだったのだから。

粘土に型を取り終えて石に自分の〝天使〟を彫りはじめると、アンセルムスにとっては事態が好転し、苦しみも減ったように見えた。この手の難しい仕事には熟達していたし、彫刻に伴う肉体労働も良いほうに作用して、かつての活力と柔軟性も幾分戻ってきた。夜明けから日暮れまで着々と情熱的に働き続けた。光をまとった天使の姿も、夜明けから日暮れまで毎日変わることなく壁龕を埋めては、日差しにも勝る輝かしい光で彩るのだった。そして夜明けから日暮れまで、謎めいた天使の瞳は、アンセルムスが硬い石に槌をふるい、しなやかで優美な姿をみるみると彫り出していくところを見つめている。そしてついに最後の日、すべての思いと胆力を注ぎ込んでわずかな最後の仕上げにとりかかろうと、アンセルムスはいっときも目を離すことなく、架空のモデルの精細な顔立ちを見つめていた。両のまなこ、神々しい笑み。それを偉大なる芸術家にだけ可能な技で忠実に写し取ったとき、アンセルムスは自分の仕事が終わったことを悟ったのである。道具類を投げ出すと、倒れるように膝をついて、苦悩からの救いを求めるように両腕を大きく広げた。なぜならもうこれ以上、自分を欺く必要はないのだから。良心の呵責を無視して、自らの手で彫ったその顔に気づいていないふりをする必要も。どこまでも優しげに彫り出されたあの愛らしい唇、やわらかな頬に刻まれたえくぼ、重たげなまぶた――ああ、彼はあまりにもよく知っていた！――それはまごうかたなき天使、あるいは絶世の美女のかんばせである――が、それ以上に、彼を愛し、その命までも彼に与えた、あのいまは亡き乙女の顔にほかならなかった。

「我が心の天使よ！」アンセルムスはつぶやいた。「夢の天使よ！　作品の魂よ！　話しかけてくれ！　ああ、どうしてここに来たのかを教えてくれ！――こんなにも長いこと、忍耐強くそこにいてくれたのはなぜなんだ！――わたしが虐げた人にそっくりな天上の方よ！――どうしてここに来たのですか？」

しばしの静寂が広がったが――そのあまりにも深く張りつめた静寂は、苦しんでいる男の心を、筆舌に尽くしがたい苦悶で満たした。それからこたえがあった――水晶の鈴の音よりも甘やかな声で。

「だって愛しているんですもの！」

この言葉にゾクリとしながら目を上げると、青い海のように輝いている天使の瞳には、恐れと歓喜が混ざり合ったような表情が浮かんでいた。

「だって愛しているんですもの！」声が繰り返した。「ずっと愛していたんですもの！」

アンセルムスは――自分の耳が信じられなかった。

「わたしは頭がどうかしたのか！――でなければ夢でも見ているんだ！」彼はおののきながら、ささやいた。「この奇跡の語るところは、まるでほんとうに彼女のようだ！」

「唯一の奇跡は愛だけなのよ！」声が続けた。「愛は死なない――不死だから！　ああ、愛しい人！　神に対するあなたの罪は、信仰上の誓いを破ったことではなく、ひとりの人間の心を破り――命を奪ったことにあるのよ！――あなたを信じ切っていた心を！――あなたに捧げられていた命を！」

不幸な修道士は、絶望に手をもみ合わせた。

「罰してくれ！」彼は叫んだ。「復讐の稲妻をわたしの上に落とすがいい。ああ、至高なる天使よ！　その美しい目のひとにらみで、この命を奪ってくれ。ああ、わたしが殺した恋人の魂よ！　この日のことを忘れて生きることがないように、わたしを殺してくれ！」

天使の体が動いた。畳まれていた翼が震えたかと思うと、巨大な光の扇のように、ゆっくりと開きはじめた。

「愛のもとには、復讐などないわ！」その声はかぎりなく優しかった。「すべては許されました、愛しい人よ！――死すべき者が決して知ることのないわたしたちの喜びの物語をのぞけば、すべては終わったの！――はじまったその喜びは、決して尽きることがないでしょう！　わたしは死によってあなたに生を与えた。あなたがわたしの魂になした悪しきことに対し、わたしは神の名において、許しと安らぎを与えます！　愛しい人、あなたの業《ぎょう》は成ったのです！」

そこで、輝かしい天使はゆっくりと浮かびはじめた。日差しを透かして色づいている細やかな霧のように。あれほど長いあいだ忍耐強くたたずみ続けていた壁龕から浮かび上がると、上へ上へと向かっていき、煌めくひと筋の光となって、はかない大気のなかに溶けてしまった。

その夜、アンセルムスは晩課に姿を現さなかった。修道士の数名が、何か変事でもあったのではないかと修道院長に作業場まで見にいく許可を請うと、修道院長はためらうことなく自分もついていくことにした。すると淡い月光のなかで、〝神聖な彫刻家〟が、空っぽな壁龕を前に意識を失って倒れていた。そしてまだ粗削りな台座の上には、完成した天使の像が。その姿形《すがたかたち》の見事なこと。一同のなかで誰ひとり、これほどまでに完璧な天使像など見たことはなかった。驚きと憐れみにつかれた一同は、彫刻家のぐったりした体を持ち上げると、彼の部屋まで運んだ。数時間もすると周りの状況を把握できるくらいには回復し、修道院長の父親のような気づかいと、同僚たちの真摯な看病に対して、痛々しいまでにへりくだりながら感謝を表した。アンセルムスは衰弱し切っていて長い会話には耐えらなかったので、同僚たちも、成し遂げた崇高な仕事に対する賛辞を明らかに避けているらしき彼の意向には背かぬようにした。修道院長が、この世の教会を飾ってきた天使像のなかでも最も完璧な作品だと言って賛辞と敬意を表したときにも、アンセルムスはこう言っただけだった。

「神がお創りになったのです——わたしではない！」

　アンセルムスは何日ものあいだ、動くことさえできずに横たわったままだったが——時は穏やかに過ぎて、めでたい降誕祭がやってきた。彼は寝ていることを気にやんで、弱り切って痛々しいまでに力の入らない体を起こそうとした。止めてはいけないよ、と彼は優しい声で、真摯な笑みを浮かべながら言った。わたしはどうしてもこのクリスマスの日に、わたしの〝天使〟とクワイヤ席に立つのだから！

　そこで輝かしい朝が明けると、アンセルムスはふたりの修道士に助けられてミサに出席した。両側にひとりずつがつき、ふらつく足元を支えながら、アンセルムスの席まで連れていった。その仕切り席は、ちょうど例の壁龕の真向かいにある。そこにはいま、彼の手より生まれた天使が据えられ、至高の美に輝いている。天才の本能を強く感じさせる麗しい姿態はそれこそ生きているかのようで、平安と祝福を与えるように両腕を広げている。青ざめ、擦り切れ、疲れ果てたアンセルムスを、誰もが痛ましそうに見つめている。肉のそげた知的な顔と、激しく燃えるような目が、彼の脳内に巣食った悲劇の存在を感じさせ——修道士たちは、アンセルムスには何か不可思議な、超自然的な感覚があるのではと、どこか恐怖の面持ちで彼を見守っていた。

　アンセルムスの周りで音楽がうねり、修道士たちの歌う声が、律動的な深い調べの波となってあたりを満たしている。ステンドグラスから差し込む光がキラキラと輝きながら、パープル、エメラルド、ローズ、ブルーの光線を祭壇の前のステップに落としていた。アンセルムスは音楽を聞き、周りの情景をぼんやりと眺めた。まるではるかなる高みから、下に点々と広がる土地や家を見下ろしているかのように。そして内心では、目や耳のとらえているものが奇妙なまでに現実のものとは思えないことを怪しんでいた。意識からはほかのすべてが次第に押しやられ、向かいにいる天使のことしか考えられなくなってきた。荘厳な儀式は続き、修道院長による奉献という至高の瞬間へと近づいていった。席についている者たちは、誰もが深い瞑想と祈りに頭を垂れている。鐘が鳴り、修道士たちの歌う声が厳かに響き渡った――

「聖なるかな《サンクトゥス》、聖なるかな《サンクトゥス》、聖なるかな《サンクトゥス》！　万軍の主なる《ドミヌス・デウス・》神《サバオート》よ！　天も地も、御身の栄光に満ち満ちている《プレーニー・スント・チェーリー・エト・テッラ・グローリアー・トゥア》！」

――アンセルムスがふいに顔を上げたとき、その目には、雷に打たれたかのような衝撃の色があった。喜びに震えながら、パッと立ち上がった。アンセルムスと、彼の手による像のあいだには、真昼の光よりもまばゆい光線を受けながら、あの幻の天使が、輝かしい翼を広げて浮いていたのだ！――彼が虐げたいたいけな少女の顔を持ち――彼にインスピレーションを与え――作品として成した天使が！　ああ、あの海のように青い瞳の優しいこと！――あの甘やかな笑みの神々しいこと！――腕を大きく広げ、白い手で招きながら、温かく迎え入れようとする様子の麗しいこと！

「愛しい人！――愛しい人よ！」アンセルムスは叫んだが、その声が喉に詰まったかのようによろめいて、前方に倒れた。歌がやみ――祭壇に立っていた修道院長も聖杯を持ったまま動きを止め――修道士たちが、狼狽し哀しみながら、ぐったりした体の周りに慌てて集まった――が、すでに手遅れだった。アンセルムスは事切れていたのだ。

流れてきた雲が太陽を隠して、ふと内陣が暗くなるなか、ふたりの修道士が倒れた男のそばに膝をつき、そっとその顔を覆った。修道院長は、目に涙をためながらも、再び聖杯を持ち上げた。また顔を出した太陽が内陣を輝かしく染め上げたかと思うと、その光のなかで天使像が雪のように白く照らし出された。修道士たちが震える声で、中断された儀式を再開すると、崇高な大修道院のアーチ形の天井は歌声を響かせながら、世界が遅々として理解しようとしない神秘的な真理に反応した――

主の名によって来られる方に祝福あれ《ベネディクトゥス・クィ・ヴェニト・イン・ノーミネ・ドミニー》！

カーター、ウィンターソン、キャリントン
——忘れがたき女性作家たち

牧眞司

　編集室の牧原さんから「次号はイギリス女性作家怪談集なんです」と教えられ、それは楽しみだと喜んでいた。そしたら、すかさず「牧さんには現代作家についてのエッセイをお願いします」と振られ、意表を突かれてしまった。私は系統だてて文学を学んできたのではなく、雑食かつ偏食に自分好みの本を読み散らかしている身なので、現代イギリス女性作家と言われても文学的地図が浮かばない。ただし、個々の作品は強く印象に焼きついているものがいくつもある。ここではそれらを光点と光点をつなぐように取りあげていこう。私なりの星座である。

　私の読書の背骨は十代から二十代の乱読時代にできあがった。この時期にたまたま巡りあったのがアンジエラ・カーター『魔法の玩具店』である（植松みどり訳／河出書房新社）。原著は一九六七年の刊行で、カーターの長篇第二作にあたる。

　主人公のメラニーは十五歳。田園の大きな家で、訪れつつある大人への成長に対する期待と戦きに身を焼きながら暮らしていた。しかし、甘やかな日々は長続きしない。旅行中の両親が事故死し、彼女は弟妹ともどもロンドンの叔父フィリップの家に引きとられることになったのだ。フィリップは天才的な玩具職人だが、性格は破綻している。彼にとって生身の家族も、自分の思いのままに操る人形と変わりがない。クリスマスのあと店のなかでおこなう人形劇で、フィリップはメラニーにレダの役を命じる。ゼウスの化身である白鳥に押したおされるレダ。メラニーの少女時代は、おぞましく終わろうとしていた。

　はじめて読んだとき、私はこの作品をもっぱらダークな色調の青春小説として受けとめた。拙著『世界文学ワンダーランド』（本の雑誌社）では、レイ・ブラッドベリ『何かが道をやってくる』やトルーマン・カポーティ『遠い声遠い部屋』と並べ

『魔法の玩具店』原書(Simon & Schuster, 1967)

て紹介している。しかし、いま読み返してみると、メアリ・シェリーにはじまり、ジェイン・オースティンやエミリー・ブロンテを経由してつづくゴシック的想像力のなかにあって、フェミニズムのテーマを鮮明に内包していることがわかる。ちなみに『魔法の玩具店』をフェミニズムを軸に読み解いた評論としては、田嶋陽子「魔法の玩具店」（現代女性作家研究会編『アンジェラ・カーターファンタジーの森』所収、勁草書房）が出色だ。田嶋氏は「鳥」を性的／自由の二重メタファーとして

『ワイズ・チルドレン』(早川書房 1995)

作中に見出すのだが、ただメタファー探しにとどまらず、その「鳥」がプロットやテーマに即して変奏されていくさまを追うところに説得力がある。

田嶋氏はこの作品をフェミニズムの追究においては不充分で、それを文学的クリシェによって補っていると結論づける。思想的評価は別にして、私には小説家としてのカーターは自覚的に文学的クリシェを活かしているように思えるのだ。先述したゴシック的想像力ともかかわってくるのだが、シェリーもそうだしオースティンにしてもブロンテにしてもゴシック・ロマンスの枠組や道具立てを採用しながら、ジャンルを単純に再生産するのではなく、かといって逸脱するのでもなく、再帰的に相対化・パロディ化していくところがあった。

カーターは短篇集『血染めの部屋　大人のための幻想童話』（富士川義之訳／ちくま文庫、原著は一九七九年）で、お伽噺や民間伝承を下敷きにしながら、たんなるリトールドではない、いわばクリシェの内部からクリシェを揺るがし新しい意味性を引きつけていく展開を見せる。『魔法の玩具店』もそうだったが、カーターの作品はどこか過剰なのだ。長篇第七作『新しきイヴの受難』（望月節子訳／国書刊行会、原著は一九七七年）では、未来のアメリカを舞台にグロテスクな地獄巡り（フリークショー）が描かれる。長篇第八作

『夜ごとのサーカス』（加藤光也訳／国書刊行会、原著は一九八四年）は、フリークスや道化師によって織りなされるカーニヴァル・ファンタジイである。

　長篇第九作『ワイズ・チルドレン』（太田良子訳／ハヤカワepi文庫、原著は一九九一年）は外形的には幻想要素が少ない作品だが、語りの基調はきわめて祝祭的で、プロットも波瀾万丈、逞しい生命に満ちている。物語はショービジネス（イギリスの演劇界からハリウッドの映画界まで）に生きる家族の、一世紀以上にわたる浮き沈みを綴る。

　語り手であるドーラ・チャンスはいま七十五歳。ドーラと彼女の双子の姉妹ノーラは、血統的にはハザード家（祖母エステラが不動の原点である）につらなるが、育ちの上では「グランマ」・チャンスの一家に属している。このふたつの家系は、遺伝子的なつながり、結婚や離婚による関係、双生児（この家系には双子が多い）のもつれた役割分担、養育過程での精神的な絆……などなどが複雑に入り乱れているのだ。血縁としては姉妹だが、表向きには叔母と姪という場合すらある。作中で語られる言葉だけで理解するのはたいへんなので、ネットで〝wise children family tree〟で検索し、ダウンロードした家系図を手元に置きながら読むことを強くお薦めする。地下茎のごとく錯綜した家系の網の目が、ややこしい人間関係の力学と、登場人物それぞれが抱えこんだ心理の襞を生みだす。それがわかると物語が何倍にも面白くなる。

　この作品の魅力は、実在の有名人がたくさん登場し、主人公たちの家系とかかわるところだ。たとえば、ドーラとノーラの父方の祖母エステラが子役俳優だったころ、ルイス・キャロルから『アリス』のサイン本が贈られた。キャロルは彼女をお茶に招待してもてなし、裸の写真を撮影している（その写真は現代になってからオークションに出品され、ドーラが必死の思いで落札することになる）。また、ドーラとノーラの養父（血縁的には叔父）ペリグリンは、若き放浪時代にアンブローズ・ビアスに出会い、一緒にメキシコへ戦争をしに行ったという（真偽は定かではないが献呈入りの『悪魔の辞典』が残っている）。ドーラとノーラは、コンビ・ダンサーとしての全盛時代にフレッド・アステアと競演したこともある。

　ショービジネスは希望と虚栄が交錯する世界であり、奇矯な人間を引きよせ、歪んだ欲望が渦を巻く。そして、時代を追って主要なメディアが舞台や雑誌から映画、さらにテレビへと移り変わるなか、かかわる人

『さくらんぼの性は』原書
（Bloomsbury, 1989）

間の人生も泡のように浮動していく。そこでは常識では考えられないような事件がしばしば起こる。その細部が鮮やかに、そして不思議な因果の巡りあわせも含めて描かれる。誇張気味で独特な比喩と明るい皮肉がちりばめられた文章はちょっとラブレー的だ。

アンジェラ・カーターの衣鉢を継ぐという表現は適当ではないと思うが、私の印象のなかでカーターに直結するイギリス女性作家がジャネット・ウィンターソンである。カーターが一九四〇年生まれ、ウィンターソンが一九五九年なので、ひと世代違う。

『オレンジだけが果物じゃない』
（白水社　2011）

私がはじめて読んだウィンターソン作品は、叢書《新しいイギリスの小説》に収められた『さくらんぼの性は』（岸本佐知子訳／現行本は白水Uブックス、原著は一九八九年）である。とにかく主要登場人物のひとり、象すらぶっ飛ばす大女ドッグウーマンが圧倒的だった。メインプロットは、ドッグウーマンに拾われたジョーダンが十七世紀の世界を股にかけて遍歴をし、エキゾチックな驚異や謎、猥雑な都会の喧噪と出会うというものだ。真実を追い求める繊細なジョーダンに対し、ドッグウーマンの押しても絶対に動かない逞しさと生命力が素晴らしい。

ウィンターソンは自伝的要素がある長篇第一作『オレンジだけが果物じゃない』（岸本佐知子訳／国書刊行会、原著は一九八五年）が評判を呼び、ウィットブレッド賞（のちのコスタ賞）第一小説部門も受賞した。この作品の語り手ジャネット（作者の分身）は、カルト的な教団のなかで英才教育を受け、幼くして教義の導き手となる。しかし、ひとりの女性に恋をしたことで、運命が大きく変わっていく。時間を不随に往き来する語り、幻想と現実が混沌と入り交じった世界観は、アンジェラ・カーターの諸作とも共通するマジックリアリズムだ。以来、ウィンターソンはコンスタントに執筆をおこない、かなりの作品が邦訳されている。最新の翻訳は『フランキスシュタイン　ある愛の物語』（木原善彦訳／河出書房新社、原著は二〇一九年）。メアリー・シェリー『フランケンシュタイン』を題材にした現代的ゴシックだ。

さて、世代的にはアンジェラ・カーターよりもさらに前（一九一七年生まれ）で現代作家とは呼びにくいし、そもそもイギリス作家という枠で捉えていいかも微妙だが、どうしても名前をあげておきたいのがレオノーラ・キャリントンである。出身はイングランドだが、二十歳前後に渡仏してシュルレアリスムの仲間に加わった。おもに活躍したのはフランスやメキシコだ。また、小説よりも画業で名を馳せた。

私は二十歳になる前（乱読時代の初期）、月刊ペン社から出ていた《妖精文庫》で『耳らっぱ』（島岡晨訳、原著は一九七四年）を読み、たいへんな衝撃を受けた。同叢書でとくに愛着が深いのはこの作品とジュール・シュペルヴィエル『火山を運ぶ男』である。《妖精文庫》での作者表記はカリントンだった。ちなみに現行の邦訳として『耳ラッパ　幻の聖杯物語』の題名で工作舎版がある（野中雅代訳）。

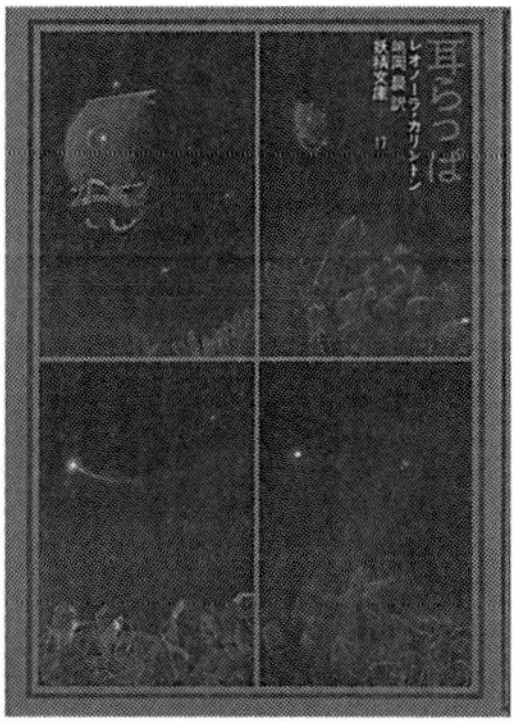

『耳らっぱ』（月刊ペン社 1978）

『恐怖の館』（工作舎　1997）

先に紹介したアンジェラ・カーター『ワイズ・チルドレン』のドーラは七十五歳だが、『耳らっぱ』の語り手マリオンは九十九歳。これもまた老人が元気に飛びまわる小説なのだ。

マリオンは家族から邪険にされ、町はずれの養老院〈友愛光明園〉に放りこまれる。そこは普通に考えられるような施設ではなかった。全体のたたずまいは中世の城。敷地内には、毒キノコのかたちをした家、スイスの牧人小屋、エジプトのミイラのばけものという感じの別館……などなどが居並ぶ。建物におとらず入所者（すべて女性）も、それぞれに個性的な変人だ。当のマリオンだって、脳内で妄想をめぐらせ、感じたことをそのまま口に出してしまう癖がある。

マリオンは入所したときから、食堂の壁にかかっている変わった表情をした修道女の肖像画に惹きつけられていた。勝手にドーニャ・ロサリンダ・デ・ラ・クエバと名づけていたのだが、養老院仲間のひとりクリストベル（神秘的な人物）からわたされた古い書物のなかに、そのままの名前があるではないか。ドーニャは宗教的にも常識的にも異端で、その生涯は波瀾に満ちたものだった。そして、彼女が遺した因果が綿々と現代にまでおよんでいることがわかってくる。クリストベルから告げられた三つの謎々を頼りに、マリオンたちは養老院敷地内の塔（それまで閉ざされていた）へと足を踏みいれ、地下の暗黒と光明の領域を目の当たりにする。

　時期をおなじくして、地球の両極の移動により氷河期が訪れ、たちまち世界は凍てつく。もはやマリオンたちが生きているのは、独特な象徴性を帯びた神話空間だ。果てなく広がる情景、そして読者を抜きさっていく物語の急峻な脈絡は、シュルレアリスムそのものである。

　キャリントンは幼少のころ、アイルランド人の乳母に、寝る前のお話でケルトの物語を聞かされていたという。その雰囲気は色濃く『耳らっぱ』に立ちこめている。いっぽう、〈友愛光明園〉の仲間がすべて女性であること、また、いにしえの尼僧ドーニャの存在も含めて、女性性が自明のものとして根底にあるのは明らかだろう。その点において、アンジェラ・カーターやジャネット・ウィンターソンと共通する。

　もちろん、作者の想像力や創造の才能を女性性と結びつけ、いたずらに特別視するまねは避ければならない。キャリントンや同世代の女性アーティストにとって、当時の革新的な芸術思潮であるシュルレアリスムは拠り所もしくは突破口となった。その反面、アンドレ・ブルトンをはじめとする男性シュルレアリストの女性に対するロマン主義的な期待が、彼女たちを束縛する。ホイットニー・チャドウィック『シュルセクシュアリティ　シュルレアリスムと女たち１９２４～４７』（ＰＡＲＣＯ出版）によれば、シュルレアリスムにおける女性とミューズとの同一化についてどう思うかと訊ねられたキャリントンは、たったひとことで答えている。

「たわごとね」

海を繕う

Spilling Salt Into the Sea

S・チョウイー・ルウ〔陸秋逸〕 S. Qiouyi Lu
勝山海百合 訳

最初の穀物をこぼしたキャリーに

この小さなアラスカの町は、そんなに悪くない。くつろげるバーが何軒かあるし、ときには素敵な人との出会いもある。わたしたちは手をつないで港へ向かって歩いている——彼女がわたしの調査船に驚かないくらい、このあたりに慣れていればいいなと思いながら。

「わたしたち、海に近づいている」彼女は立ち止まった。

「その通り」でもまだ二、三ブロック先だ。わたしには潮の匂いをはっきりと嗅ぎ取れないが、彼女にはわかるらしい。「どうしたの？　なにか気になる？」

　彼女が緊張を緩めようとしているのがわかった。「ううん、なんでもない。ただ海のそばに行くのは久しぶりで」

「タラソフォビック？」

「どういう意味？」

「海が怖い？」

「ああ」彼女は言った。「そうね。たぶんそういうものなんじゃないかな」

「こわくないから。外海に出るわけじゃないんだし」わたしは笑い、彼女の背中に手を回し、軽く抱き寄せる。「わたしたちが探究すべきことは他にもたくさんあるんだから」

　そう言うと、彼女はようやくほっとしたようだった。わたしたちはしたいことのアイデアをあれこれ出し合いながら船に到着した。わたしのほうはすぐにでも本題に入りたかったけれど、彼女はテーブルに散らかしたままのスケッチや壁に掛けたアートに目を止めた。

「セルキーが好きなのね」

　わたしは笑う。「名推理ね」

わたしは日本のむかし話と西洋のおとぎ話の両方を聞いて育った。亡くなったパパは、ある夜はキツネの話をし、次の夜にはイソップのキツネとカラスの話をするという風だったけれど、どういうわけだろう、わたしが一番好きなのはセルキーの話だった。

振り返った彼女の顔に、なんとも判断しがたい表情が過ぎる。彼女は少し体を強張らせ、それからふっと力を抜く。

「良かった」と彼女。

どういう意味か尋ねるまえに、彼女はわたしにくっついていた。船室内は二人がやっと入れる程度の広さで、そのぶん彼女の豊かな胸に近づくことができる。長く、年を経て白っぽくなった傷跡が彼女の左肩に走っていた。彼女は傷のことに触れなかったし、わたしのほうもふたりのリズムを崩さないことに夢中で、あえて質問しなかった。

明くる朝、わたしが先に目覚めた。彼女を押し出さないよう気をつけながらベッドを出た。彼女の傷跡は朝の光の中で輝き、滑らかですっかり癒えているように見えた。日の光は彼女のとび色の髪にオレンジと赤の色彩を添えていた。

おなかが鳴った。朝食にしよう。わたしが二枚の皿に盛り付けを終えたところに彼女が起きてきた。

「良い匂い」彼女の言葉に、わたしは笑った。

「ほんとう？　たいていの人は魚の匂いが苦手なのに」

それから、あることに思い当たった。「そういえば、名前を聞いてなかったね」

彼女はなんでもないというように手を振った。「だいじょうぶ、よくあることだから。ジョアンナよ」

「わたしはアヤコ」皿をダイニングテーブルに運んだが、わたしの絵や、書き付け、地図がそこらじゅうに広げられたままだった。

「ちょっと待って、片づけるから」わたしは言い、皿をカウンターに置いた。

しかし、ジョアンナは魅入られたように地図を見つめている。海岸線をなぞり、ぎざぎざの線に沿って一本の指を走らせる。彼女は点々とつけられた印を観察した。たいていの人にとって、わたしのデータは理解できない言語で書かれた文章のようなもので、けれどジョアンナは――彼女の視線の動きからは、実際に地図を読んでいることがわかった。

「あなたは彼らを追跡しているのね」彼女は言った。

頷く。「ご明察。あなたも海洋生物学者？」

ジョアンナは笑った。優しい外見のわりにぶっきらぼうな声をしている。

「ちがう、そうじゃない。ただ、ちょっとアザラシには詳しいだけ」

　彼女は点の一つを指さした。ＧＤ３１７。わたしのアザラシ。ううん、彼は実際にはわたしのものではなく、お気に入りというだけ。ジョアンナは眉をひそめ、熱を帯びた目で見つめ、ＧＤ３１７と記された点から別の点へと指を動かし、海岸線を上へ下へと彼の経路を追って、８の字を描いて元の地点へと戻った。

「これ」ジョアンナは言う。「これはすごく独特な経路、他のどれと比較しても」

「そうなの！」わたしは何日も調査船で一人で過ごすので、ジョアンナがわたしの仕事に興味を示したことに奇妙な興奮を覚えた。「ほんとうに変わってる。通常の回遊ルートから外れるアザラシは、たいてい目的を持っている――狩りや交尾なんかのね。この海域を通過する漁船やクルーズ船から逃げようとしていることもある。でもこれは、説明がつかない。海岸を上へ下へと泳いでいて、まるで何かを探してるみたい」

　ジョアンナが目を上げた。彼女の取りつかれたような表情と暗いまなざしを見て、わたしの背すじに震えが走った。

「彼は探していたものを見つけたの？」

　わたしは首を振った。

「なんとも言い切れないけど、良い写真は撮れた」

　わたしは箱をかき回してＧＤ３１７の写真を引っ張り出した。それをジョアンナのほうに滑らせると、彼女は大きく息を吸い込んだ。ＧＤ３１７の見た目は控えめに言っても印象的で、顔の片側に大きな傷跡があり、片目が白濁している。オルカかなにかの捕食者と戦ったときの傷だろう。とはいえ、写真を見るジョアンナの姿にはなにかが、彼女の次の一言を素直に受け容れさせるだけの不思議ななにかがあった。

「お願い。わたしを彼のところへ連れて行って」

＊＊＊

　わたしはこのアザラシに興味を持つ理由を尋ねたけれど、ジョアンナは「彼はわたしには重要なの」以上のことは言わなかった。わたしは躍起になったが、彼女の口は堅くなるばかりだった。そこでわたしは引き下がり、ふたりで共に過ごすあいだのルールを幾つか決めた。彼女が鍵のかかったトランクを持ち込んだことはもちろん気になった。彼女の熱心さからして、ワイルドライフ・

レンジャーや、アザラシの保護活動家ではなさそうだった。

　わたしは彼女がセルキーではないかと考え始めていた。このアザラシはどういうわけか彼女と関係があるらしい。けれども、この疑念は自分の内に留めておいた。パパを見ていたので、おとぎ話を信じすぎるのは他人を怯えさせると知っていたし、彼女を怖がらせたくなかった。もし彼女がふつうの人間だとしても、誰もいないより彼女がいてくれたほうがいい。

　わたしが所属するチームは、無線発信機でアザラシにタグ付けしていた。わたしがアザラシの位置を特定できるのは、決まった範囲内にいるときだけだ。そこでわたしたちはＧＤ３１７のルート上を移動して、彼の影を探し求めた。最初のうち、ジョアンナはあまり話さず、まるで希望を持ちたくないかのように、いつも水面を見つめていた。

　ＧＤ３１７の気配もなく四日間が過ぎた。わたしはその海域の別のアザラシたちの調査に戻り、ＧＤ３１７のピンはときどきモニターで確認するだけにした。ジョアンナは船の反対側をぶらぶらしている。

　彼女が誰かと話しているかのようなつぶやきが聞こえてきた。そして叫び声。わたしはすべてを放り出し、船尾に走っていった。

「どうしてわたしだとわからないの、ロリー？」

　ジョアンナはずたずたに裂けた毛皮を纏《まと》っていた。わたしは一歩近づく。水面に浮かぶアザラシがＧＤ３１７なのが視認できた。

「ジョアンナ？」わたしはそっと声をかけた。「なにをしているの？」

　ジョアンナは動きを止める。一瞬、空気が凍りついた。言葉を発しない彼女のまえで、わたしの焦りはますます大きくなり、わたしは確信する。ああ、まさか信じられない。――心に浮かんだことを告げる。

「あなた、セルキーなの？」

　ジョアンナは選択肢を吟味するように、しばし黙りこくった。が、結局は降参した。

「その通り」

　興奮で心臓が激しく脈打つ。けれども――彼女はまだ人間で、アザラシはまだアザラシのまま。おそらくは、彼女の毛皮がちぎれているせいで変身できないのだろう。

「あなたの毛皮を奪ったりしないと約束する」ジョアンナの用心深い態度に合わせて、大真面目にわたしは言った。「毛皮を片付けたいなら、わたしはここを動かないでいるから」

彼女に背を向けた。すぐにジョアンナが傍らをすり抜けていく気配がした。彼女が船内に消えたと確信すると、船べりに戻って、わたしのアザラシを一目見ようとした。でもアザラシ――ロリー?――はわたしを見るなり驚いて水の中に素早く姿を消した。

　陸に帰ることを提案すると、ジョアンナは悩ましげに表情を翳らせた。そこでわたしは彼女に余裕を与えるため、再び調査に戻ることを選んだ。

　けれどもその晩、あのアザラシは戻ってきた。ジョアンナとロリーの会話は日課となった。ロリーが話の途中で姿を消す日もあれば、ジョアンナに話すことがなくなるまで留まる日もある。

「ジョアンナ」ロリーがまたしても水中に潜り込んだあとで、わたしは言った。「あなたの毛皮のことだけど。破れたのなら、繕《つくろ》わないの?」

　ジョアンナはため息をつく。「もう試した。糸では縫えないの」

「厚い生地を補修するための、太い糸があるんだけど――」

　ジョアンナは首を振った。「全部試してみた。細い絹糸からロープみたいな木綿糸まで。まるで役に立たなかった」

　わたしは口を開きかけたが、ジョアンナは取り付く島も与えない。

「無駄な努力。毛皮なんて燃やしてしまうべきなの。いまとなってはただ重荷なだけ」

　言葉は力強かったが、ジョアンナはこの考えに悲しみをおぼえているようだった。痛ましい笑い声を上げる。

「たぶん、ロリーにわたしの声を捧げなくてはいけないんでしょうね。人魚姫みたいに」

　その日、彼女は多くを語らなかった。ロリーがウミイラクサと呼ばれる毒クラゲの大群に巻き込まれてしまい、棘を取り除くために彼を船に引き上げねばならなかったからだ。ウミイラクサはわたしのお気に入りのクラゲのひとつだけれど、ロリーがこんな風に苦しむのを見るのはつらいし、ジョアンナがロリーの痛みをわがことのように感じているのを見るのもつらい。

　クラゲの山はあとで処理することにして、甲板に積んだままにしておいた。ジョアンナは早々とベッドに行き、わたしはキッチンで自分の地図をじっと眺めた。ウミイラクサは、ここアラスカ湾では駆除レベルには達していないが、あの群れはこれまで見た中では最大と言ってよかった。クラゲに刺された箇所を酢で洗浄したあとも、手はずきずきと疼く。もしもこれから数が増えたとしたら、地元の漁業やアザラシの個体数に影響が出るだろう。

イラクサ……

わたしは甲板に出た。夜はクラゲから夕焼け色を流し去っていた。クラゲの山はもはや泥のようで、船のナトリウム灯に照らされてオレンジ色。わたしの心はびりびり震え、一つのおとぎ話、グリム童話の『六羽の白鳥』を思い出していた。物語の中で、少女は沈黙の誓いを立ててイラクサで六枚のシャツを編み、白鳥に変じた六人の兄たちを人間に戻すのだ。

イラクサが植物でなければならないとは誰も言っていない。

わたしの中の冷静な一部は、これは馬鹿げた考えで成功するわけがない、不合理で科学者の振る舞いではないとわかっていた。しかし別の部分では、科学とは、謎があれば仮説を立て、実験をして確かめてみるものだとうそぶく。

わたしはウミイラクサの触手の先の棘を引っ張り、キラキラした一握りの、蔓のような糸をより分けた。何度も指を刺してしまって思わず毒づきながらも、それらを巻き上げて船室内に運び込んだ。ジョアンナがアザラシの毛皮を仕舞うところを見たことはなかったけれど、あのトランクの中にあるとわかっていた。わたしはキッチンの流しに蔓を置くと寝室に向かった。

船の中には物を隠すのに最適な場所がたくさんある、が、くまなく探してくたびれたあとで、鍵はジョアンナその人が身につけているはずだと気がついた。あにはからんや、彼女の寝姿を窺うと、金のネックレスが見えた。彼女が息を吸うと、ペンダントが動き、鍵の取っ手が見える。

チェーンをたぐり寄せる。音を立てて起こしたりしないように気をつけつつ、ジョアンナが寝息をたてているうちに、ネックレスの留め金を外した。手に入れた鍵でトランクを開錠し、アザラシの毛皮を引っぱり出すと、キッチンに退却した。毛皮をテーブルに下ろして深呼吸をし、一番大きな針を手に取る。もう片方の手にはウミイラクサの蔓。

苦戦すると思っていたが、ウミイラクサは針の穴に簡単に滑り込んだ。わたしは手早く仕事をし、手が痺れてきても声を漏らさない。ちぎれた個所を一つずつ検《あらた》める。できることなら、酢に手を浸して毒液を洗い流したいけれど、魔術には犠牲としての痛みがつきものだと考えることにした。そう、六羽の白鳥の少女は話すことばかりか笑うこともできず、自分自身を守るすべがないまま審判と痛みに耐えるしかなかったではないか。

瞼《まぶた》が重くなる。針が手から滑り落ちる。胃がぎゅっと縮む。ジョアンナが耐えた――彼女とロリーが経験したことは、この痛みをはるかに上回るもので、そのトラウマは想像を絶する。

　けれども、またしても針を取り落としてしまったところでとうとう諦めて、明日も続けようと自分に言い聞かせた。

＊＊＊

　ジョアンナはわたしが立てた沈黙の誓いを試す。

「だいじょうぶ？」

　頷く。わたしは喉を指し示し、それがなにかを――せめて、少しだけであっても伝えることを願った。

　ジョアンナは微笑む。

「きっとなにか病気にかかったのね。お茶をいれてあげる」

　そうして、目にも止まらぬ速さで笑ってわたしを抱きしめると、おでこにちゅっちゅとキスをした。

「早くよくなーれ。あなたのこと、どんどん好きになってる」

　罪悪感に苛《さいな》まれる。わたしがしていることを彼女に告げずにいるのは背信ではない。けれども、正しいとも言えない。

　その晩わたしは不安に慄《おのの》き、鍵に伸ばす手が震えた。わたしの指は昨日から半分痺れたままで、今日はもっと感覚が失われているため、作業は遅々として進まない。

　アザラシの皮の厚いところに針を通すときに、指先を刺してしまう。痛みは感じず、針が肉に潜り込む感覚だけがある。この馬鹿馬鹿しさに笑いたくなる。マゾヒストみたいじゃない？

　わたしにはわからない。わたしはこの作業が上手くいくことを信じて、毛皮を修繕し、ジョアンナの過去を癒し、ジョアンナはロリーとふたたび出会い、いつまでもいつまでも幸せに暮らしましたとさ、となって欲しい。もしかすると、わたしはパパのようになりつつあるのかも。たぶんわたしは、また躁病の時期に入っている。

　でもこれは簡単な実験。真の科学者はつべこべ言わずに最後まで見届けるだろうと自分に言い聞かせる。

　わたしは明け方まで作業する。まだやり遂げてはいないけれど、残りはほんの少しだけ。鍵をジョアンナにそっと返すと、彼女が動いた。わたしは凍りつく。ジョアンナが一瞬目を開けたので、（これでおじゃんだ）と覚悟する――けれど、彼女は寝返りを打ち、むにゃむにゃと呟いて眠りの世界に戻っていった。

＊＊＊

三日目の夜はまえの二日よりも更に進まず、繕う部分は僅かなのに、わたしの運針はゆっくりと手さぐりで進む。

そんなときこそ、すべてがダメになってしまうものだとわたしは知っている。

足音がキッチンに近づく。わたしは急ぐ。あと一針、二針――

「アヤコ?」

わたしはびくりとし、体を強張らせる。

「アヤコ、あなたなにしてるの?」

ジョアンナは声を抑えようとしている。わたしは彼女を盗み見る。パジャマ姿で、髪は寝乱れているけれど、この距離からでも彼女の目に怒りが満ちているのがわかる。

わたしはなにも言えない。あと少しだったのに。

「話して。お願いだから」

声に苦しそうな響きがあった。わたしは頭を振り、縫い上げて蔓を切り、毛皮を平らに伸ばす。自分のしたことを説明するために振り返り、ジョアンナと向かい合う。彼女は怒りで口を歪ませ、全身で怒っていた。わたしの手から毛皮をひったくる。

「よくもこんなこと」

彼女は毛皮を肩に巻きつけると、走り出ていき――

「ジョアンナ!」

――手すりを乗り越え、海に身を躍らせた。

＊＊＊

あれから数日。アザラシたちがぱったりと姿を見せなくなってから数日、ロリーの姿を最後に見てから数日。最初はジョアンナのあとを追うことも考えたものの、それは事態を悪くするだけ。

こうなれば、わたしはいつもやっていたことをやるしかない。自分自身と距離を置くのだ。研究に没頭する。いつものように孤独に。

実際のところ、死んだパパの思い出にしがみついているのは馬鹿げていると思う。どんどん意味をなさなくなっていくのに、パパが話してくれたおとぎ話にこだわり続けるのは。考えてみると、パパが現実の世界に住んでいないことに耐えられなくなったママが出ていき、パパの家族が真剣にパパの面倒を見ることを放棄してただの病人として扱うようになったあたりで、わたしはパパのお話が妄想であることに気がついていた。

けれど、彼のお話のすべてがわたしには「ほんとう」に感じられた。わたしたちの世界に、別の世界が重なっていると信じたかった。ルールを守っている限りは、いつまでも幸せに暮らすことができると。わたしの心の不安定さから逃げることができると。躁病の妄想から我に返るたび、わたしを襲う惨めな恥ずかしさから逃げることができるのだと。

習慣はわたしをアザラシの回遊に連れ戻した。海岸線を北へ南へと漂い、海域のアザラシを機械的に記録する。無線周波数をスキャンし、すべてを正確に手書きで記録する。わたしは何ページも何ページも数字やメモを書き入れる。そこに私的な感動は差し挟まない。

ジョアンナの鍵はまだわたしの首に預けられたままだ。それを見るのは時にはつらい。けれどその重みがわたしを落ち着かせ、自分自身を信頼できなくても、このお守りは信じられると思い出させてくれるときもある。

やがてわたしは堅固な地面が恋しくなった。わたしは入江に船をつけ、雪の上に足を下ろす。どこかのかどを曲がった瞬間、そこにアザラシがいることに気がついた――二頭のアザラシが。一頭は目に傷跡があり、もう一頭は……わたしが考える彼女を描写するに相応しい言葉はただ一つ、〝威風堂々〟。彼女はロリーより大きく、体高も高い。四つの長い傷が左肩を横切っている。

わたしは一歩前に進む。

「ジョアンナ?」とささやく。

たぶん彼女はわたしを許してくれるだろう。わたしたちは愛に満ちた瞬間にまた戻ることができる。あの笑顔、あの抱擁、あのくちづけに。

けれど更に一歩近づくと、アザラシは二頭とも滑るように水の中に戻り、水面に暗い渦巻きの波紋が残った。

わたしはここでの物事の仕組みを知らない。わたしたちの世界の定義は曖昧だ。未来はプリズムを通した光のようなもので、正も誤もなく、わたしたちに制御できるものもなく、ただ消すことのできない過去からわたしたちを遠ざけていく色とりどりの道があるだけ。

金の鎖を引っ張って首から外し、ジョアンナの鍵を握りしめる。涙が頬を流れていく。波は岸辺に打ち寄せ、午後の光の下、乱れ、絶え間なく集まっては離れ、形を取らない。

（ごめんなさい）の言葉をつぶやく。口にはしたものの、謝罪や魔法が、背信を知ったときに彼女が見せた表情を消し去ることができないのも知っている。

鍵を手から放す。水を叩く音は波が砕ける音に掻き消される。

ジョアンナがわたしを許してくれる日を待ち続けるわけにも、彼女の存在にわたしの生活のすべてを傾けるわけにもいかない。わたしは未来に向けて自分の道を進み、いつの日か、彼女がふたたびわたしを見つけることを願うだけだ。

風がわたしの手を刺す、出航だ。

S・チョウイー・ルウ（陸秋逸）
アメリカの小説家、翻訳家、編集者。中国にルーツを持ち、太平洋両岸で活躍中。ノンバイナリー。二〇二一年、『幻想と怪奇7』収録の「稲妻マリー」を皮切りに、「年々有魚」（『S-Fマガジン』一〇月号）、「沈黙のねうち」（『紙魚の手帖』vol.02）と、訳者により続けて作品が紹介された。本編は『幻想と怪奇』への二本目の収録作品となる。

ペストの死者——或るハンガリーの伝説

The Dead Men of Pest, A Hungarian Legend

ジョン・ハーマン・メリヴェール John Herman Merivale
市川純 訳

この作品は、吸血鬼を扱った最初期の英詩と考えられている。作者のジョン・ハーマン・メリヴェール（一七七九—一八四四）は法律家であったが、雑誌に寄稿したり、創作した詩や翻訳の刊行もしている。また、バイロン卿とも交流があった。今回の翻訳は、メリヴェールがアルミニウスの筆名で寄稿した雑誌『アシニーアム』一八〇七年四月号に掲載された初出に基づく。「アルミニウス」による前書きにもある通り、原文は敢えて古風な綴りを駆使しており、その雰囲気を現出するため、訳文には旧字旧仮名を使用した。（訳者）

以下の物語は、人間の心の年代記に記された極めて異常な出来事の一つに基づいている。まだ一世紀も経たぬ以前、私の話を形成する事象は全て、より奇妙なことも他に数多く追加してはいるが、その事象が発生したと考えられたスラヴォニアの幾つかの村の農民の間で固く信じられていた。のみならず、それは真実として受け取られ、周辺地方に住む教養ある神学者や医師によって大真面目に論じられた。それとやや類似した迷信はボヘミアやシレジアでも広まっていたようで、この迷信に基づいた幾つかの話は、後にヘンリー・モア博士が『哲学著作集』に詳しく記している。一七四〇年から五〇年にかけて、『ジェントルマンズ・マガジン』は何度か同種の不可思議な話題を詳しく伝えている。有史以来、これほど実に野蛮な信仰が、ごく一部の地域とはいえ欧州に存在していたというのは、あまりにも蓋然性が無いので、私はこの話を十六世紀の英国人旅行者に語らせ、古風な言葉と、その時代の表記法を纏《まと》わせることが相応しいと考えた。

アルミニウス

古き英蘭《イングランド》の白亞の崖を出で
數多くの麗しき國々を廻り
希臘《ギリシア》そして聖地を抜け
旅路の果ては悲しき洪牙利《ハンガリイ》

古のケクロプスが町や名高き羅馬《ロオマ》も見たれど
取り分け好みしはダビデの聖所
恐ろしき光景の數々を目にして歸郷せるが
一際恐怖を極めしはペストの町[註一]

美々しく立派なる都市にて
誇らしき城壁と莊嚴なる塔《モスク》に依り
ドナウ川に掛かる舟橋と共に
此の地には纖細なる姿が齎されたり

然れど數多の事を悲しみ覺えつつ探る事と成れり
街路には先の尖れる草の伸び放題
安息日なるにも拘はらず
住民を彌撒《ミサ》へと誘ふ鐘も鳴らざりつ

註一　後にブダと合併して現在のブダペストとなった地区の名（訳者注）。

教會境内は閂《くわんぬき》以て確《しか》と閉ぢられ
罪深く呪はれたる場所の如し
恰《あたか》も最後の審判の日は過ぎて
死者の恩寵の座を追放されし樣

果ては悲しげなる老人に出會ひ
疲れたる旅人の安らふべき場所は何處《いづこ》かと問へり
其の老人は頭を振りて通り過ぎむとすれど
吾は彼の腕を取りて其の服を摑めり

「誰か知らぬがマリア樣の御名に於いて出て行け！」
（老人は斯く言ひて再び通り過ぎむとせり）
其の虚ろなる聲音《こわね》は我が胸奥深くに沈めるも
男を離さず理由を問へり

男の曰く「最《も》う朝だ　太陽が眩しい
春とも成れば陽氣になる　ペストの街中を除けばな
だが嚴しい冬の更には嵐の夜であらうと
此ンな處に寢床を求めてはいかン
假令《たとへ》土砂降りの雨と冷たい風に襲はれ
旅に疲れて空腹で蒼褪めてもだ」

吾は「太陽が眩しく輝いて日が改まツても
貴方の噺《はなし》を聞く迄此處《ここ》を去らない」と言へり

すると此の悲しげなる人物は吾が手を摑み
(彼の手は骸骨の如く骨ばツて冷たし)
恰も歩くも立つも出來ぬかの様子で
既に齢《よはひ》八十にも成りぬと見えたり

吾等は共に市場十字へと來たるに
憂色極むる彼の男は無言なり
吾等と行き交ふ衆生は誰一人居らず
(然れどあらゆる家々より悲痛の呻きを聞けり)

但し一匹の不憫なる犬は路地を横切り
怯えつつ痛切極むる嘆きの吠聲を上げたり
彼の悲しき男が陰氣なる口笛を吹けば
不憫なる犬は靜かに去りて尻尾を隠せり

吾が血は血管を這ひずり回る様で
骨は冷たく凍りつき髪逆立ちぬ
開けたる場所へと戻りたくとも
悲しき老人に付き添はざるを得ず

老人は石の上に座し
吾は鄰の石に座れり
彼は悲しく哀れに呻吟し
吾が疑念を晴らさむと専心せり

「お前さん！　儂《わし》の顔をよく見なさい
そして此の瘦せこけて骨ばツた手を最う一度摑ンで呉れ！
儂が何年生きてきたと思ふかね」
疑ひつつも「七十年でせうか」と答へたり

「お前さん！　無力な嬰兒を乳母の腕に預けて
未だ数十年も經ツて居ない
二人の明るい娘が其の成熟しかけた魅力で
吾が目を樂しませて呉れたのも未だ幾日も前の事ではない

其れが今じヤ疲れ果てた老《お》い耄《ぼ》れだ
血管に一滴の血も殘ツて居ない
儂の可愛い娘二人も冷たく蒼褪めて
無血になツて死の永遠の鎖に繋がれて横たはツて居る

お前さん！　立派な塔とほんに美しい川も流れて
心地良い光景の廣がる此の町は
嘗て優しい女子や勇敢な騎士達にとつて
洪牙利きつての魅力に富ンでいたンじや

其れが今此処に留まツた極僅《ごくわづ》かの者達は
憐れな姿で啜り泣き乍ら息をして居る
逃亡できる者等は皆此の悲しき土地を逃れたが
儂だけは殘ツて死を願ツて居るのじや

町の住人が慘めに蒼褪め始めて七週閒經ツたが
誰も其の理由が分からなかツた
極めて血色の豊かな者も黄ばンで衰へ
非常に恰幅の良い若者も寒さに泣いた

此れは湖から發生した熱病で
春が戻れば復《また》雲散するだらうと言ふ醫者も居た
一方當たり前に信じられて居る事とは逆に
其の暖かさこそが更なる惡影響を及ぼすと主張する者
も居た

儂等は淺薄な老い耄れの樣に
或は奇說を唱へて喜ぶ者の樣に之を笑ツたが
陽が暖かく成るにつれ彼方此方で
皆益々冬の樣な惡寒を覺えたのじや

或る憐れな者は窶《やつ》れ果て
七日目に息絶えた
遺體は高名な醫者に解剖されたが
血が一滴も殘ツて居なかツた

にも拘らず儂等は幾ら痩せ衰へても
食欲が治まらない
牛一頭食べても滿たされず
トカイワインを大樽で幾つも飲み干して仕舞ツたのじ
や

軈《やが》て何百人もの者達が日毎に息絶えた
（儂等の國には飢饉も發生して居た）
消えた血を補ふ為
家畜を殺して食ツたが血は出なかツた

斯うして夜に成ると血色は良く成り

復更に元氣で明るく成ツた
終夜深い眠りに眼を閉ぢたが
夜明けが近づくと次第に體調が惡化した

ヴルヴイウスという名の仕立て屋が居て
長年ペストに眞の誇りを持ツて暮らして居た
氣の良い男だといふ評判だツたが
熱病に罹ツて一年位で死ンじまツた

すると到頭此の奇怪な病が廣がツて
其れは最う前代未聞の增加じや
儂等の悲慘な街でもご多分に漏れず
末の娘は酷く苦しンだ

或る晩此の娘が眠ツて居た時じや
召使ひが夜中に娘の部屋から退いて
命を磨り減らす疫病を鎭める爲に作ツた
ミルク酒や煮汁やジヤムを取りに行ツた

此の時そツと扉を閉めると
重たい何かが階段を踏み締めて上がツて來るのが聞こ
えた

忽ち其處に現れたのはあの葬られた仕立て屋で
召使ひは（可哀想に）大聲で祈り始めた
男は經帷子《きやうかたびら》を着て居り其の樣は軀を土の下に横たへ
て
埋葬式の祈禱文が讀まれた時と同じじやツた
幽靈にも成ツて居なかツた
鉛一噸《トン》よりも重さうな足音がしたンじやから

召使ひは此奴が娘の部屋の扉を開けるのを見たンじや
が
勇氣が無くて男を追へず其處から逃げる事も出來ない
半時間もすると再びヴルヴイウスは
一層重たい足取りで階段を踏み締めて下りたとか

此の話を聞いた儂は馬鹿メイドがそんな事で戰慄《をのの》いた
のかと
薄ら笑ひを堪へられなかツた
だが翌晩其の狂ツた夢想を確かめようと
夜中迄起きて居た時の事

午前零時を廻ツて

何やら重たいものが階段を踏み締めて上ツて來るのが
　聞こえる
仕立屋ヴルヴイウスが目の前に現れた——
——儂は美しい娘の元に付き添ツてやれなかツた

翌日近くの修道院に驅け付けると
神父樣はお祈りの最中じやツた
目撃した不可思議を傳へ
宗教的な助言を頂きたいとお願ひしたンじや

一緒に聖イシユトヴアン教會へ行き
神父樣は全ての墓石にお祈りを唱へ
儂等は仕立屋ヴルヴイウスの墓標で足を止めた
鍬と鋤を持ツて來てな

仕立屋が眠る場所の地面を掘ると
軈て其奴の柩が出て來た
其の日の仕事は大して骨の折れるもンじや無かツたと
　思ふ
釘は全部抜けて蝶番《てふつがひ》が外れて居たンじやから
其れは妙な光景じやツたが更に妙なのは

遺體から蠟引き布を剥がした時
血管が血で滿ちて居る樣で唇は汚れて居た
其れは皆儂の娘から吸ツたばかりの血で溢れていたン
　じや

此の光景を町中に觸れて廻ると
住民皆暗澹たる恐怖にぞツとした
此の吸血鬼（神父樣は仕立屋を然う名付けた）に
激しい不安を覺えて夜中も寢付けなかツたンじや

教會墓地は直ちに鶴嘴や鋤や鍬を使ツて
隈なく掘り返して調べた
だが其處から掘り出した遺體は全て
生きた人間の樣な姿で柩の中に眠ツて居たンじや

境内に滿ちる此の死骸が
夜更けに階段を踏み締めて上がツてきたのじや
此奴等が儂等の血を吸ひ血みどろの馳走を貪《むさぼ》り
誰も彼もが忌まはしい恐怖に苛まれたのじや

其れで司祭樣達は內陣で御香をお焚きになり
墓に向かツてアヴエマリアを唱へた

そしてお清めの火で教會を淨化し
穢《けが》れたものは皆ドナウの波へ投じてしまツた

境内の柵は鐵の閂で閉ざし
立ち入り禁止にしたが其れは全て無駄じやツた
死者は釘の外し方が分かると
鐵の閂も眞ツ二つに割る事が出來るのじやから」

悲しき老人は默せり
吾は立ち上がり大いなる悲しみと恐怖とを胸に覺えたり

馬に乗り九リイグ進みて休息を求め
ペストの城壁には二度と近付かざりけり

Horror Literature Through History:
An Encyclopedia of the Stories That Speak to Our Deepest Fears

Edited by Matt Cardin　Greenwood　$208.00

〈評〉小山正

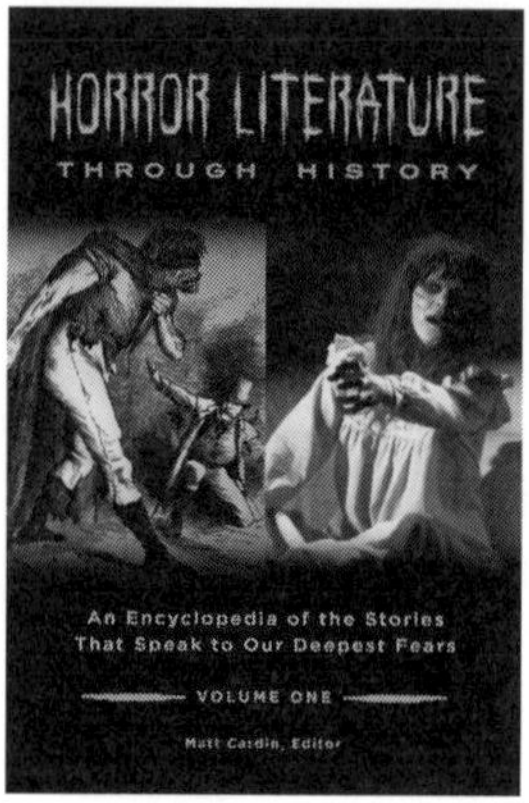

　私のようなサブカル系のモノ書きには、作品研究用のレファレンス本は欠かせない。書籍の性質上、隅々まで通読することは少ないけれど、内容が面白くて、読みふけってしまう事典にしばしば出会う。今回ご紹介する*Horror Literature Through History: An Encyclopedia of the Stories That Speak to Our Deepest Fears*（歴史からみたホラー文学：恐怖の深淵に語りかける物語事典）（マット・カルダン編著・米グリーンプレス社刊・二〇一七年・未訳）もそんな書籍だ。

　二冊組で総計千ページ。執筆者はカルダンを含めて七十二名。事典ゆえに項目数が多く、最新データや参考文献の情報も充実している。値段が高く買うのを躊躇していたが（印刷版が日本のａｍａｚｏｎで三万円超。電子書籍だと一万五千円）、勇気と決断で電子版を先日購入した。

　概要を記すと——本文は三部構成。第一部は「ホラー史概説」で、古代から二十一世紀までを八期に分けて、それぞれの時代を鳥瞰している。

　第二部は主要なテーマやトピックを二十三項目で解説。「幽霊物」「ゴシック物」「アンソロジー」「ＳＦとホラー」「ヤングアダルト・ホラー」「ホラーと社会批評」「フランケンシュタイン」「ヴァンパイア」等々——こうした定番キーワード以外にも、「ホラーのジェンダーとセクシャリティ」「ホラー・ゲーム」といった今ならでは項目も並ぶ。また、「オンライン出版とホラー」「スモール・プレスのホラー」「シェイクスピア・ホラー」「エコ・ホラー」などの項目は、見出しだけで読みたくなる。

　第三部は「ホラー事典」。作家・作品・その他のキーワードが、ＡＢＣ順に三百四十二項目。内訳は、小説家&研究家等の人物紹介が百六十四名分。その内の七名（レアード・バロン、ラムジー・キャンベル、エレン・ダトロウ、ケイトリン・Ｒ・キアナン、Ｊ・Ｒ・ランズデール、トマス・リゴッティ、チェルシー・クイン・ヤーブロ）には長めのインタビューが付いている。さらに、歴史的に重要な長篇&短篇を詳細に分析した解説が三百四十二本。そして、第二部よりニッチなキーワードが四十本ほど挙げられていて、例えば——「ボディ・スナッチング」「ダーク・ファンタジー」「アーカムハウス」「オカルト探偵」「サイコ・ホラー」「スプラッターパンク」「グロテスク」「ウエアウルフ」「ゾンビ」「枠物語（frame Story）」「ラヴクラフト・ホラー」「マッド・サイエンティスト」「インターナショナル・ゴシック・アソシエーション（IGA）」等々——。

事典だけあって、個々の項目が歴史的背景と作品を交えながら体系的に論じられている。しかも二〇一七年に出た本なので、最新情報や関連する新刊も踏まえて、丁寧かつ長めに言及されているのだ。

他にも「ロマン主義とダーク・ロマン主義」「デビルとデーモン」「夢と悪夢」「長篇と短篇」「憑依とエクソシズム」「テラーとホラー」「変態と変容」「魔術と魔女」「夢魔とサキュバス」といった表題が並ぶ。二つの似た要素を深掘りし、類似点と違いを分かりやすく紹介しており、どれも情報が整理されている。教えられることも多い。

読みどころが満載なので、人によって感心する箇所はそれぞれだろう。私自身は、本邦未紹介のホラー作品情報が役立った。

わが国で翻訳が出なくなったロバート・R・マキャモンの項では、彼が近年ますます健筆をふるっている旨が記されている。十七世紀の治安判事書記官マシュー・コーベットが主人公の怪奇ミステリシリーズや、ヴアンパイアのガンスリンガー〈トレヴァー・ローソン〉物が陸続と刊行されているし、後者の長篇*Last Train from Perdition*（二〇一六・未訳）は、歴史ハードボイルド物、しかも鉄道ホラーらしい。ああ、日本語訳で読みたいなあ。

他にも、ペシミズム哲学を論じるトマス・リゴッティのノンフィクション*The Conspiracy against the Human Race*（人類に対する陰謀）（二〇一三）や、アン・ライスの〈ヴアンパイア・クロニクルズ〉物の未訳長篇*Prince Lestat*（レスタト王子）（二〇一四）、オカルト探偵ハリー・ダムーアと魔導士ピンヘッドとの対決を描くクライヴ・バーカーの長篇*The Scaret Gospel*（緋色の福音書）（二〇一五）等々、未訳作品がズラリ。禁断症状が出ない方がおかしい。

キーワード解説も示唆に富む。例えば「エコ・ホラー eco-horror」というサブジャンルがあるそうで、寡聞にして知らなかった。「ナチュラル・ホラー」「環境ホラー」「グリーン・ホラー」の名称もあるらしい。

「エコ・ホラー」は二種類あって、①人類に対して自然が血なまぐさい報復を行うもの。②人間中心ではなく、自然中心的な視点をもって、環境への意識を高めるために設計された作品、だそうだ。

ラヴクラフトの「異次元の色彩」「忌まれた家」を、「エコ・ホラー」の視座で読み直す指摘は斬新だし、レイチェル・カーソンの名著『沈黙の春』をホラー史の視点で位置付けるのも新鮮だ。ヒッチコックの映画『鳥』をはじめとする動物系ホラーの映画・小説（『ジョーズ』『ウィラード』『恐怖の殺人蜜蜂』『グリズリー』『クージョ』『鼠』『復活の儀式』等）を、「エコ・ホラー」の歴史に再構築しつつ、二十一世紀の最新成果としてジェフ・ヴァンダーミアの〈サザーン・リーチ三部作長篇〉『全滅領域』『監視機構』『世界受容』で締める括りも、説得力がある。

チーフ・エディターのマット・カルダンはアメリカのホラー作家兼研究家。宗教学と英語を専攻し、大学で教鞭を執りつつ作家業を営んでいる。彼は巻頭言で、「ホラーの過去・現在・未来を理解することで、謎と闇に対する理解も深まる」と語る。従来の作品群も「エコ・ホラー」のような切り口で照射すると、ホラーに対する新たな理解と方向性が見えてくるのだ。

ホラーの哲学

ノエル・キャロル　高田敦史訳　フィルムアート社　三二〇〇円（税別）

〈評〉牧原勝志

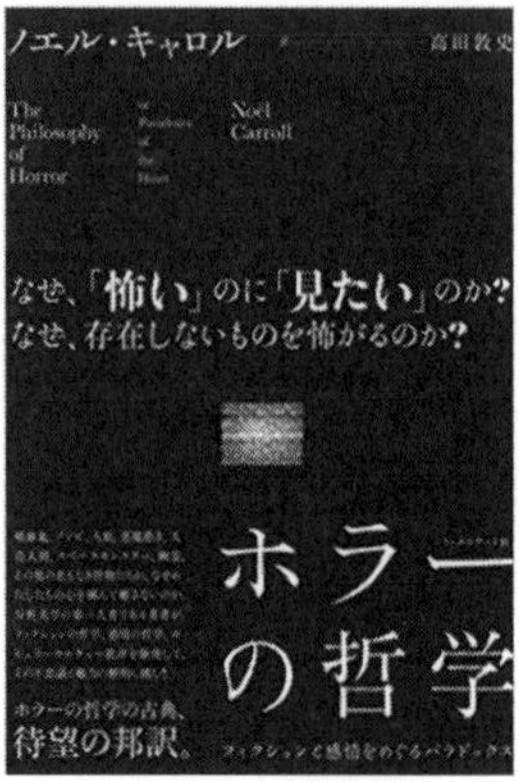

ブックデザイン：北岡誠吾

　人はなぜ恐怖を求めるのか。作りものの醜怪な怪物を見たがり、絵空事の苦痛や死を楽しむのか。たしかにこれは哲学的な問いだ。それを著者が自身に問いかけ、答えたのが本書である。原書は一九九〇年アメリカ刊。言及されるのはおもに一九七〇～八〇年代の小説と映画だ。もちろんスティーヴン・キングへの言及も多く、読者の記憶にまだ新しいからか、『ＩＴ』（一九八六）にも重点が置かれている。当時すでにホラーの基準点の一つであったキングが、そのあとの年月に発表した作品の数々を思うと、原書から三十年あまり後に邦訳された本書には、時代の開きを感じずにいられない。もっとも、一九九〇年代の日本の哲学研究者のうち、ホラーに関心を向けられる人がいったい何人いたのかと考えると、ジャンル・フィクションが哲学の対象として認められるのに三十年を要した、とも思えるが。

　著者は現実の「恐怖」ではない、作品として楽しむ恐怖に「アートホラー」という名称をつけ、明確に境界線を引いた。その一点だけでも、本書の重要性は高い。「怖い」という共通項だけで、災害や事故や病気といった避けるべき恐怖を、楽しむべきフィクションの恐怖と比肩させ、「いちばん怖いのは人間」という自明な現実で絵空事の楽しみを損なうことが、いかに虚しいかを明確に示したのだから。

　ただ、恐怖も、それに楽しみを求めるのも感情であり、理論では捉えがたい。著者は「嫌悪」に重点を置いているように読めるが、より重視すべきは「悪」ではなかったか。『エクソシスト』の小説と映画を共に論じていながら、「悪」とその快楽に触れていないのが惜しまれる。

「恐怖」の領域は広く、概念は曖昧だ。それをここまで論じ、「人はなぜ恐怖を求めるのか」という問いに一つの例解を挙げただけでも、本書は有意義だ。哲学には正解はなく、結論は次の問いに向かう。読者が本書を読み終えてもこの問いを記憶に留め、折々の自問を楽しむことを願う。

　本書の意義を認めたうえで、あえて苦言を申し上げる。訳者と編集者には、書中に言及や引用のある作品の出典を、より丁寧に参照してもらいたかった。たとえばマッケンの「黒い石印のはなし」には〝アシカ〟は登場しない（101ページ）。既訳作の未訳扱いも目につく。できれば正誤表の添付をお願いしたい。また、原書に準じたのか、言及される作品（とくに映画）の数に比して、索引の項目が少ないのは残念だ。

吸血鬼ハンターたちの読書会

グレイディ・ヘンドリクス　原島文世訳
早川書房　二九〇〇円（税別）
〈Reader's Review〉加藤安沙子

装画：緒賀岳志　装丁：岩郷重力

あなたは隣人のことをどこまで知っているだろうか。その人は何歳で、どのような過去を背負っているのか。あなたに見せている顔は、どこまでが本当のものなのか。本書では、近所に越してきた殺人者ジェイムズ・ハリスと、彼の本性に気づいた町の主婦たちの対決が描かれる。

ジェイムズ・ハリスという名前を聞いて、幻想と怪奇の文学に親しんできた方はぴんとくるかもしれない。ハリスはスコットランドのバラッドに登場して以来、女性を誘い出して恐ろしい死の淵へと連れていくストレンジャーとして、幾度も変奏を重ねられ、物語に繰り返し登場してきた。シャーリイ・ジャクスンの〝The Daemon Lover〟やエリザベス・ボウエンの〝The Demon Lover〟などが、ハリスをモチーフとした短篇作品として挙げられるだろう。ヘンドリクスは、そのジェイムズ・ハリスを現代に蘇らせるばかりでなく、吸血鬼にしてしまった。

舞台はアメリカ南部の閑静な住宅街。主人公パトリシアはある日、アライグマの死骸を貪っていた老婦人に耳を嚙みちぎられてしまう。その老婦人の親戚と名乗る男ジェイムズ・ハリスが町に引っ越してきてから生活は一変、人々はカリスマティックなハリスに夢中になっていく。ハリスに違和感を抱いたパトリシアは、彼が町で起こる女性や子供たちの奇妙な死と関連しているのではないかと疑い、独自に調査を実施。ハリスが吸血鬼であると気づくが、周囲の住人達も夫も聞く耳を持たない。パトリシアは自身が所属する読書会のメンバーたちに助力を依頼し、吸血鬼退治を目論む。

ストーカーの『ドラキュラ』に登場するヴァン・ヘルシングを嚆矢として、文学作品上の吸血鬼ハンターはほとんどが男性であった。本作は、吸血鬼を狩る側を全て女性で揃えているという点に新しさがある。ヘンドリクスは彼女らをとりまく環境を子細に描くことを通して、アメリカ南部の共同体における強権的な家父長制や保守的な価値観、人種差別といった問題をふんだんに盛り込み、ハリスの物語を現代のものとして語りなおすことに成功している。子供の世話や義母の介護に追われながら吸血鬼退治を試みる女性たちの死闘を、ぜひ見届けてもらいたい。

原書書影

彼の名はウォルター

エミリー・ロッダ　さくまゆみこ訳

あすなろ書房　一六〇〇円（税別）

〈Reader's Review〉高山あつひこ

装画：都筑まゆ美
装丁：城所潤＋大谷浩介

大人が子供の本を読んで、思いがけず楽しめるのは、心が子供に戻るからかもしれない。子供の時に感じたあの純粋な恐怖を感じるために、ぜひこの本を手に取っていただきたい。

ここにあるのは、真っ黒な闇が立ち上がってくる物語である。この物語を読むうちに思い浮かんだのは、お伽話に潜む恐怖だ。『グリム童話』にある夜の森の恐怖。アンデルセンが『人魚姫』で描いた愛という名の恐怖。子供の頃に繰り返し聞いたお伽話は、最後にうまく閉じているから忘れられてしまうけれど、大人になってからその残虐性に気づいて、唖然とすることもあるだろう。

この物語の主人公、コリンは転校生。遠足の途中、バスが故障して道で立ち往生してしまう。他の元気な生徒たちと男の先生は、目的地を目指して歩いていったのだけれど、コリンと体調の悪い他の生徒三人は、女の先生と一緒にタクシーの迎えを待っている。だが、嵐になってしまい、丘の上の屋敷に避難するはめになる。

屋敷は荒れ果てていたが、塔やシャンデリアつきの部屋があり、昔は豪華だったようだ。食堂でコリンは古びた机の隠し引き出しを開け、一冊の本を見つけたが、そのときから恐怖に満ちた一夜が始まる。

その本は手書きで、とても美しく、不思議な挿絵が描かれている。物語の主人公は孤児で、蜂の家で育てられる。大きくなってネズミの家で働いていた頃、王様の戦争が始まり、主人公は放浪する。たどり着いた魔女の家で日々を過ごし、そのあとに流れ着いた街では雀と恋に落ちていく。

コリンたちがこの物語を読み進めようとすると、奇妙な妨害が起きてくる。この不思議な屋敷の魔力が、生徒たちにも及んでくるのだ。読み続けなければ何が起きるかわからないと、苦難を乗り越え物語を最後まで読み終えたとき、夜が明け、ある謎が解き明かされていく……。

恐怖の一夜の中で、同級生の全然知らなかった個性が発揮されていく様子や、幾重にも重なった謎の仕組みが明らかになっていく過程には、この作者の力量を感じずにはいられない。

謎が解き明かされた後、あなたはこの物語の中にある真の恐怖に気づくだろう。今の現実と重ね合わせて、目をそむけずに見ていこう。そして、お伽話に潜む恐怖と、不思議な世界をさまよう魅力を、子供のようにもう一度味わってほしい。

寄稿者紹介（五十音順）

（括弧内の数字は掲載頁）

圷《あくつ》香《か》織《おり》（246）

翻訳家。主な訳書にスーザン・イーリア・マクニール『チャーチル閣下の秘書』『エリザベス王女の家庭教師』、ヤンシィー・チュウ『夜の獣、夢の少年』『彼岸の花嫁』、バロネス・オルツィ『紅はこべ』（以上、東京創元社）がある。

市《いち》川《かわ》純《じゅん》（95他）

日本体育大学准教授。主な訳書にメアリー・シェリー『マチルダ』（彩流社）、クリスティナ・ロセッティ『不思議なおしゃべり仲間たち』（レベル）がある。現在、来年開催予定の『不思議の国のアリス』に関連したある企画に関わっている。

伊《い》東《とう》晶《あき》子《こ》（49）

翻訳者。主な訳書にクレア・A・ニヴォラ作『世界のまんなかの島～わたしのオラーニ～』（きじとら出版）、『M・P・デア 怪奇短編集』（私家版）がある。翻訳同人誌「翻訳編吟」同人。

井上《いのうえ》雅彦《まさひこ》（170）

小説家。星新一ショートショートコンテスト受賞を経てデビュー。著書に『夜会　吸血鬼作品集』（河出書房新社）、『ファーブル君の妖精図鑑』（講談社）など多数。企画監修をつとめる書き下ろしアンソロジー《異形コレクション》（光文社文庫）の最新刊は、創刊二十五周年目となる十二月刊行の第五十四巻『超常気象』。ちなみに、《異形コレクション》の創刊に霊感を与えてくれた源泉のひとつとして、英国のレディ・シンシア・アスキスが編集したオリジナル・アンソロジーの嚆矢『The Ghost Book』があげられる。

岩《いわ》田《た》佳《か》代《よ》子《こ》（68）

翻訳者。主な訳書にジェーン・グドール『希望の教室』（海と月社）、『おうちでSTEAM教育「なぜ?」「どうして?」がよくわかる　わくわく科学実験図鑑』シリーズ（ディスカヴァー・トゥエンティワン）がある。本シリーズでの翻訳は『幻想と怪奇10　イギリス怪奇紳士録　英国怪談の二十世紀』所収のW・F・ハーヴィー「ミセス・イーガンの腕」に続き九度目。

植《うえ》草《くさ》昌《まさ》実《み》（220）

翻訳者。主な訳書にランガン『フィッシャーマン漁り人の伝説』、ランズデール『死人街道』。共訳書に『新編　怪奇幻想の文学2　吸血鬼』（以上、新紀元社）、井上雅彦編《予期せぬ結末》シリーズ（扶桑社）などがある。

渦《うず》巻《まき》栗《くり》（122）

翻訳者。『新編 怪奇幻想の文学2　吸血鬼』にカール・ジャコピ「黒の啓示」、『新編 怪奇幻想の文学1　怪物』にE・F・ベンスン「〝かくてさえずる鳥はなく〟」が収録されている（共に新紀元社）。

小《お》山《やま》正《ただし》（284）

ミステリ＆映画研究家。テレビ局に勤務のかたわら、ミステリ・映画・音楽に関するコラムや解説を執筆。著書に『ミステリ映画の大海の中で』（アルファベータ）、共著に『越境する本格ミステリ』（扶桑社）他、編著に『バカミスの世界』（小山正とバカミステリーズ編、美術出版社）などがある。

勝《かつ》山《やま》海《うみ》百合《ゆり》（267）

小説家。アンソロジー『万象3』（惑星と口笛）に掌編「紫には灰を」収録予定。翻訳にS・チョウイー・ルウ「稲妻マリー」「沈黙のねうち」（星雲賞海外短編部門参考候補作）、シェリィ・カメイ「鶴の女たち」など。二〇二三年に単著刊行予定。

金《かな》井《い》真《ま》弓《ゆみ》（10）

英米文学翻訳家。主な訳書にリサ・タトル『夢遊病者と消えた霊能者の奇妙な事件』（新紀元社）、M・R・ラインハート『ヒルダ・アダムスの事件簿』（論創社）、アレクシス・ホール『ボーイフレンド演じます』（二見書房）、T・J・クルーン『セルリアンブルー 海が見える家』（オークラ出版）がある。

熊《くま》井《い》ひろ美《み》（141）

翻訳者。主な訳書にシーバリー・クイン『グランダンの怪奇事件簿』、ルーパート・ペニー『密室殺人』（共に論創社）、コリン・ディッキー『ゴーストランド　幽霊のいるアメリカ史』（国書刊行会）がある。

斜《しゃ》線《せん》堂《どう》有《ゆう》紀《き》（180）
小説家。著書に『キネマ探偵カレイドミステリー』『神神化身 壱 春惜月の回想』（共にＫＡＤＯＫＡＷＡ）、『楽園とは探偵の不在なり』（早川書房）、『ゴールデンタイムの消費期限』（祥伝社）、『廃遊園地の殺人』（実業之日本社）など多数。近著に『君の地球が平らになりますように』（集英社）がある。

田《た》村《むら》美《み》佐《さ》子《こ》（184）
翻訳家。主な訳書にサックス・ローマー『魔女王の血脈』（アトリエサード／書苑新社）、エヴァンジェリン・ウォルトン《マビノギオン物語》シリーズ、ピーター・トレメイン《修道女フィデルマ・シリーズ》『憐れみをなす者』『修道女フィデルマの采配』（共に東京創元社）がある。

夏《なつ》来《き》健《けん》次《じ》（26）
翻訳者。主な訳書にＷ・Ｈ・ホジスン『幽霊海賊』（アトリエサード／書苑新社）、ジョージ・Ｗ・Ｍ・レノルズ『人狼ヴァグナー』（国書刊行会）、Ｇ・Ｇ・バイロン／Ｊ・Ｗ・ポリドリ他『吸血鬼ラスヴァン 英米古典吸血鬼小説傑作集』（平戸懐古との共編訳、東京創元社）、チャールズ・ディケンズ他『英国クリスマス幽霊譚傑作集』（創元推理文庫）他。

ひらいたかこ（表紙）
イラストレーター。ミステリの装画や挿絵を中心に制作を続ける。子供向け絵本や児童書の制作も。『アリス、アリス、アリス！』（東京創元社）始め画集の出版や原画展示でも活動。

平《ひら》戸《ど》懐《かい》古《こ》（101）
英米文学翻訳家。訳書にホレス・ウォルポール『象形文字譚集』（私家版）、共訳書に夏来健次との共編『吸血鬼ラスヴァン 英米古典吸血鬼小説傑作集』（東京創元社）、夏来健次編『英国クリスマス幽霊譚傑作集』（創元推理文庫）がある。

藤《ふじ》原《わら》ヨウコウ（2）
イラストレーター、挿絵画家。最近の仕事に、武内涼『源平妖乱　鬼夜行』（祥伝社）装画、イザベル・ヤップ「アスファルト、川、母、子」（ＳＦマガジン二〇二二年六月号）挿絵などがある。

牧《まき》眞《しん》司《じ》（261）
文藝評論家・ＳＦ研究家。主な著書に『「けいおん！」の奇跡、山田尚子監督の世界』（扶桑社）、『JUST IN SF』（本の雑誌社）、『世界文学ワンダーランド』（本の雑誌社）、主な編著に《Ｒ・Ａ・ラファティ・ベスト・コレクション》（ハヤカワ文庫）、『ルーティーン　篠田節子ＳＦ短篇ベスト』（ハヤカワ文庫）、星新一『きまぐれ星からの伝言』（徳間書店）、『柴野拓美ＳＦ評論集 理性と自走性――黎明より』（東京創元社）がある。

牧《まき》原《はら》勝《かつ》志《し》（286）
『幻想と怪奇』編集室長。編書に《新編　怪奇幻想の文学》シリーズ（紀田順一郎・荒俣宏監修　新紀元社）がある。

木《もく》犀《せい》あこ（161）
作家。二〇一七年『奇奇奇譚編集部　ホラー作家はおばけが怖い』（ＫＡＤＯＫＡＷＡ）で第二十四回日本ホラー小説大賞優秀賞を受賞。主な著書に『能楽師　比良坂紅苑は異界に舞う』（マイナビ出版）『ゴースト・テーマパークの奇跡』（ＫＡＤＯＫＡＷＡ）がある。

YOUCHAN（装丁）
イラストレーター。最近手掛けた主な装画に、『新編怪奇幻想の文学２　吸血鬼』（新紀元社）、牧野信一『嘆きの孔雀』（長山靖生編　小鳥遊書房）がある。

《読者書評「Reader's Review」募集》
引き続き、読者の書評「Reader's Review 」を募集します。文字数は、八百字以上一千字以内。対象は、二〇二一年以降に日本で出版された怪奇幻想に関連する本。「幻想」や「怪奇」の意味は評者の解釈によります。小説に限定せず、復刊、文庫化、電子書籍も対象です。洋書の場合、未訳であれば二〇二一年以前のものも対象になります。

書評本文の前に、取り上げた本の情報の以下の情報を記載してください。
題名／著者・訳者・編者等／出版社／奥付記載の発行年月日／評者名

応募方法と締め切りはショートショートコンテストに準じます。編集室での厳正な選考のうえ、採用の投稿者には原稿料相当額の図書カードと『幻想と怪奇』収録巻を進呈いたします。なお、収録にあたり編集部で文章を調整させていただく場合があります。ご了解のほどをお願いいたします。

◆第10巻『イギリス怪奇紳士録』の編集中に閃いた今回の企画ですが、作品の行間からこれまで見えなかった英国の一面が浮かんできたように思います。いつか第二集を送りたいもの。その日が早く来ますように。

◆偶然ながら、リデル「胡桃屋敷」は夏来健次氏編訳『英国クリスマス幽霊譚傑作集』にも「胡桃邸の幽霊」として収録されています。良作ゆえの珍事、どちらもお楽しみいただけますよう。

◆この巻をもって『幻想と怪奇』は三年を迎えることになります。読者の皆様と寄稿者各位に御礼申し上げつつ、さらに一歩、踏み出します。（M）

次回配本

幻想と怪奇13
H・P・ラヴクラフトと友人たち
――アーカムハウスの残照――
クラーク・アシュトン・スミス
オーガスト・ダーレス
ロバート・ブロック　他
二〇二三年三月上旬刊行予定

第一回『幻想と怪奇』ショートショート・コンテスト開催のお知らせ

1：募集原稿　八千字以内（四百字詰原稿用紙二十枚程度）の、自作未発表（ネットを含む）の創作。怪奇・幻想の要素を含むもの。「怪奇」「幻想」の意味は作者の解釈によります。

2：選考　『幻想と怪奇』編集室で厳正に選考。結果は二〇二三年三月刊の『幻想と怪奇13』で発表。作品は『幻想と怪奇14』以降に収録。

3：賞品　最優秀作／賞金三万円、副賞に『幻想と怪奇』作品収録巻より一年分を進呈。優秀作／規定原稿料と『幻想と怪奇』作品収録巻を進呈。

4：応募原稿の形式　本文冒頭に「題名」「著者名」を明記。末尾に「著者本名（本名で応募の場合も）」「連絡先（住所と、電話番号もしくはメールアドレス）」の記載をお願いします。メール添付の場合、ファイルはテキスト形式で。郵送の場合はＡ４判用紙横位置に縦書き、ページ番号つきで印刷のうえ、右上を綴じてください。手書きの場合は、四百字詰原稿用紙に縦書きでお願いします。

5：応募先　左記のメールアドレスまで、件名は「応募原稿」で。
romanfantastique@shinkigensha.co.jp
郵送の場合は「新紀元社『幻想と怪奇』編集部　コンテスト係」まで。送り先は奥付に記載。

6：締切　二〇二三年一月三十一日（メール日付有効。郵送の場合は必着）

★また、自由投稿もお待ちしております。より長い創作、評論など、お気軽にお寄せください。なお、諸般の事情により、翻訳の投稿受付はしばらく休止させていただきます。あしからず御了承いただけますよう。

なお、コンテスト応募者、自由投稿者、ともにプロ、アマ不問です。揮っての御応募、御投稿を。なお、原稿記載の個人情報は『幻想と怪奇』編集上の目的以外には使用しません。（編集室）

幻想と怪奇　12
イギリス女性作家怪談集　メアリー・シェリーにはじまる

2022年12月12日　初版発行

企画・編集　牧原勝志（『幻想と怪奇』編集室）

発 行 人　福本皇祐
発 行 所　株式会社新紀元社
〒101-0054 東京都千代田区神田錦町1-7 錦町一丁目ビル2F
Tel.03-3219-0921　Fax.03-3219-0922
http://www.shinkigensha.co.jp/
郵便振替　00110-4-27618

協　　力　紀田順一郎　荒俣 宏

題　　字　原田 治
表 紙 絵　ひらい たかこ（Pen Studio）
デザイン　YOUCHAN（トゴルアートワークス）

組　　版　株式会社明昌堂／『幻想と怪奇』編集室

印刷・製本　中央精版印刷株式会社

ISBN978-4-7753-2058-7
Printed in Japan
定価はカバーに表示してあります。